北京古籍叢書

[清]于敏中　主編

瞿宣穎　左笑鴻　于杰　點校

日下舊聞考

第八册

圖書在版編目（CIP）數據

日下舊聞考．第八册 /（清）于敏中主編；瞿宣穎，左笑鴻，于杰點校．— 北京：北京出版社，2018.2

（北京古籍叢書）

ISBN 978-7-200-13591-6

Ⅰ．①日… Ⅱ．①于… ②瞿… ③左… ④于… Ⅲ．①北京—地方史—史料 Ⅳ．① K291

中國版本圖書館 CIP 數據核字（2017）第 283064 號

項目策劃：安　東　　　項目統籌：許　可

責任編輯：喬天一　張　帥　　　責任印製：宋　超

裝幀設計：郭　宇

北京古籍叢書

日下舊聞考

第八册

［清］于敏中　主編

瞿宣穎　左笑鴻　于杰　點校

出　版　北京出版集團公司

　　　　北京出版社

地　址　北京北三環中路六號

郵　編　一〇〇一二〇

網　址　www.bph.com.cn

總發行　北京出版集團公司

經　銷　新華書店

印　刷　北京虎彩文化傳播有限公司

開　本　八八〇毫米×一二三〇毫米　三十二

印　張　十一點一二五

字　數　二〇二千字

版　次　二〇一八年二月第一版

印　次　二〇二三年五月第二次印刷

書號　ISBN 978-7-200-13591-6

定價　78.00 圓

如有印裝質量問題，由本社負責調换

質量監督電話　010-58572393

欽定日下舊聞考卷一百四十一

京畿 密雲縣二

原 鮑邱水出禦夷北塞中，南流逕九莊嶺東，俗謂之大榆河。水經注

〔臣等謹按〕據大清一統志，鮑邱水卽今之潮河。

〔又按〕水經注以濡水爲經白檀，白檀今密雲地，非濡水所經，恭繹御製灤河濡水源考證並御製熱河考，指示酈注之疏，誤以漢書地理志之洫水爲濡水。按洫水今潮河，非濡水也，謹辨其誤於潮河條下。御製全文已恭載欽定熱河志卷内，兹不復綴。

原 大榆河又東南峽逕安州舊漁陽郡之滑鹽縣南，王莽更名匡德也。漢明帝改曰鹽田，世謂之斛鹽城。西北去禦夷鎮二百里。水經注

〔臣等謹按〕原書此條及後滑鹽廢縣二條入平谷縣卷内。考水經注原文，大榆河又東南出峽經滑鹽縣南，又南逕傂奚縣故城東，又西南逕獷平縣故城東。是其地形遞次

而南，滑鹽在傂奚之北，傂奚又在密雲東北，至平谷在密雲西南七十里，相去甚遠，境内不應有滑鹽縣地，今據地理沿革表改正。

原 鮑邱水又南逕傂奚縣故城東，王莽更之曰敦德也。水經注

原 道人溪在縣東北，源發龍門，流經縣界，入於潮河。方輿紀要

〔臣等謹按〕據大清一統志，潮河發源古北口西北三百里許郭家屯西，古開平南境。水經注所謂鮑邱水出禦夷北塞中是也。自古北口西流入密雲縣界，即折而西南，至縣東南，與白河會。明時潮白兩河猶分流會於牛欄山下。自嘉靖三十四年，遏潮河不使入順義境，由密雲合白河。於是牛欄山以上潮河故道遂爲白河所經。據此是密雲以北二水分流，密雲以南舊時猶分，今滙爲一矣。

增 乾隆二十九年御製潮河詩 白河過浮橋，庢奚歷迤邐。潮河带城南，弗渡遵其涘。近郭列市廛，枕堰非高峙。緩急何所賴？尋思蓋久矣。謀安民自知，寧必更張屢。叶洶湧奔新漲，竹箭莫喻駛。昨晚東北雷，聞聲今見爾。

〔臣等謹按〕潮河御製詩，恭載首見之篇，餘不備録。

補 余有丁密雲縣疏河記 密雲巖邑，王畿之左輔也。城東爲潮河，出孤山，折而東注，西則白河會之。歲甲寅秋大雨，兩河離常流夾城而下，城受齧。中丞劉公開府於是，謀於中丞楊公、都護戚公、憲使王公，析渠引河，陳畚鍤，具甓甃，積土塗，繕城堡，不匝月而工成。計東隄三百五十餘丈，西一百餘丈，高各三丈五尺。余文敏集

增密雲東北九十五里潮河崖有潮河神祠。密雲縣册

〔臣等謹按〕潮河神祠，乾隆十七年勅建。

增潮河浮橋在南天門之麓。密雲縣册

〔臣等謹按〕潮河由喀喇河屯入古北口，經柳林曲至南天門，四山環束，波流迅駛，每歲秋獮木蘭，乘輿過此，例造正副浮橋以渡。南天門勅建觀音寺，寺旁精舍御書額曰攬勝軒，御製詩篇恭載卷内。

增乾隆六年御製南天門觀音寺遥望詩　古刹禮大士，虚堂息勞身。旋起憑欄望，舊徑還如新。谷轉見行騎，山高截片雲。是時秋始孟，緑樹猶繁紛。兩山闢仙境，一路無纖塵。裊裊旌旆影，隱現出嶙峋。逸興一以暢，轉益憂懷頻。念彼隨從者，跋涉良苦辛。

增乾隆八年御製攬勝軒小憩詩　偶來精室憩征鞍，窗啓嵐光送曉寒。谷裏蜿旌烟裏度，座中羽騎畫中看。盤盤古柏陰猶翠，的的秋英露未乾。不向空王陳罪福，闍黎空自羨人檀。

增乾隆十七年御製南天門詩　牝谷晨行衝曉靄，是處淙淙鳴石瀨。迴谿複嶺數十盤，蓮宫始見青雲外。到來初地空塵心，憑虚萬景窗前繪。舉鞭旋復度巖扉，真教隔絶仙凡界。天關虎豹信森嚴，此或當然我所戒。

增乾隆二十九年御製攬勝軒放歌 北河澗接南河澗，谷中曉氣金風翻。須臾日出高峯朗，跋馬真是狃天門。橫嶺入雲，潮河帶其下，俗名南天門，軒在寺旁。祇園左側有精舍，我向名之攬勝軒。每來憩坐必攬勝，縈青繚白羅嶟嶟。傑池夏木猶餘翠，低蘙高葉紛繙帬。九閽何必守虎豹？夔夔爲憶三間言。

〔臣等謹按〕南天門御製諸詩，謹繹有關紀述者恭載卷内，餘不備録。

增三城水出臼里山，西逕三城，謂之三城水。又逕香陘山，又西逕石窟南，又西北逕伏凌山南，與石門水合，又西南逕獷平城東南，而右注鮑邱水。水經注

增漁水出漁陽縣東南，平地泉流，西逕漁陽縣故城南，城在斯水之陽，故名，又西南入沽水。同上

增黄門子河在縣東九十里，源出黄門關口，泉水西流入潮河。大清一統志

增湯河在縣東北七十里，源出司馬臺關口泉，南流西折貫古北營城中西出，又南入潮河。同上

增白馬關河在縣北一百里，源出口外，自馬關口東流入界，南流入白河。同上

增馮家峪河在縣北九十里，源出口外，自馮家峪流入白河。同上

增水峪河在縣北三十里，源出口外，自水峪口流入白河。同上

原黑城川在縣北四十里平頂山，後唐之鎮遠軍也。密雲縣志

原要水出塞外，三川並導，謂之大要水，東南流逕要陽縣故城東。本都尉治，王莽更之曰要術矣。水經注

增乾塔河在縣東北一百四十里，源出口外，自黑峪關流入，西流逕古北城内，會清水河，又西南入潮河。大清一統志

原濡河東出峽，入安州界，東南流逕漁陽白檀縣故城。地理志曰：濡水出縣北蠻中。漢景帝詔李廣曰將軍其帥師東轅弭節白檀者也。水經注

〔臣等謹按〕此條沿水經之誤，以濡水爲經密雲。御製熱河考並灤河濡水源考證，釐訂原委，密雲之並無濡水明甚，詳前潮河條下。

原渤海泉在縣東三十里，泉涌如珠，時有雲氣。砦有清修寺，唐建，成化間修。谷壽寺在縣東三十里，元建。密雲縣志

原縣東北六十里爲石匣城。昌平山水記

〔臣等謹按〕石匣城，明弘治十七年巡撫洪忠建，築土城周四里有奇。嘉靖四十五年，改築石城，修撰陸泰有記。本朝特設副將駐守。東北三十三里爲古北口，凡古北口事蹟並御製詩篇謹詳邊障卷内，兹不複綴。

增聖祖御製石匣營作　青嶺橫峯蔭薜蘿，時方小暑緑新荷。蒲編詩興光巖穴，虎士桓桓扣角歌。

原石匣東南渡潮河十五里爲石盆谷，有龍潭。潭上石如盆形，水懸崖而下入於潭，潭外爲盆，水從潭面歷盆，抵峽而下，數里入於潮河，有龍宅焉，其深無底。潭中有石門，水淺則見，土人曰龍所從出入也。上有廟，距縣東北五十里。昌平山水記

〔臣等謹按〕石匣龍潭神祠，乾隆四十三年奉勅修建。祠前坊座，南面額曰石林水府，北面曰雲影天光。殿内御書額曰普澤昭靈。聯曰：宅勝境而靈，川渟嶽峙；潤羣生者廣，雲行雨施。皆御書。並御製龍泉寺瞻禮詩恭載卷内。

增乾隆四十四年御製龍泉寺瞻禮二十韻　石匣白龍潭，舊傳爲靈境。往來每遥瞻，瓣香遣致敬。叶昨歲夏值旱，特以專官請。昨夏久不雨，適召見攝京兆事胡季堂，詢其田禾情形，據奏農民望澤甚切，若即得透雨，尚可有收，並奏及石匣龍潭向來禱雨輒應。即命其親往誠請。翊日甘霖大沛，遠近均霑，禾稼頓覺芃勃。復命時又奏言潭上祠宇及其前龍泉寺歲久頽圮，特發内帑萬金鼎新之。兹工已落成，因巡幸避暑山莊，便道至祠瞻禮。應禱普被霖，舊宇因新整。北巡值落成，親詣抒誠秉。取道九松山，東北循山逕。叶近寺趣頓殊，樹密峯巒靜。三潭疊瀉瀑，尋源更遥迥。石洞窈首潭，其深不可等。想即神所安，一泓含溟涬。便風亦不波，雖冬而恒洞。神祠臨峭崖，像設聞欬謦。四圍陡壁間，松柏森勁挺。一川冰雪飛，五月衣裳冷。所見奇蹟多，似此頗鮮並。祠旁構精舍，以備小憩領。疏窗既

納涼，曲檻堪憑景。無須勞步履，坐攬得全省。意謂此多哉，吾豈爲遊幸？惟祈雨暘時，鴻庥利民永。

原金溝館在縣東北四十五里，亦謂之金溝淀。方輿紀要

〔臣等謹按〕龍泉寺御製詩，恭載首見之篇，餘不備録。

原檀州五十里至金溝館。將至館，川原平曠，謂之金溝淀，國主常於此過冬。自此入山，詰曲登陟，無復里堠，但以馬行計日，約其里數。王文正上遼事

原獲野館在舊城西門外五里，萬曆二年建。密雲縣志

增共城即舜流共工之地，在密雲縣東北五十里。方輿紀要

原共城在檀州燕樂縣界。括地志

原漁陽城在縣南十八里，秦郡治此。二世發閭左戍漁陽，即此城也。方輿紀要

增貍陽故城在密雲縣南。史記趙世家

增博陸城在縣東南。水經注：泃水出傂奚縣東南逕博陸故城北。大清一統志

原厗奚廢縣在縣東南，漢置，屬漁陽郡。方輿紀要

原後漢曰傂奚縣，晉廢。魏書志，皇始二年置密雲郡，初治提携城。即厗奚之譌也。同上

原白檀廢縣在縣南，漢置，以縣有白檀山而名。後漢廢。建安中，曹操歷白檀破烏桓於

柳城，卽白檀故城也。上同

〔臣等謹按〕白檀山今在懷柔縣界。

原要陽廢縣在縣東南六十里，漢縣，漁陽都尉治此。方輿紀要

原蓋延，漁陽要陽人。後漢書

原後漢廢要陽，後魏復置，屬密雲郡，北齊廢。方輿紀要

原滑鹽廢縣在縣西北，漢置，屬漁陽郡，後漢縣廢，北魏時有斛鹽戍。孝昌三年，安州石離、穴城、斛鹽三戍兵反，應上谷賊杜洛周，洛周自松硎赴之。石離、穴城二戍蓋在斛鹽戍西。上同

原滑鹽地宜五穀，有鹽池之利。括地志 以上二條原在平谷縣卷內，今移改。

原安樂郡舊置安州，後周改爲元州。開皇十六年州徙，尋置檀州。隋書

補柳應芳陪張尚書登檀州北城樓作 縱目層樓上，時開旅客顏。山臨燕塞斷，水繞漢城灣。秋色孤鴻外，邊聲萬馬間。令公多暇日，登眺不知還。明詩正聲

原安市廢縣在縣東北五十里，漢遼東屬縣，後魏僑置於此。太武帝延和初，置交州治焉。太平真君二年，改置安樂郡，兼領土垠縣。方輿紀要

原後齊廢土垠入安市，後周廢安市入密雲縣。隋書

〔臣等謹按〕舊志，土垠故城在縣東北一百八十里陳宫山下，今入豐潤縣。

原燕樂廢縣在縣東北八十里，漢厗奚縣地。後魏延和九年置燕樂縣，又僑置益州於此。太平真君九年，改廣陽郡。北齊郡廢，以廣興、方城二縣并入。隋大業初，置安樂郡治焉。唐初郡廢，仍爲燕樂縣，屬檀州，亦謂之廣陽城。寶應二年，史朝義敗走廣陽，廣陽不受，卽此。方輿紀要

原燕樂縣初治白檀城，長壽二年移治新興城。舊唐書

原梁乾化三年，晉將周德威伐燕，劉守光奔燕樂被擒，縣尋廢。方輿紀要

原燕樂，漢厗奚縣地，五代時廢爲燕莊，其地平曠可屯。續通典

原元致和初，上都兵入古北口，留重兵於燕樂。方輿紀要

原方城廢縣在縣東北，魏主燾以方城并入密雲，方城蓋慕容燕所置縣，魏主宏於皇興二年置安州，治故方城。同上

原天平中陷，元象中寄治幽州北界。魏書

原普泰初復置方城縣，屬廣陽郡，蓋卽舊城置。北齊廢。方輿紀要

原行唐廢縣亦在縣東，本定州屬縣。同上

原遼太祖掠定州，破行唐，盡驅其民北至檀州，擇曠土居之，凡置十砦，仍名行唐縣。

原龍慶倉在密雲縣。四鎮三關志

原密雲中衛領左右中前四千户所，與縣同城而居。昌平山水記

〔臣等謹按〕密雲中衛署今廢。

原衛在縣治東，洪武四年建。明一統志

原密雲有太古墓，圍十餘里，高與山等。昔人欲發之，將及墓門，有羣蜂飛出螫人，遂不敢入。相傳以爲遼太后所葬。燕山叢録

原龍興寺在縣治北，唐建，太安中重修。明一統志

原龍興寺，元大德丁酉重修，明成化十七年、嘉靖元年又修，俗名錐塔寺。密雲縣志

原祐國寺在縣南十里，至元八年建。上同

原香巖寺在縣東二十五里，元至正年建，内有鴨脚子一株，俗名白果寺。上同

原冶山上寺、冶山下寺，遼重熙八年建。上同

原崇福寺在縣東北十里栗園莊，元至正年建，明嘉靖年重修。上同

原大安寺在縣東北五十里，舊名白猿院。北齊天保五年建，金承安四年重修。上同

原三教寺在青銅山下，又有卧佛寺，唐建，明嘉靖中重修。上同

原縣故有大悲庵，嘉靖戊子，御史王大用爲赤肚子展居室，改題曰棲真院，大學士夏言

更題其門曰了師庵。上同

原赤肚子不知何許人。正德辛未，入密雲城，入豕圈，與豕同眠，無穢氣，人皆異之。後徙學宮旁，又徙滕家巷居民簷下，壘甎爲井，踞坐，以足頂尾閭，兩拳握六指不放如勾。問之則不言。與之食則食，不食葷酒，不多食，過午則不食。與之衣，則裂之避之；與之貨，則給僧以誦經。赤身鬅首，覆以片氊，祁寒盛暑弗侵也。居民市鬻者與之輒多利，競致之。入人寢室如其家，不避婦女。有戲之者，亦躍足昂首，嬉然而笑。置囹圄中，數日不食，亦不死。許内臣爲繪象，京師及四方好事者俱呼以仙。嘉靖壬辰春夏大旱，居民强令祈雨，凡八日不食，至五月十二日雨，乃食，十三日又雨，人益異之。赤肚子傳

原慶峯觀在縣治南，元建，洪武十六年重修。密雲縣志

原清都觀在縣西北十里，大安二年羽士杜宗道建。至元中改洞真宮，洪武二十四年置道錄司。上同

原清都觀在清都山，距縣東北五十里。上同

原霞峯觀在縣北四十里，元道士魏志和建，延祐五年周道昌重修。上同

原王道亨霞峯觀記 檀州北有水谷，出乾維山谷間，與白水合，中有霞峯觀。國初李尊師結庵此地，弟子魏志和、史志端、李道純力事營造，已又得楊道勉、劉道本，共成之。

原李志寧霞峯觀記　白檀山北曰水谷，袤延峯嶺，林木森秀，有宗師霍道隆於延祐二年棲隱其間，建道院一區。既而道友王宏道協謀，經營堂宇，炳焕一新焉。

原乾亨二年十二月，如蒲瑰坂，獵於檀州之南。遼史

原太平五年八月，獵於檀州北山，射兔於平川。同上

原珠嘉佛紳，薊州猛安人。貞祐二年，爲提控，與同知順州軍州事温特赫伊扎爾俱守密雲。佛紳家屬在薊州，元兵得之，以示佛紳曰：若速降，當以付汝，否則殺之。佛紳曰：吾事本朝受厚恩，戰則速戰，終不能降也，豈以家人死生爲計耶？城破，死於陣。伊扎爾被執亦不屈而死。詔贈佛紳開府儀同三司樞密副使，封宿國公，伊扎爾鎮國上將軍順州刺史，命樹碑以時致祭。金史忠義傳　按：珠嘉舊作朮甲，從八旗姓譜改正。佛紳，滿州語柄也，舊作法心。伊扎爾，蒙古語根源也，舊作咬查剌。今俱譯改。

補錢藻備兵密雲，有二京軍劫人於通州，獲之，不服，州以白藻。二賊恃爲京軍，出語無狀。藻乃移甲於大門之外，獨留乙鞫問數四，聲色甚厲，已而握筆作百許字，若録乙口語狀，遣去。隨以甲入，紿之曰：乙已吐實，事由於汝，乙當生，汝當死矣。甲不意其紿也，忿然曰：乙本首事，何委於我？乃盡白乙首事狀。藻出乙訟之，遂論如法。智囊

原永樂十五年十一月，金水河太液池冰，凝結衆像，態狀奇巧。其時密雲亦獻瑞冰如水晶含玉者凡七，與金水河所結無異。泊庵集

欽定日下舊聞考卷一百四十二

京畿 平谷縣僑治附

原 平谷縣在薊州城西北八十里。明一統志

〔臣等謹按〕平谷縣元明俱屬薊州，本朝始改隸順天府，又考縣志，稱在薊州城西北九十里，與今驛路相符，舊志誤。

增 平谷縣在順天府東北一百五十里，東西距四十五里，南北距五十里。東至薊州界三十里，西至三河縣界十五里，南至三河縣界二十五里，北至密雲縣界二十五里，東南至薊州界六十里，西南至香河縣治九十里，東北至薊州界四十里，西北至密雲縣界九十里。大清一統志

原 漢置平谷縣，屬漁陽郡，在今通州北，晉廢。今縣本唐漁陽縣之大王鎮。方輿紀要

增 漢置平谷縣，屬漁陽郡，晉初省，後復置。後魏太平真君七年，省入潞縣，後改入漁陽縣。大清一統志

【原】平谷金大定二十七年，以漁陽縣大王鎮陞。金史

〔臣等謹按〕金史地理志作平峪。問奇集云，峪讀如裕；平谷，縣名。

【原】元至元三年，并入漁陽縣。十三年復置縣，屬薊州，明因之。清類天文分野之書

〔臣等謹按〕元史作至元二年。

【原】縣治在東街，洪武初建。平谷縣志

【原】平谷縣治舊無城，永樂二年營州中屯衛自塞北徙入，安置平谷縣，城始建焉。是時草創，未甃以甎。成化丁亥，始以甎石包砌，高二丈五尺。兵部尚書淳安商輅作記。嘉靖壬子重修，河南按察副使邑人王鎧作記。嘉靖癸亥，撤舊城而新之，增崇五尺，四門各建以樓：東曰挹盤，西曰拱辰，南曰迎洵，北曰威遠。翰林院編修蒲坂張四維作記。上同

【增】隆慶二年，濬濠池，比舊深丈餘，濶半之。東西二門添置弔橋。上同

【增】平谷縣城周三里，門四，濠廣二丈。大清一統志

〔臣等謹按〕平谷縣城於乾隆三十三年興修，至三十六年告竣。

【增】乾隆三十四年御製平谷道中作　背指岡巒谷就平，烟郊靄靄暢新晴。村民知我重農意，叱犢扶犁不輟耕。春日遲遲喜載陽，脱輕毳欲換綿裳。六朝來往於何異？麥隴緑深苗且長。老幼扶攜出縣城，相親到處愛民情。圖其安樂無多巧，政簡還教官吏清。

〔臣等謹按〕平谷道中御製詩，恭載首見之篇，餘不備録。

【原】文彭平谷道中作 奉檄趨平谷，西風送馬蹄。秋深衰柳變，日落晚山低。荒草平原合，黄雲入望迷。邊城烽火息，野老自提攜。文博士集

【原】商輅平谷縣新城記 平谷縣在薊州治西北八十里，西連密雲古北口，東接山海，道經遼東，北臨極邊諸山。永樂初，置營州中屯衛，蓋重鎮也。縣故有土城，歲久頹圮。巡撫都御史閻本謀諸總兵焦壽、參將劉輔，疏請於朝，得允。爰命衛指揮袁忠督軍夫增築之，周圍六百丈。城外爲塹，沿塹植榆柳萬株。經始於成化丁亥四月，訖工於明年二月。商文毅集

【補】張四維平谷縣修城記 平谷，古漁陽地，北臨大漠。城郭溝池所以爲防禦計者，視內地爲急。然介在四山中，烽警視諸邊差少。是以守土者易焉，備禦日疏，縣舊有城池，歲久夷陁，攀堞往來，不異逵道。知縣事任彬思與葺之，值歲祲財，詘未能也。癸亥冬被兵，君率士民設方略固守，得免於危。兵既解，君乃延縣之巨室閭長黨正，喻以將有事城池，爲扞禦永策。衆驩然稱便。於是諏日戒工，城以丈計，凡周六百五十，撤而修之者過半，舊崇二丈二尺，增築五尺。又於城四門各樹以樓匾，其東曰挹盤，西曰拱辰，南曰迎泃，北曰威遠。城隅增舖舍四。又濬其隍丈餘，沿塹悉植以柳。當四門之衝，置便橋焉。經始於甲子閏二月，竣於是歲六月，凡五閱月而工成。條麓堂集

【原】儒學在縣治南，建於金，增修於元至正間，有泃陽逸士納琳布哈記。平谷縣志 按：納琳布哈，納琳，蒙古語細也，布哈，犍牛也，舊作納憐不花。今譯改。

【原】納琳布哈明倫堂記 元列聖相承，百務俱興，尤加意者，詔令國都州縣設立學校。平谷，薊郡之屬邑，京師之僻徑也。己巳年，監察御史鄭立建加號碑，設學田。丙子歲，主簿范恕、教諭張貴協謀搆明倫堂洎學官居舍。戊寅，教諭胡從先鑄尊鼎，飭籩豆，九經史籍，焕然一新，上供釋奠，下資諸生講習。此數君子創作於前，可謂能矣。迨甲申，劉元皓建學門屏，增廣田畝，立故金國張侯建廟記以表首創之功。吁！微元皓不能明數君子之功，微數君子不能伸元皓之志，可謂克盡其行所當爲者，予故書之。匪特叙二三子之功，抑以爲來今之勸。時至正七年丁亥三月丁巳也。同上

【增】嘉靖二年，增拓縣學，兵備副使台峯熊相作記，嘉靖四十年重修，巡按御史上海秦嘉楫作記。同上

〔臣等謹按〕平谷縣學，本朝乾隆二十七年重修。

增平谷東横大嶺，西峙兔山，北倚瑞屏，南瀕泃水。畿輔疆域志

原平谷縣在盤山西，故稱盤陰，四周皆山，中則平地，因以平谷名。長安客話

原瑞屏山在縣北二十里，連峯秀列如屏，上有石臺，下有興隆寺。元大德元年建，明弘治中重修，俗呼蕭家院。平谷縣志

原妙峯山在縣東北二十五里，峯巒秀拔，下有九沽泉。同上

〔臣等謹按〕畿輔山川志云，妙峯山在縣東北二十里。

原雞足山在縣東北三十里，下有三泉寺，金承安二年建。平谷縣志

〔臣等謹按〕平谷縣志，三泉寺在馬家莊東北，寺東西北三面環山，南則有三泉，各相去數丈，品列於前，寺居其中，故名。

增泉水山在縣南八里，山下有泉，逆流河發源處也。灌田數十頃。大清一統志

增峨嵋山在縣北二十二里。同上

原嵑山在縣東北四十里，峯巒峭峻，林谷深邃。有雙泉寺，金明昌中建。平谷縣志

〔臣等謹按〕畿輔山川志云，嵑山在縣東五十里。

原城山在縣東北五十里，四山高聳，中平如城，有石室，止容一人栖臥。平谷縣志

〔臣等謹按〕畿輔山川志，城山在縣東六十里。又今嵑、城兩山隸薊州境。

增氣鼓嶺在縣南十五里，山形如鼓，上有雲氣。大清一統志

增分水嶺在縣西北五十里。同上

增牛心陀在縣北十五里。同上

原泃河在縣東南，自薊州流入界，又南入三河。方輿紀要

〔臣等謹按〕唐書地理志，三河縣北十二里有渠河塘，蓋卽泃河之譌，俗亦名洳河，又名草橋河。至寶坻縣又名龍港。皆泃河異名也。

原泃河源出口外，入縣境之黄崖口，廣漢川自東迤邐繞縣城西南，流經三河縣，北至寶坻縣，入白龍江。名勝志

原洳河在縣東南五里，源出密雲縣石峨山，流經縣境，又西南流入三河縣界。方輿紀要

增洳河水又東南流，逕平谷故城西而東南流，注於泃河。水經注

原周郇河在縣西十里，源出口外，流入洳河。方輿紀要

〔臣等謹按〕平谷縣志作入泃河，今考周郇河源出三河縣念頭村，流入縣境，自北而南入泃河。大清一統志云，入泃之處曰洳口，在三河縣北五十里。據此則洳、泃二水合流處亦相沿互稱矣。

原逆流河在縣東南八里，一名小碾河，源出縣南泉水山，西北流，凡九十九曲而入泃

河。方輿紀要

原 馬莊河源出縣東北海子，與縣東北獨樂河及五百溝水俱合流入於泃河。同上

增 馬莊河在平谷縣東三里，源出縣東北海子莊，南流入泃河。大清一統志

增 五百溝水出七山北，東逕平谷縣之紻城南，東入於泃河。水經注

原 獨樂水出北抱犢固，南逕平谷縣故城東。同上

增 獨樂河在平谷縣東北二十里，或伏或見，斷續無常，西流入泃河，水經注作南入泃，即此。大清一統志

〔臣等謹按〕獨樂河一名獨漏河，其水自口外由薊州境至北獨樂河莊，漏入地中不見，故稱獨漏河。相距八里許至瀝津莊東南，復泛溢而出，故名瀝津。又自瀝津繞縣城東，順流入泃河。與志所云伏見無常符合。

原 龍泉在縣東南十里，明成祖嘗駐蹕於此，飲其水甘，因錫以今名。名勝志

原 夏謙澤在縣東北百餘里。晉隆安初，後燕慕容寶爲拓拔珪所迫，自中山至薊。盡徙府庫，北趨龍城。珪將石河頭時屯漁陽，引兵追之，及於夏謙澤，爲慕容會所敗。胡氏曰，澤去薊北二百餘里。今縣東北有海子，或以爲即故澤也。方輿紀要

〔臣等謹按〕水經注：鮑邱水又東南入夏澤南，紆曲渚一十餘里，北佩謙澤，渺望無

垠。據此是夏、謙爲兩澤，不得混爲一水。顧炎武日知録云：三河縣西有夏店，疑因古夏澤爲名。此夏、謙爲兩澤之一證也。

增平谷故城在今潞縣北。後漢光武紀注

增故城在今平谷縣東北，漢置。大清一統志

增古縣城在今縣城東北十二里，今名城子莊。舊縣志

原營州中屯衞在縣治東，永樂二年移建於此。方輿紀要

增黄松峪關在平谷縣，又東與密雲縣將軍石關相接，關北爲熊兒峪，關又西爲熊兒營，今邊界分屬密雲，而其地則逼近縣境。大清一統志

原看花臺在城南五里，逆流河之西，相傳金章宗玩花於此，遺阜尚存。又有望馬臺，在縣東二十里，發箭臺在縣西北二十里，皆章宗游獵處也。名勝志

原世傳黄帝陵在漁子山，今平谷縣東北十五里岡阜窿然，形如大冢，卽漁子山也。其下有軒轅廟。長安客話

原元封元年，帝北巡朔方，勒兵十餘萬，還，祭黄帝冢橋山，釋兵須如。帝曰：吾聞黄帝不死，今有冢，何也？公孫卿曰：黄帝已仙上天，羣臣思慕，葬其衣冠。漢武故事 以上二條原在邊障門，今移改。

〔朱彝尊原按〕史記，黄帝崩，葬橋山。魏王象、繆襲等撰皇覽，云在上郡。地理志謂是上郡同陽縣。括地志謂在寧州羅川縣東八十里子午山。今平谷之陵，人多疑流傳之誤。然帝既都涿鹿，則葬於此，理亦有之。抑衣冠之葬，或者非一處也。

〔臣等謹按〕據大清會典，告祭軒轅陵，本朝仍舊制在今陝西鄜州之中部縣境。

補軒轅陵在橋山，載紀所同。特橋山匪一，上郡、嬀州皆有之。漢武帝元封元年，帝北巡朔方，勒兵十餘萬，還，祭黄帝冢橋山，此上郡之橋山也。北魏明元帝神瑞二年六月丁卯，南次石亭，幸上谷。壬申，幸涿鹿，登橋山，觀温泉，使使者以太牢祀黄帝，遂至廣寧。泰常七年九月，幸灅南，遂如廣寧，幸橋山，遣使者祀黄帝，因東幸幽州。太武帝神䴥元年八月，東幸廣寧，臨觀温泉，以太牢祭黄帝。此嬀州之橋山也。郭景純注山經云，帝王冢墓皆有定處，而山經往往複見，蓋聖人久於其位，仁化廣及，絶域殊俗之人各自立位而祭，起土爲冢，是以所在有焉。景純之論，可謂善言古者矣。後之讀史，偏執成見，以史記爲是，必以魏書爲非。然黄帝既都涿鹿，安在嬀州之不可營葬乎？讀史折衷　此條原在邊障門，今移改。

原金花公主，俗傳金章宗女也。墓在縣東北三十里馬家莊，兩山相抱，自崖口鑿石穴，施四銅環，棺木懸空，引海子水流入於内，其深莫測。至今捕漁者或見之。名勝志

增漢全椒侯馬成墓在縣二里，有碑。平谷縣志

原臨泉寺在縣南八里，遼建，俗名高村寺。同上

原淨寧寺去縣八里，在西鹿角莊，金大定二十年建，俗名鹿角寺。同上

原淨嚴寺在大新砦，去縣八里，遼天慶十年建。同上

原石佛寺在縣北十里，元至正二年建。同上

原慈福寺在縣東北十五里，正統九年建，邑人金純撰碑。同上

增覺雄寺在平谷縣治西，遼重熙十三年建，嘉靖八年重修，置僧會司於内。畿輔寺觀志

原香嵐寺在漁子山砦南二里，至平谷縣二十里，金明昌三年建，俗稱波谷寺。平谷縣志此條原在邊障門，今移改。

原縣有水峪寺龍家務莊，舊爲耕屯處。屯政考

增白雲寺在黑豆峪寨北，至縣二十五里，金皇統四年建，明弘治十二年重修，俗稱繼廣寺。平谷縣志

原延祥觀在縣東北二十里北獨樂河莊，初名元寶觀。至元間，邱長春過此，觀有枯柏，捫之復榮。有南塘老人張天度爲作詩，玉谿老人趙鑄爲作記。盤陰雜志

原趙鑄元寶觀柏記 歲丁亥，京東諸紳請長春真人醮於田盤山之栖雲觀，過平谷，飯於城東獨樂村。元寶觀中有柏，枯瘁已久，師歎曰：可惜！起而摩之。明年春，其杪葉復生，鬱茂如故，見者奇之。予一日托宿於州之通元觀，道

人李志平示予南塘老人謩長春子活死柏之詩，所謂非異人不能成異事，非異書不能表異蹟也。志平欲永其傳，乃書其事於石。平谷縣志

原張天度詩　山村老翁鬚眉白，根撥和雲移小柏。殷勤擁護數十年，直幹亭亭高百尺。明堂大廈搆良材，正恐工師來選擇。奈何亂世生不辰？翻有飢民斧斤厄。半身寂寞被戕殘，顏色枝條頓狼籍。揭來枯槁已三年，不忍風摧并日炙。長春仙子偶經過，兩手摩挲言可惜。明年太歲在元枵，秀葉參差如舊碧。異事那免時俗疑，至人得道良不測。長安客話

增梁惠成王十六年，齊師及燕師戰於泃水，齊師遁。竹書紀年

增建武元年，光武遣吳漢率耿弇等十二將追銅馬五幡，及平谷，大破之。後漢光武紀

原平谷耕民得一釜，水沃則沸，飯炊則熟，釜下有諸葛行窩字。碎之，其複層中有水火二字。獅山掌録

〔臣等謹按〕以上各係平谷縣，以下附僑治各條。

〔又按〕朱彝尊原書京畿門後附僑治一門，乃幽營州界隋唐間所置羈縻州郡，以處東北降蕃者，但有州名，無所役屬，存之亦足以見當時安撫外蕃之制，今仍其舊，附京畿卷末。

原唐太宗平突厥，諸蕃稍稍内屬，即其部落列置州縣。其大者爲都督府，以其首領爲都督刺史，皆得世襲，雖貢賦版籍不上户部，然聲教所暨，皆邊州都督都護所領，著於令式。其後或臣或叛，經置不詳。突厥之别部及奚、契丹、靺鞨、降胡、高麗隸河北者，爲府十四，州四十六，號爲羈縻云。唐書

原隋於營州之境汝羅故城置遼西郡，以處粟末、靺鞨降人。唐書

原隋開皇中，粟末、靺鞨與高麗戰不勝，有厥稽部渠長突地稽率忽賜來部、窟突始部、悦稽蒙部、越羽部、步護賴部、破奚部、步括利部凡八部勝兵數千人，自扶餘城西北舉部落向關内附，處之柳城，乃燕郡之北。煬帝大業八年，爲置遼西郡，并遼西、懷遠、瀘河三縣以統之。隋北蕃風俗記

原武德元年，省瀘河。唐書志

原武德五年，靺鞨渠長阿固郎始來。唐書列傳

原六年，自營州遷於幽州城中，以首領世襲刺史。貞觀元年，省懷遠。唐書志

原二年，靺鞨乃臣附，所獻有常，以其地爲燕州。唐書列傳

原開元二十五年，徙治幽州北桃谷山。唐書志

〔朱彝尊原按〕突地稽，隋書作度地稽，粟末作栗末。考粟末，水名，或作速末，則栗字疑誤。又唐書地理志注云：武德元年曰燕州。而列傳，貞觀二年靺鞨始來附，以其地爲燕州。當從列傳爲正。

原燕州東至檀州八十里，西至幽州九十里，南至昌平縣五十里，北至大山五里，西南至芹河五里，東南至廢易京城四十里，西北至乾河山五里，東北至宋城鎮二十五里。太平寰宇記

原燕州領縣一，遼西。州寄理幽州，縣亦遷於今所。同上

原建中二年，州爲朱滔所滅，因廢爲幽都縣。唐書

原眞州，武德初以涑沫烏素固部落置。同上

原愼州，唐武德初置隸營州，萬歲通天二年移於淄青州安置。神龍初復隸幽州，領縣一，逢龍。契丹陷營州後南遷，寄治良鄉縣之故都鄉城。太平寰宇記

原夷賓州，乾封中以愁思嶺部落置。唐書志

原夷賓州，唐乾封中於營州界内置處靺鞨愁思嶺部落，隸營州都督。萬歲通天元年，遷於徐州。神龍初，還隸幽州都督，領縣一，來蘇。寄治於良鄉縣之古廣陽城。太平寰宇記

原黎州，載初二年析愼州置，僑治良鄉之故都鄉城。唐書志

原黎州以處浮渝靺鞨爲素固部落，隸營州都督。萬歲通天元年，遷於宋州安置。神龍初，還隸幽州都督，領縣一，新黎。寄治於良鄉之故都鄉城。太平寰宇記

原元州，貞觀二十年以辱紇主曲據部落置，僑治范陽之魯泊村。唐書志

原元州，隋開皇初置，萬歲通天二年移於徐宋州安置。神龍元年復舊。今隸幽州，領縣一，静蕃。太平寰宇記

原威州本遼州，武德元年以内稽部落置，初治燕支城，後僑治營州城中，貞觀元年更

名。唐書

原威州，唐武德元年，置遼州總管，自燕支城徙寄治營州。七年廢總管府，貞觀元年，改爲威州，隸幽州大都督，領縣一，威化。契丹陷營州後，乃南遷，寄治於良鄉縣石窟堡。太平寰宇記

原昌州，貞觀二年以松漠部落置僑治營州之静蕃戍，七年，徙於三合鎮，後治安次之故常道城。唐書志

原昌州始隸營州都督，萬歲通天二年遷於青州安置。神龍初還隸幽州，領縣一，龍山。太平寰宇記

原師州，貞觀三年以契丹室韋部落置，僑治昌平之清水店，縣一，孤竹。唐書志

原師州，貞觀三年置州於營州東北廢陽師鎮，故號師州，隸營州都督。萬歲通天元年，遷於青州安置。神龍初，還隸幽州都督，領縣一，陽師。寄治於良鄉之故東閭城。太平寰宇記

〔朱彝尊原按〕師州所領縣，唐志則爲孤竹，寰宇記則爲陽師，孤竹則帶州所領縣也。又唐志，羈縻不録帶州，而昌、師、帶、鮮、信五州皆遷於青州之境，則又及之。其同異之故所未喻也。

〔原〕帶州，唐貞觀十九年於營州界内置，處契丹乙失活部落，隸營州都督。萬歲通天元年，遷於青州安置。神龍初，還隸幽州都督，領縣一，孤竹。舊治營州界，契丹陷營州後，寄治於昌平縣之清水店爲州治也。太平寰宇記

〔原〕沃州，載初中析昌州置。萬歲通天元年，没於李盡忠，開元二年後置。唐書志

〔原〕沃州以處契丹松漠部落，隸營州，改隸幽州，領縣一，濱海。本寄治營州城内，州陷於契丹，乃遷於薊州東南回城爲治所。太平寰宇記

〔原〕信州，萬歲通天元年以乙失活部落置，僑治范陽境。唐書志

〔原〕信州，初隸營州都督，萬歲通天二年，遷於青州安置。神龍初，還隸幽州都督，領縣一，黄龍。寄治范陽縣。太平寰宇記

〔原〕青山州，景雲元年析元州置。唐書志

〔原〕青山州隸幽州都督，領縣一，青山。寄治於范陽縣界水門村。太平寰宇記

〔原〕鮮州，武德五年析饒樂都督府置。唐書志

〔原〕鮮州，分奚部落置，隸營州都督，萬歲通天元年，遷於青州安置。改隸幽州，領縣一，賓徒。初治營州，自青州還，寄治潞縣之古縣城。太平寰宇記

〔朱彝尊原按〕後漢志，幽州刺史部有賓徒，屬遼西。

原崇州，武德五年，析饒樂都督府之可汗部落置，貞觀三年，更名北黎州。唐書志

原崇州，唐武德五年置，隸營州都督，領縣一，昌黎。貞觀二年，置北黎州，寄治營州東北廢陽師鎮。八年，仍改爲崇州，置昌黎縣。契丹陷營州，徙治於潞縣之古縣城。太平寰宇記

原歸義州歸德郡，總章中以新羅户置，僑治良鄉之廣陽城，縣一，歸義。後廢，開元中，信安王禕降契丹李詩部落五千帳，以其衆復置。唐書志

原歸義州，總章中置，以處海外新羅，隸幽州都督，領縣一，歸義。良鄉縣之故廣陽城州所理也。太平寰宇記

原順州順義郡，貞觀四年平突厥，以其部落置順、祐、化、長四州都督府於幽靈之境。唐書志

原思順州，唐貞觀六年置，寄治營州南五柳城。天寶元年，改爲順義郡。乾元元年，復爲順州，領縣一，賓義。郡所治在幽州城内。太平寰宇記

〔朱彝尊原按〕新舊唐書地理志俱作順州，而寰宇記作思順州，疑衍。

原瑞州本威州，貞觀十年，以烏突汗干部落置，在營州之境。咸亨中更名。唐書志

原瑞州初隸營州都督，萬歲通天二年，遷於宋州安置。神龍初，還隸幽州都督，領縣

一，來遠。舊治在營州界，州陷於契丹，移治於良鄉縣之故廣陽城。太平寰宇記

原 澟州，天寶初置隸幽州都督府，僑治范陽境。唐書志

原 自燕州以下諸州，皆東北降蕃，散處幽營州界，以州名羈縻之，無所役屬。安禄山之亂，一切驅之爲寇。至德之後，入據河朔，其部落之名無存者。今記唐天寶之故跡地理焉。太平寰宇記

欽定日下舊聞考卷一百四十三

京畿附編 遵化州

〔臣等謹按〕遵化，舊爲縣，隸順天府，康熙十五年以陵寢重地，升縣爲州，乾隆八年，又升爲直隸州，以玉田、豐潤二縣隸焉。今謹遵定制，别爲詮次，附編京畿各卷後，用存其舊。至恭建陵寢規制並節年謁陵展敬宸章紀述及所司職掌諸典禮，備載大清會典、大清一統志、畿輔通志諸書，茲編以順天府屬爲斷，例不複敘。

原 遵化縣在州城東一百二十里。明一統志

〔臣等謹按〕明志所稱之州，指薊州言。

原 遵化，古無終地，漢屬右北平。唐天寶初於此置買馬監，號監城。清類天文分野之書

原 後唐始置遵化縣。方輿紀要

原 遼重熙中，置景州清安軍，以縣來屬。遼史

原 宋宣和四年，金人以州來歸，賜郡名曰灤州軍事。宋史

原金廢州，縣隸薊州，元因之。方輿紀要

原縣舊係土城，洪武十一年，指揮周寶拓城西外地，甃以甎。萬曆九年，總兵戚繼光撤而更築之，内外以甓，周一千三百五十一丈，計六里，基廣三十尺，高四尋有半，堞一千三百四十一。爲門四：東鎮海，南時薰，西戴京，北清漠。門樓四，東門之北建簪纓樓。遵化舊志

原縣治在城之東北隅，洪武初，主簿徐成建，萬曆四年，知縣事宋仕拓之。儒學在縣治西南，金正隆三年剏立，元大德元年，縣尹盧珪修。同上

原遵化衛在縣治南，洪武十年建。東勝右衛在遵化衛西，永樂初移建於此。忠義中衛在縣治東南，永樂初建。寬河守禦千户所在縣治南，建文二年建。方輿紀要

原遵化驛在戴京門外西南，有館有序，有門，有馬神祠，明崇禎二年廢。遵化舊志

原景州清安軍遵化縣，户三千。遼史 此條原在户版門，今移改。

原豐臺嶺在馬蘭峪西，去城七十里。遵化舊志

〔臣等謹按〕豐臺嶺，順治年間賜名鳳臺山，康熙二年又封爲昌瑞山，國家億萬年鍾祥福地也。

原關山在縣西北五十里，以山近邊關而名。方輿紀要

【原】縣西南三十里明月山，高百餘仞，上有石穴，南北相通，穴口望之如明月然。又十二里爲夾山，中有寺曰慈應寺，山口有石曰試杵石。（名勝志）

【原】遵化縣小燕口有石如卧牛，其上杵迹徧滿，名曰試杵石。又五里水門口有石如龜形，潦水暴至，勢苞陵阜，而此石依然水上。相傳龜没則有兵。（燕山叢録）

【原】縣南八里有南龍山，其北有北龍山，兩山相望，蜿蜒如龍。（方輿紀要）

【原】獨固門一名龍門，在縣南十里，上合下開。開處高六丈許，水自懸厓傾瀉而下，觸石成井，奔溢之聲，轟然若雷。（名勝志）

【原】縣南十七里清風山，其山四時蕭颯多風。（遵化舊志）

【原】桃花山在縣南二十五里，層峯疊嶂，上多桃樹。其巔有塔，山下聖水泉，旁有石室。（同上）

【原】磨臺山在縣南四十里，山高聳而頂圓如磨。（方輿紀要）

【原】靈靈山上有靈靈寺，在縣南五十里。（遵化舊志）

【原】山高九百餘丈，爲縣境羣山之冠。（方輿紀要）

【原】鐵山在郭東五里，小嶺也，中斷若峽。山石黝黑，每朝日射峽口，一縷如虹，石色俱殷。（遵化舊志）

原景忠山在城東六十里，舊名陰山。總兵馬永建三忠祠於山上，因更名焉。同上

補景山舊有二名，南爲明，北爲陰，高八里許，其陰爲鹿兒嶺，東爲三屯鎮城。嘉靖元年，總兵馬永建祠其巔，以奉諸葛武侯及少保岳、文兩公爲三忠祠，取高山景行之義，更名景忠山。其下震湖，湖中有宛在亭，戚都護元敬所修也。北爲長壽祠，元敬去鎮，鎮人思之，摶象於此祀焉。碣石叢談

原縣東北二十五里五峯山，東曰快目，南曰瑞雲，西曰紅翠，北曰虎巖，中曰紫蓋，峯皆崛起。名勝志

原乳山在縣東北三十里。遵化舊志

原三臺山在縣東北九十里，其山盤曲三層，又東北二十里爲大團亭山，山北爲小團亭山，皆縣境之險要也。方輿紀要

原野狐山在城西北十七里，下有澄潭，土人遇旱，禱於此。遵化舊志

原蒲池在郭門西七里，廣二里。遵化舊志

原湧泉湖在縣西南，湖不甚廣，而泉水澄渟不竭。方輿紀要

原梨河在縣西南十里，源出縣北山谷中。舊志云，出灤州界，流入縣境；縣西北有湯河，出鮎魚口，又有清水河出道溝谷，俱流合焉。經玉田縣入寶坻縣界，會於潮河。建

文三年，遼東兵圍遵化，燕兵敗之於清水寺橋。橋蓋在清水河上。同上

原 沽水南出峽岸有二城，世謂之獨固門。以其藉嶮憑固，易爲依據，兼壁昇聳，疏通若門，故得是名也。水經注

原 蓮花池在磨臺山。金大定間有大龜負鏡出浮池面，土人異之，建刹名龜鏡。長安客話

原 灤河又名灤江，在縣東七十里。源出塞外，由潘口入，南經灤州入海，宋名郡爲灤州以此。遵化舊志

〔臣等謹按〕此下二條皆言灤河下流；至灤河之源，御製灤河濡水源考證釐訂綦詳，已恭載熱河志卷内，兹不複綴。

原 灤河自縣北團亭砦流入内地，東南入遷安縣境。唐開元二年，幽州帥薛訥出檀州擊契丹，至灤水，山峽中契丹伏兵遮其前後，從山上擊之，訥大敗，即此地也。方輿紀要

原 縣北有五里河，源自片石谷口，流坡谷間數里，始合沽河。名勝志

原 遵化縣北四十里温泉，浴之愈疥。守臣爲鑿池受之，覆以鉅屋，導其流折而左，入東院以待仕宦。復右折入西院，以待騶從。復南注爲兩池，以待行旅，使男女異處。皆石甃石欄，浴者甚便。燕山叢録

原 湯泉在山坡下，沸而四出。萬曆五年，戚大將軍繼光甃石爲池，深二丈，方四尋，覆

以堂曰九新。泉上有寺，唐貞觀二年建，名福泉寺，俗呼湯泉寺。湯泉如分寧、臨川、崇仁、安寧、寧州、白厓、德勝關、浪穹、宜良、鄧州、廬陵、京山、新田皆有，其最著者驪山，最潔者香谿，最熱者遵化。帝京景物略

原 湯泉自平地湧出，浴之可以愈疾。上有福泉寺，寺迤北卽馬蘭峪。長安客話

原 王衡遊湯泉記 石門兩山巀嶪，道旁祠漢將軍張純。又二十里爲湯泉，泉在山坡下，初漫羡四溢。戚將軍繼光始甃石爲池，池正壓九新堂，深二丈許，廣倍之。池之南，穴而下，水支委於牆外，種荷花，一渠綠淨可挹。又溝其北，以石承之，穿堂而出，中堂爲奮，除甓爲小方塘，以上受雨而下引泉，客至則設版焉。東則銅龍張口，噴泉甚怒。迤行入浴池，池之陰有竇，蓄寒水，浴者時其温涼之候而啓閉之。九新堂後有池如偃月，寒水所自出也。緱山集

原 灅水出右北平俊靡縣，王莽之俊麻也，世謂之車軬水，東南流與温泉水合。水出北山溪，卽温源也。魏氏土地記曰：徐無城東流温湯，卽此也。其水南流百步便伏流入於地下，水盛則通注灅水。又東南逕石門峽，山高嶄絶，壁立洞開，俗謂之石門口。漢中平四年，漁陽張純反，殺右北平太守劉政、遼東太守楊紘。中平五年，中郎將孟溢率公孫瓚討純，戰於石門，大破之。水經注

原 張純與烏桓邱力居等入寇，公孫瓚追擊戰於屬國石門，大敗之。後漢書

原 按：後漢書靈帝本紀但云石門，傳則云屬國石門，明有兩石門。公孫瓚戰地乃遼東屬國之石門也。章懷太子注：石門山在今營州柳城縣西南。通典：柳城有石門山。非此漁

陽之石門。水經注誤爾。北平古今記

原石門鎮在薊州東六十里，山峽嶄絕壁立，於中洞開，俗呼爲石門口。宋宣和五年，遼蕭幹敗宋兵於石門鎮，遂陷薊州，侵掠燕城，爲郭藥師所敗，幹走死。今爲石門鎮驛。宣德三年，征烏梁海，自石門驛出喜峯口是也。方輿紀要 按：烏梁海舊作兀良哈，今對音譯改。

原明昌元年十月，準布叛內族襄出屯北京，會羣牧遼德壽圖卜蘇等據信州。叛衆號數十萬，遠近震駭，襄閒暇如平日，人心乃安。初，襄之出鎮也，至石門鎮，密謂僚屬曰：北部犯塞，奚足慮？第恐姦人乘隙而動，北京近地軍少，當預爲之備。卽遣官發上京等軍六千，至是果得其用。金史本傳 按：準布，滿洲語提撕也，舊作阻轐。今譯改。圖卜，蘇姓也，舊作陁鎖，從八旗姓譜改正。

補石門驛在山坳，壘石作小城，民居二百餘家，驛庭有古槐四五樹。薊旋録

原石門峽有石將軍，在峽西崖高三丈。名勝志

原儲巏石門詠石將軍詩 精爽千年護石門，晚風黃葉亂山村。時危暗灑英雄淚，貌古全無斧鑿痕。故壘夜嘶惟石馬，老兵秋酹只匏樽。望夫多少山頭婦，不似將軍殿塞垣。柴墟集

原綿梨出遵化之石門。湛然居士集

原耶律楚材和陳秀玉綿梨詩 石門九月西風高，綿梨萬樹金垂梢。清谿千里攜贈我，藤筐乍發香盈包。縹葉紫條生拔俗，夜光安可同魚目？文園消渴正難禁，齒嚼寒冰劚香玉。同上 以上二條原在物産門，今移改。

原平安城在縣西南五十里，周圍五里。相傳唐太宗征遼遘疾，經此旋愈，故名。名勝志

原縣西南平安城及沙河鋪、湧泉湖、韭菜溝、上素河、下素河，皆利於耕屯處也。潞水客譚

原鐵冶廠在縣治東南六十里，城小而堅，元時置冶砂坡谷，正統三年移此。遵化舊志

原遵化鐵廠，永樂年間在砂坡谷開設。宣德中遷松棚谷，正統年遷白冶莊，去縣可八十里。又二十里則邊牆矣。鑪有神，元之鑪長康侯也。康當鑪四十日而無鐵，懼罪欲自經，二女勸止之，因投鑪而死，衆見其飛騰光燄中若有龍隨而起者，頃之鐵液成。元封其父爲崇寧侯，二女稱金火二仙姑，至今祀之。其地原有龍潛於鑪下，故鐵不成，二女投下，龍驚而起，焚其尾，時有禿龍見焉。春明夢餘録

原元時，遵化縣民康小二爲官鑄鐵不鎔，費薪炭無數，主者將治之。康有二女，恐父獲罪，俱祝天投入冶中，鐵應時鎔，共見二女隨烟焰上升。事聞，敕爲金火二仙姑，至今鐵冶祀之。燕山叢録

原正統元年十一月，復遵化縣舊鐵冶。冶自永樂間開設，上卽位，詔書停罷，至是行在工部奏復之。明英宗實録

原正統初，上諭工部：軍器之鐵止取足於遵化，不必江南收買。後復命虞衡司官主之。則國初諸官冶雖廢，遵化鐵礦尚足供工部之用也。春明夢餘録　以上二條原在物産門，今移改。

補遵化縣工部分司在縣東六十里鐵廠中，永樂間俱以各衛指揮領其事，宣德末始委虞衡司官董之。明名臣經濟録

原遵化鐵鑪深一丈二尺，廣前二尺五寸，後二尺七寸，左右各一尺六寸。前闢數丈，爲出鐵之所，俱石砌。以簡干石爲門，牛頭石爲心，黑砂爲本，石子爲佐，時時旋下，用炭火置二鞲扇之，得鐵日可四次。石子産於水門口，色間紅白，畧似桃花，大者如斛，小者如拳，擣而碎之，以投於火，則化而爲水。石心若燥，砂不能下，以此救之，則其砂始銷成鐵。生鐵之煉凡三時而成，熟鐵由生鐵五六煉而成，鋼鐵由熟鐵九煉而成。其鑪由微而盛而衰，最多至九十日則敗矣。春明夢餘録 此條原在物産門，今移改。

原鹽城在縣北，唐守捉城也。唐志，出薊州雄武軍，東北行百二十里，至鹽城守捉。又東北渡灤河。或以爲即漢滑鹽縣，恐誤。方輿紀要

原大悲閣在城中，高十尋，榜曰護國仁王佛壇，相傳建自六朝，元至大元年修。遵化舊志

原謝榛登遵化閣詩 凌虚樓閣鬱崔嵬，四望青山宿霧開。日上海關邊塞盡，天連沙漠雁聲來。仲宣賦就千年事，張載銘成一代才。懷古不堪空佇立，秋風吹鬢放歌回。四溟山人集

原廣慧寺在城西南，宣德年建。遵化舊志

原五峯山有雲昌寺，遼重熙中，僧志紀重修，更名禪林寺。山半懸石曰鷄鳴石，取小石扣之，作羣鷄聲。同上

原遵化禪林寺前龍潭，嘗有毒龍居之，時爲民害。金世寺僧龍勝奴持水之潭側祝之，龍遂飛去。燕山叢録

原鍾山觀在縣治東。明一統志

補遵化縣有般若寺。元崇國寺碑陰

補嘉靖元年正月，遵化童子梅楨昧爽入塾，道經城隍廟前，忽狂風起。楨以手掩面，被風頃刻吹至三屯營蘆兒嶺，久之乃蘇，語人，去家六十里矣。家中驚懼，有傳者至，攜歸。袖內詩經國風篇有神書硃字三行，人不能辨。楨後爲貢士。碣石叢談

補崇禎戊辰二月，薊鎮糧運不繼，臺兵丁科、周得勝等倡亂，各營推科爲難首。分五營而陳：由喜峯路至白羊谷與臺兵爲一營，由太平路至漢兒莊與宣武營爲一營，由洪山口至潘家口與駐防營及臺兵爲一營，出羅文口合東遊營與神器營暨民壯爲一營，馬蘭路先立一營屯遵化城西，三月六日俱至五里橋，合一大營，黃崖一軍最後亦來。科乃主中軍，十行一小帥，十旌一大帥，振鐸秉枹，環甲拱稽，爲五花陣，甲士數萬攻城。予聞變，單車詣其營，呼亂兵諭之曰：爾等爲饑所迫至此，吾不忍遽加誅，當給三月糧，速歸汛地。軍中歡聲如雷，各羅拜，共設誓歸伍。適京運至給諸軍，然尚未拔砦。十五日，獲科等九名，聞於朝，得旨正法。定譁兵畧

〔臣等謹按〕以上各條係遵化州。

欽定日下舊聞考卷一百四十四

京畿附編 玉田縣 豐潤縣

原 玉田縣在薊州城東八十里。明一統志

原 故無終子國。漢書注

補 無終子翟國，今薊之玉田、漁陽即其地。國名紀

〔臣等謹按〕據大清一統志，薊州爲古無終國，玉田爲唐初析置之無終縣，則今之玉田非古無終。謹并識以俟考。

原 魯襄公四年，無終子嘉父使孟樂如晉，因魏莊子納虎豹之皮以請和諸戎。左傳

原 昭公元年，晉中行穆子敗無終及羣狄于太原。同上

原 北平有無終縣。釋例，土地名，以北戎、山戎、無終三名爲一。春秋正義

原 項羽封韓廣爲遼東王，都無終。漢初，臧荼擊殺廣於無終，并其地。漢臧荼置無終縣，屬右北平郡。更始以苗曾爲幽州牧，治無終，吴漢斬之。晉屬北平郡，隆安三年，

慕容盛使其將李旱討叛將李朗於令支，朗請救於魏，自迎魏師於北平，旱克令支，遣別將孟廣平擊斬朗於無終。後魏屬漁陽郡。隋初屬玄州，大業初爲漁陽郡治，隋末廢。方輿紀要

【原】唐武德二年，置無終縣。貞觀元年省，乾封二年復置。萬歲通天元年更名玉田。神龍元年隸營州，開元四年還隸幽州。八年隸營州，十一年又隸幽州。有濠門、米亭、三谷、礓石、方公、白楊等戍。唐書志

【原】開元十八年，立薊州，割以來屬。清類天文分野之書

【原】五代梁開平初，劉守文引滄德之兵討劉守光，戰於玉田，敗還。遼仍其舊。宋宣和四年，改置經州。金復爲玉田。元因之。方輿紀要

【補】馬録玉田道中苦雨詩　九夏無晴日，那堪秋更陰？樹邊山雨黑，天際塞雲深。歸鳥孤村夕，征人萬里心。驅馳成底事，衰晚二毛侵。百愚集

【原】縣城築於成化三年，周圍一千二百二十步。城門三：東曰迎旭，西曰拱宸，南曰來薰。其北門久塞。隆慶元年，增崇三尺，崇禎八年，其内悉易以甎，既而復濬濠，導彭家橋水注之。玉田縣志

【原】謝鐸玉田縣新城記畧　成化四年四月，薊州玉田縣新城成。先是，縣有土城，歲久頹圮。齊東喬君瑾來宰是邑，謀於巡撫右僉都御史閻公本，請於上，以指揮使李迪署都指揮僉事莅其事，閱一年訖工。易土以甎，崇二丈五尺。桃谿淨稿

【原】縣治在城西北隅，建於元延祐年辛酉，有學士郭賈碑記。文稱京師高庭謁由保定路元

州判官來兹邑，捐俸錢搆廳宇，繪蠶麥圖於壁。高既去，有楊君玉、傅伯元續成之。玉田縣志

原 儒學在縣治西，創於遼乾統中，今大覺寺是其遺址。嘉靖癸巳，改建於西關外。庚戌，督學御史阮鶚復移城内，以玉陽觀爲之。萬曆六年，又稍遷而東，築臺，建大成殿、東西兩廡及戟門。同上

原 陽樊驛舊在縣西二十里，嘉靖二年遷於縣之西關。方輿紀要

原 興州左屯衛在玉田縣東南一百四十里。舊在開平衛境，永樂初移建於此。同上

原 采亭橋在縣西二十里，金學士楊繪建。繪，邑人，采亭其别字也。名勝志

原 鵁鴻橋在縣東南四十里。玉田縣志

原 麻山在縣城北十五里，與旁山相連，南即種玉山也，距縣西北二十五里。懸厓壁立，其旁爲石鼓，唐太宗征高麗嘗聚兵于此。名勝志

原燕山在縣西北二十五里。晉咸康四年，石虎攻段遼，遼將北平相陽裕登燕山以自固，即此。方輿紀要

原 燕山之脈自太行迤邐而東，暨玉田，直抵海岸，燕國由此名。或以爲即燕然，非也。長安客話

【原】由燕山口迤西二里折而北，又東歷磴而上，有梨花庵，緑陰覆翳，可以避暑。玉田縣志

【原】燕山上懸巖之側，有石鼓，去地百餘丈，望若數百石囷，有石梁貫之。鼓之東南有石人援桴，狀同擊勢。耆舊言燕山石鼓鳴則土有兵。水經注

【原】田疇得北歸，遂入徐無山中，營深險平敞地而居，躬耕以養父母。百姓歸之，數年間至五千餘家。疇謂其父老曰：諸君不以疇不肖，遠來相就，衆成都邑，而莫相統一，恐非久安之道，願推擇其賢長者以爲之主。皆曰善，因僉推疇。疇乃爲約束，相殺傷犯盜諍訟之法，法重者至死，其次抵罪二十餘條。又制爲婚姻嫁娶之禮，與學校講授之業，班行其衆。衆皆便之，至道不拾遺。北邊翕然服其威信。魏志

【原】徐無山在縣東北二十里。建安十一年，曹操伐烏桓，令田疇爲鄉導，上徐無山，是也。方輿紀要

【原】無終山一名翁同山，又名陰山，在漁陽縣西北四里。太平寰宇記

【補】無終山一名步陰山，又名翁同山。隋圖經

【原】灅水又東南流爲北黃水，又屈而南爲南黃水，又西南逕無終山，即帛仲理所合神丹處也。又於是山作金五千斤以救百姓。山有陽翁伯玉田，在縣西北，有陽公壇社，即陽公之故居也。水經注

補道書之重者莫過於三皇文五岳真形圖，至人秘此，藏之石室幽隱之地。帛仲理於山中得之，自立壇委絹常畫一本而去也。抱朴子

原陽翁伯者，盧龍人，事親以孝，葬父母於無終山。山高八十里，其上無水。翁伯廬於墓側，晝夜號痛，神明感之，出泉於其墓側，因引水就官道以濟行人。嘗有飲馬者，以白石一斗與之，令翁伯種之，當生美玉，果生白璧，長二尺者數雙。北平徐氏有女，翁伯欲求婚。徐謂媒者曰：得白璧一雙可矣。翁伯以白璧五雙，遂壻徐氏。數年，雲龍下迎，夫婦俱昇天。今謂所居爲玉田坊。翁伯仙去後，子孫立大石柱於田中，以紀其事。仙傳拾遺

原雍伯，雒陽人。搜神記

〔臣等謹按〕翁伯一作雍伯，盧龍人，一作雒陽人。搜神記所載與仙傳、拾遺記載互異，今並存以備考。

原陽氏譜叙言翁伯是周景王之孫，食采陽樊，春秋之末，爰宅無終，因陽樊而易氏焉。愛人博施，天祚玉田。其碑文云，居於縣北六十里翁同之山，後路徙於西山之下，陽公又遷焉，而受玉田之賜。情不好寶，玉田自去，今猶謂之爲玉田陽。干寶曰：於種石處四角作大石柱，各一丈，中央一頃之地，名曰玉田。水經注

補 北平陽公輦水作漿以給過者，兼補履屩，不取其值。天神化爲書生，問：云何不種菜？曰：無菜種。卽與數升。公種之，化爲白璧，餘皆爲錢。公得以娶婦。孝子傳

補 羅虬詩 誰向深山識大仙，勸人山下引春泉。定知不及紅兒貌，枉却工夫溉玉田。比紅兒詩

原 小泉山在縣東北二十五里，上有泉出石罅，西南流五里，合大泉山之水，入白龍江。名勝志

原 玉田縣西北有水，其色蔚藍可愛，亦曰藍水。其土如靛，蓄靛者恒取土和靛賣之。燕山叢録

原 藍水出北山東，屈而南流，逕無終縣故城，無終子國也。水經注

原 庚水出右北平徐無縣北塞中，南流歷徐無山，得黑牛谷水，又得沙谷水，並西出山東流。昔田子泰避難居之，衆至五千家。開山圖曰：山出不灰之木，生火之石。注云：其木色黑似炭而無葉，有石赤色如丹，以一石相磨則火發，合則無之。同上

〔臣等謹按〕庚水之庚，原本及舊刻水經皆訛庾，今從殿本水經注改正。

原 庚水在縣東北四十里，卽豐潤之浭水也。方輿紀要

原 梨河在縣東二十里，自遵化縣南流經縣境，又南入寶坻縣界，縣之東境諸水多流入焉。同上

原 縣有清莊塢，導河可田，後湖莊疏湖可田，三里屯及大泉、小泉，引泉可田也。屯政考

原 光砂泉在玉田縣南，攻玉所用。寰宇通志

原玉田縣南有温泉，盛夏之間暖氣如霧，有砂隨水而出，色白而細，磨治金玉，能令光瑩。吴下玉工皆購此砂爲用。燕山叢録 此條原在物産門，今移改。

原右北平城東北一百一十里有徐無城。魏氏土地記

原徐無縣故城，王莽之北順亭。水經注

原徐無城在縣東，漢縣，屬右北平郡，後漢因之，晋爲北平郡治。咸康三年，後趙石虎攻段遼於令支，至徐無。後魏縣，屬漁陽郡。後周廢入無終縣。方輿紀要

原偏林在縣境，金大定二十年以玉田縣行宫之地偏林爲御林，即此。同上

補金世宗大定二十年正月，以玉田縣行宫地偏林爲御林，大淀濼爲長春淀，有長春宫，其殿曰芳明。二十四年正月，如長春宫春水。二十六年正月，如長春宫春水。二十七年正月，如長春宫春水。世宗既殂，後主如春水，改都南行宫爲建春，又改遂城行宫爲光春，而長春不書矣。碣石叢談

原古漁陽北有無終山，山上有燕昭王墓。九州要畧

原張華晉惠帝時爲司空。於時燕昭王墓前有一斑狸，積年能爲幻，乃變一書生，欲詣張公。過問墓前華表曰：以我才貌，可得見張司空否？華表曰：子之妙解，爲無不可。但司空智度，恐難籠絡，出必遇辱，非但喪子千歲之質，亦當深誤老表。不從，遂詣華。華見其風流潔白，雅重之。於是論及文章，辨校聲實，華未嘗聞。比復商畧三史，探賾百家，談老莊之奥區，被風雅之絶旨，包十聖，貫三才，箴八儒，擿五禮，華無不應聲屈滯。乃歎曰：天下豈有此年少？若非鬼怪，即是狐狸。書生乃曰：明公當尊賢容衆，奈何憎人學問？言卒便請退。華已使人防門，不得出。既而又謂華曰：公門置甲兵欄騎，當是疑於僕也。將恐天下之人捲舌而不言，智謀之士望門而不進，深爲明公惜之。

華不應，而使人防禦甚嚴。豐城令雷煥，博物士也，謂華曰：聞魑魅忌狗，所別者數百年物耳。千年老精不復能別，唯有千年枯木照之則形見。燕昭王墓前華表已千年，乃遣人伐之。使人既至，華表歎曰：老狸乃不自知，果誤我事。於華表空中得青衣小兒，長二尺餘，將還至洛陽，而變成枯木，燃之以照書生，乃是一斑狸。茂先歎曰：此二物不值我，千年不可復得。集異記

【原】羅隱燕昭王墓詩　戰國蒼茫難重尋，此中蹤跡想知音。强停別騎山花曉，欲弔遺魂野草深。浮世近來輕駿骨，高臺何處有黄金？思量郭隗平生事，不殉昭王是負心。甲乙集

【原】金明威將軍同知宣徽院事上輕車都尉隴西郡開國伯食邑七百户李磐神道碑，其文中順大夫同知中都路都轉運使輕車都尉廣陵郡開國伯食邑七百户高德裔撰并書。磐字仲安，玉田人，墓在縣城東北。又城北有元同知薊州事楊德潤墓，墓碑其兄子遇所撰。黄圖雜志

【原】上生寺在縣治東南，永樂四年建。寰宇通志

【原】楸子谷在石鼓山後七里，有寺。玉田縣志

【補】唐幽州漁陽縣無終戍城内，有百許家，龍朔二年夏四月，戍城火，災門樓及人家屋宇，並爲煨燼。惟二精舍及浮屠并佛龕上紙簾籧篨等，但有佛像，俱不延燎。時人見者莫不嗟異。冥報拾遺

【原】吏部員外郎傅察接伴賀正旦使人於玉田縣，沃哩布脅之使降，副使蔣噩等羅拜，獨察不屈，死之。東都事畧

【原】王宗仁妻宋氏，進士宋褧之女也。宗仁家永平，永平受兵，宋氏從夫避於鏵子山，夫婦爲軍所執。行至玉田縣，有窺宋氏色美欲害宗仁者，宋氏顧謂夫曰：我不幸至此，必不以身累君。言訖遂攜一女投井死。元史列女傳

【補】宣和七年冬，金人未渝盟也。朝廷遣吏部員外郎傅公察迓賀正旦使，入薊州玉田縣韓

城鎮。公至界上，十二月二十七日淩晨，斡里雅布擁兵遽至，執公，責令投拜。副使蔣噩以下皆羅拜，公獨不屈。金人以兵脅之，公曰：有死而已，膝不可屈也。因被害。靖康小雅

補本朝與遼人文移在兩界對境謂之關報，金人滅遼，我師於玉田縣築一州曰清州，以對平州，相與通使人之路。清州有使臣賀允中、副使武漢英適至，而斡里雅布遣人邀使臣觀打毬，二人知其渝盟，拒之恐托事生釁，故勉從之。及至界，則以是日舉兵矣。允中被鎖，漢英頗黠，斡里雅布愛之，常在左右，謂此南朝第一降人也。漢英本玉田縣巡檢，差充副使。北征紀實

〔臣等謹按〕以上各條係玉田縣。

原豐潤縣在薊州城東南一百九十里。明一統志

原本玉田縣之永濟務，金泰和中置豐閏縣，屬薊州。方輿紀要

原元至元二年，省入玉田，四年以路當衝要，復置。元史地理志

原至元二十二年，立豐閏署於大都路薊州之豐閏縣，爲户八百三十七，爲田三百四十九頃。元史兵志

原洪武元年，改閏爲潤，仍屬薊州。清類天文分野之書

原縣産鹽場，故名豐潤。郡縣釋名

原縣舊有土城，正統十四年，始甃以甎，城周圍四里，并女牆高二丈五尺。門四：東來遠，西拱宸，南觀海，北鎮朔。隆慶二年，增修高五尺。三年，增建角樓四：東南曰羌伏，西南曰海潤，東北曰定邊，西北曰保極。豐潤縣志

原縣治在縣城東北隅，金大定二十七年建。元至元七年縣令孫慶瑜修之，有碑記。又有儒學教諭武起宗疆域記刻石。同上

原元孫慶瑜豐閏縣記　永濟務左控孤竹，右接無終，溟海浮於前，醴泉鎮於後。其民勤儉而力稼穡，田廣遠而極膏腴。所出絲枲魚鹽，所宜稻粱黍稷。若夫溲水紺碧，放舟南下，縱其所往，紫蟹金鱗，隨意而得，雖大郡未足多也。聞之父老云，在昔金大定間，始改務爲縣，至大安初，避東海郡侯諱，更名曰豐閏。地方數百餘里，户不啻二萬，民物豐衍，賦入繁阜，爲薊郡諸縣之最，承安中以懷遠大將軍瓜爾佳實納來宰是縣，我大朝開創以來，庚辰之歲，改縣爲閏州，以李公充鎮國上將軍行節度使，因幹往西京，羈病以歸，乃不克抵任，遂以同知張公就充節度使。大豪昝公由縣令陞宣差燕京路越支鹽使，時人號昝半州是也。厥後舒穆嚕亦首任此縣，後陞宣差平灤路廉訪鹽榷使薊州達嚕噶齊，蓋爰昔逮今來爲守令者，非軍功耆德未易處此。至元初，省併諸司，移節官吏，將邑并入玉田，未及週歲，邑人咸曰：豐閏實東西要衝，相去玉田地里遼邈，民有訴訟，奔走控告，大所不便。有耆舊李君信之慨然首倡，懷牒詣省部陳理，遂蒙允可，縣治得仍舊，于今積有年矣。前縣尹張公、主簿牛公世宦豐閏，縣尹楊公自玉田來涖是邑，皆淵通物理，剸裁平允，百姓信服，治績有稱。達嚕噶齊達春，蒙古人也，賦性純謹，深達時事，主簿范公，閥閱相承，用蔭歷治真定、武强，所至爲循良之吏。僕世業農，叨忝縣宰，自慚魯鈍不足比數，日以簿書爲念。特愛其山川形勝，有登臨之樂，課其風俗好惡，有布政之宜。故因修完廳事落成之日，寫之翠琰，庶幾來者尚有考於斯云。同上　按：實納，滿州語新也，舊作習捏。達春，滿州語敏捷也，舊作脱出。今俱譯改。

〔朱彝尊原按〕豐潤曾陞爲閏州，元史不載。清類天文分野之書成於洪武初，去元甚邇，亦未之及。乃見於當日縣令之文，勒之於石者，未可云無徵不信也。

補張寧晚發豐閏詩　蕭蕭車馬度重岡，回首都城意渺茫。斜日下時人望遠，孤雲飛處客思鄉。黄茅矮屋山居小，白草浮塵石路長。星月滿天行未歇，俯鞍還復候行裝。奉使録

原儒學在縣治東南，金大定中建，元至元十二年搆大成殿，延祐五年增建兩廡，有郎中張昪碑記。豐潤縣志

原元張昪創建文廟兩廡碑 浭陽豐閏縣，遼金以降爲州爲縣，載在沿革，兹不多云。其地東連碣石，西接漁陽，南瞷滄溟，北隣白霫。沃壤數百里，魚鹽之利，棗栗之饒，甲於東方。天兵革命之後，邑之儒宮，鞠爲茂草，遺跡不存。至元十二年，邑中耆老鳩錢千萬，卜日而經營之。不期月，創搆大成殿，設聖像於中，列十哲於左右，春秋祭祀，俾諸儒拜趨其下，展其誠敬。於今四十餘載，兩廡諸賢之位尚猶闕然。延祐三年夏，翰林掾史耿公承事來尹是邑，暇日游於芹宮，謀諸同僚，鳩材募工，經始於延祐五年八月，落成於是歲冬十月。告成之日，邑耆老楊質等欲刻諸石，於是學宮楊齊賢請予辭而銘之。同上

原豐盈倉在豐潤縣。四鎮三關志

原興州前屯衛在縣治西，永樂二年移建。方輿紀要

原義豐驛舊在縣東三十里，嘉靖二年遷於縣之南關。豐潤縣志

原越支社在縣南百里，亦曰越支場，有宋家營鹽課司。方輿紀要

原元徐世隆越支社重立鹽場記 幽州置鹽，始見於後魏，歷唐以迄遼金，地屬京圻，生齒既繁，炊鑊益衆。嘗設提舉司於實坻，秩視五品，以重其選。所轄諸場，越支課居其半，特除管勾一員以莅之。國初草創，鹽政未立，任土之貢，一付京官。時土豪張進輩被府檄，鳩遺民數十户，集越支之宋家營以居，復事煎造。聚落未成，京使已旁午，令大償巨賈債緡，鞭笞逼急，田野爲之騷然。未幾，以鹽司隸徵收課税所，衆稍息肩。自鬻課之令行，提領諸路者既自詭增倍，鎔山爨海，搜羅殆盡。其徵輸入官者須厚賄乃獲歸。且以所費取償於其屬。大抵用值十錢之物嘗估以當數十錢之屬。而工本又稽時不給，給則尅減，自是竈民困矣。中統改元，分十道宣撫爲外臺，悉革前弊。然上禁甚嚴，下之怙勢罔利者甚虐無告，民猶爲病。至元二年，詔以大中大夫禮部侍郎倪德政爲中都路轉運使，提領税司事，丹珠爾丹同知使事，寶坻鹽使崔岩臣副之。倪公敦厚廉平，且練財穀，稔知民苦，計會同僚公議，凡場户入鹽即給值，仍純支寶鈔，不折諸物，其尤貧窶者，預貸工資以賙之。存恤百姓，於是富者起，逋者還，乏者足，惰者勤，擔者車，步者騎，僑者籍，料量平，牒訴息，獄犴空，倪公倡之，同僚和之。曾不三歲，鹽課以盈。席袋山積，瓦廬相連，牛馬蔽野，熙熙然如在春臺和氣中。咸曰：自再立鹽司以來，幾五百年，未有如今日之安静無擾者也。耆老翟安仁暨士人數百願樹監司石，以紀政績，介故人曹君世傑來乞文。予謂人知監司之賢，不知相臣擇監司之賢，人

知相臣能擇人之賢，又不知天子能擇相臣之聖。惟上下各得其人，故能利人之病，富人之貧，樂人之樂，憂人之憂，使諸路監司皆能如倪公輩之心，將澤遍天下，又豈特越支一場而已哉！豐潤縣志

原 車軸山在縣南二十里，孤圓而高，若卧轂然。上有壽峯寺，無梁閣一，塔二。上同

原 鵶鶻山在縣西北二十里，峯巒秀拔，高數百仞。中有二石穴，名孟家洞、趙家洞。又西有兩山口。兩山者，狼山、管山也。兩崖對峙，中有路通遵化縣，又有蓮花池水注焉。方輿紀要

原 靈應山在縣西北四十里，懸崖壁立。巖畔有泉歕流而下，注於流沙河。上同

原 靈應山有二石洞，洞中有石硯，時有巖溜滴硯池中。豐潤縣志

原 陳宫山縈迴數十里，東臨還鄉河，西接黄土嶺。山南有峯，其色蒼翠，一名華山。有龍泉井，鑿石而成。每六月，水滿且溢，至冬乃止，又曰溢泉井。上同

原 陳宫山在縣北七十里。名勝志

原 崖兒口山在縣東北八十里，其山緜連而中斷，東爲崖兒口，西爲白霤口，有水自崖而入。方輿紀要

原 豐潤金窗山極險峻，山腹石壁間宛如門扇而不可開，上有朱書數行，惟縱有黄金人不見七字可辨識，其書雖極力磨洗不滅，人以爲金鑛所在。燕山叢録

原 枇杷山在縣北三里，其山平廣，産白土如粉，可飾屋壁。豐潤縣志

原馬頭山連峯馳驟，最南一峯昂若馬首，在縣東二十里。方輿紀要

原豐潤縣東北有山，惟荆叢生，相傳唐太宗爲秦王時登此山，見荆，鄂然曰：此里師授吾句讀時所用朴也。下馬拜，荆皆垂首嚮地，如頫伏狀，至今猶然。石上有秦王下馬跡，因名秦王山。燕山叢録

原朝月山在縣東八十里，兩峯特起，狀如偃月。山陰爲石坑岡。方輿紀要

原腰帶山亦在縣東八十里，上有石厓繞山半，如束帶然。同上

原陡河在縣南三十里，發源於遷安縣館山，由牡牛橋而來。其地掘丈餘有水火炭，可供爨，陶瓷器者利之。豐潤縣志

原韓城鎮在縣南五十里，有河源出車軸山，經鎮北，又西流十餘里，入漫泊，下流會還鄉河。方輿紀要

原韓城鎮有居民可二百家，並無城。許奉使行程録

原沙河在縣南，源出灤州界，西北流經縣之越支社，又屈而東南流，入於海。豐潤縣志

原沙流河在縣西四十里，源出縣西北五十里之黨谷山，下經兩山口，又西南流，會於還鄉河。元致和初，懷王襲位，上都兵自遼東入討，薩敦等拒之於薊州東沙流河，是也。方輿紀要

原浭水在縣北八十里，一名還鄉河，或謂之雲浭水，源自遷安縣歷崖兒口，西南流經縣

境，入玉田縣界，合於梨河。同上

原湏水源出崖兒口，經豐潤、玉田，由運河入海，凡水皆自西而東，此水獨西，故俗謂之還鄉河。宋徽宗過河橋，駐馬四顧，悽然曰：過此漸近大漠，吾安得似此水還鄉乎？不食而去，人謂其橋爲思鄉橋。燕山叢録

原徽宗北狩，經薊縣梁魚務。務有還鄉橋，石少主命名，人至今呼之。上曰：此乃亂世之主，後聖必能力伸此冤，令我回此橋。不食而去。宣政雜録

原國初用遮洋船從直沽出海轉餉薊州，時有漂没。天順二年，開直沽河，歲久復湮。嘉靖四十五年，詔濬豐潤縣還鄉河，轉運太平等寨軍餉，於北齊莊、張官屯、鵶鴻橋設三閘以瀦水焉。吴文恪集

原靈泉水出腰帶山南百餘步，上有石屋竇深尺許，泉注其中，西爲大嶺山，行旅所經也。名勝志

原縣南有大砦及刺榆坨、史家河、大王莊之地，東則榛子鎮，西則鵶鴻橋，夾河五十里，皆可屯之區也。又自水道沽關黑巖子墩至宋家營諸處，東西百里，南北百八十里，地皆瀕海，平曠可耕。屯政考

原土垠廢縣在縣西北六十里，漢置屬右北平郡。後漢爲郡治。晉屬北平郡。後魏屬漁陽郡，後屬安樂郡。地形志：太平真君九年置土垠縣。似廢而復置也。舊志稱土垠城在密

雲東百里陳宫山下，卽此城矣。後齊廢。今縣東十里有垠城鋪。垠音銀。方輿紀要

原南關城卽古垠城，相傳趙武靈王所築。名勝志

原俊靡廢縣在縣北，漢置屬右北平郡。後漢因之，建武中遣吴漢等擊尤來大槍賊，窮追至俊靡，是也。晉屬北平郡，後廢。靡音麻。方輿紀要

原花園村在縣東二十里。名勝志

原城西盧各莊韓天企墓有金崇慶二年所立碑。豐潤縣志

原縣治内古鼎一，弘治間土人鑿井得之，重五百斤。圜腹弇口四足，足上爲牛首，下爲牛蹄，款識甚古，或以爲商時物。長安客話

原宏法寺在縣治西，唐顯慶元年建，金泰和五年、元至大四年相繼重修。豐潤縣志

原馬仲錫過宏法寺詩：白髮吴僧健，譚空坐講堂。留人多啜茗，供佛祇焚香。日落鴉争樹，天寒鶴共房。嗟予行役倦，風雨欲連牀。東田漫稿

原天宫寺在城西南，遼清寧元年鹽監張日成建，有塔一十三級，初名南塔院。壽昌三年，賜額極樂院。至金人與宋修好，行府悉寓於此。天會五年，勅加大天宫寺。豐潤縣志

原豐潤南關外玉皇閣有石塔，建自元時。塔有六角，每角有石龍一，成化中，其東南角龍乘雨飛去，至今缺焉。燕山叢話

原沙巖寺在縣西十五里，中有十三級塔。洪武中有雲霧護塔三日，遂失所在。今遺址尚

存。同上

原 梁家務在縣西北二十五里，有聖嚴寺，元至正年修。豐潤縣志

原 巨梁水出土垠縣北陳宮山，西南流逕觀鷄山，謂之觀鷄水。水東有觀鷄寺，寺有大堂甚高廣，可容千僧，下悉結石爲之。上加塗墍，基內疏通，枝經脈散，基側室外四出爨火，炎勢內流，一堂盡温。蓋以此土寒嚴，霜氣肅猛，出家沙門率皆貧薄，施主慮闕道業，故崇斯構，是以志道者多栖托焉。水經注

原 觀鷄寺在縣北四十里，俗傳峯頂有金鷄之瑞，故名。名勝志

原 翠峯寺北去縣四十里，金貞祐初建。中有二石柱，雕八龍，天將雨，龍頭晶晶有水珠。又有翠峯觀。豐潤縣志

原 甘泉寺在縣北二十里水路村，元至正年修。同上

原 靈照寺唐稱福興院，金承安中修，在城東二十里。同上

原 真常寺在縣東北三十五里，隋建。同上

〔臣等謹按〕以上各條係豐潤縣。

欽定日下舊聞考卷一百四十五

户版

〔臣等謹按〕朱彝尊原書户版一門，卽周禮地官所稱土地人民之數也。洪惟我朝，重熙累洽，生齒殷繁，康熙五十二年，聖祖仁皇帝特沛恩綸，嗣後徵收辦糧但據五十年丁册定爲常額，續生人丁永不加賦。惟兹畿輔之地，浩穰蕃昌，按圖考牒，尤稱極盛。今謹就賦役全書及現在户部滋生册籍，凡隸東路、西路、南路、北路四廳者，增載本卷各條之前，以昭聖代休養生息之盛云。

增東路同知管轄通州、三河、武清、寶坻、薊州、香河、寧河等七州縣，共地二萬九千九百九頃七十三畝零，實在各則行差人丁二萬七十七丁，共滋生人丁一萬三千四百三十一丁，欽奉恩詔，永不加賦。畿輔條鞭賦役全書

〔臣等謹按〕賦役全書所載東路各屬新舊地畝及滋生丁數，皆係乾隆三十六年以前，其現在報墾滋生各條，謹據户部册籍編録於後。

增通州地一千八百十三頃九十五畝零，二十六萬一千四百二十一口。三河地一千三百三十二頃八十六畝零，十三萬四千八百八十二口。武清地四千七百十六頃四十四畝零，四十六萬一千五十八口。寶坻地一萬一千四百八十頃六十二畝零，四十八萬五千九百九十三口。薊州地三千八百四十八頃五十畝零，二十三萬九千六十三口。香河地七百十五頃七十三畝零，十一萬八千四百十三口。寧河地六千五百三十四頃二畝零，十七萬九千四百四十一口。户部册

〔臣等謹按〕此係東路七州縣乾隆四十六年以前現在册載户版之數。

增西路同知管轄大興、宛平、良鄉、房山、涿州等五州縣，共地五千五百四十三頃九十四畝零，實在各則行差人丁三萬九千二百一十三丁，共滋生人丁六千四百九十八丁，欽奉恩詔，永不加賦。畿輔條鞭賦役全書

〔臣等謹按〕賦役全書所載西路各屬新舊地畝及滋生丁數，皆係乾隆三十六年以前，其現在報墾滋生各條，謹據户部册籍編録於後。

增大興地一千八百一十一頃七十七畝零，十五萬三千四百五十口。宛平地一千四百八十二頃三十三畝零，十五萬九千八百五十六口。良鄉地八十六頃九畝零，三萬三千七百九十六口。房山地五百六十七頃八十八畝零，六萬四千一百八十九口。涿州地一千二百三

十四頃三畝零，十七萬四千四百八十二口。户部冊

〔臣等謹按〕此係西路五州縣乾隆四十六年以前現在冊載户版之數。

增 南路同知管轄霸州、保定、文安、大城、固安、永清、東安等七州縣，共地一萬五千六百八十四頃五十四畝零，實在各則行差人丁五萬七千八百八十八丁，共滋生并漢軍改隸民籍人丁一萬二千二百一十六丁，欽奉恩詔，永不加賦。畿輔條鞭賦役全書

〔臣等謹按〕賦役全書所載南路各屬新舊地畝及滋生丁數，皆係乾隆三十六年以前，其現在報墾滋生各條謹據户部冊籍編録於後。

增 霸州地二千六百三十頃四十七畝零，十九萬一千五百一口。保定地三百七十七頃二十四畝零，一萬四千五百二口。文安地三千五百五頃九十七畝零，一萬四千五百二口。大城地二千三百七十七頃四十四畝零，二十三萬七千二百四十二口。固安地九百三十一頃九十五畝零，十七萬五千九百一口。永清地二千二百五十八頃五十畝零，二十四萬七百四十五口。東安地三百六十二頃九十一畝零，二十萬八千二百四十三口。户部冊

〔臣等謹按〕此係南路七州縣乾隆四十六年以前現在冊載户版之數。

增 北路同知管轄昌平、順義、懷柔、密雲、平谷等五州縣，并鎮邊路各項民衛等地二千八百七十四頃五十二畝零，實在各則行差人丁二萬三千五百六十五丁，共滋生人丁四千

五百二十五丁，欽奉恩詔，永不加賦。畿輔條鞭賦役全書

〔臣等謹按〕賦役全書所載北路各屬新舊地畝及滋生丁數，皆係乾隆三十六年以前，其現在報墾滋生各條謹據户部册籍編載於後。

增昌平州地一千二百二十九頃十八畝零，十萬四百三十三口。順義地三百八十二頃三十五畝零，八萬一千一百十三口。懷柔地一百九十二頃九十畝零，八萬二千九百十四口。密雲地五百八十二頃五十七畝零，七萬二千二百二十一口。平谷地三百五十七頃五十四畝零，二萬九千四百四十一口。户部册

〔臣等謹按〕此爲北路五州縣乾隆四十六年以前現在册載户版之數。

原幽州，其民一男三女。周禮

原涿郡，縣二十九，户十九萬五千六百七，口七十八萬二千七百六十四。勃海郡，縣二十六，户二十五萬六千三百七十七，口九十萬五千一百一十九。上谷郡，縣十五，户三萬六千八，口十一萬七千七百六十二。漁陽郡，縣十二，户六萬八千八百二，口二十六萬四千一百一十六。右北平郡，縣十六，户六萬六千六百八十九，口三十二萬七百八十。廣陽國，縣四，户二萬七百四十，口七萬六百五十八。漢書

〔朱彝尊原按〕漢漁陽、右北平郡、廣陽國所領縣及涿郡之涿、范陽、良鄉、益昌、

陽鄉、西鄉，勃海郡之東平舒、安次、文安，上谷郡之軍都、居庸、昌平，皆今順天府屬地。

原冀州刺史部河間郡十一城，户九萬三千七百五十四，口六十三萬四千四百二十一。幽州刺史部涿郡七城，户十萬二千二百一十八，口六十三萬三千七百五十四。廣陽郡五城，户四萬四千五百五十，口二十八萬六百。上谷郡八城，户萬三百五十二，口五萬一千二百四。漁陽郡九城，户六萬八千四百五十六，口四十三萬五千四百四十。右北平郡四城，户九千一百七十，口五萬三千四百七十五。後漢書

〔朱彝尊原按〕後漢廣陽、右北平郡所領城及河間郡之文安、東平舒，涿郡之涿、范陽、良鄉、方城，上谷郡之居庸，漁陽郡之漁陽、狐奴、潞，皆今順天府屬地。

原冀州章武國統縣四，户一萬三千。幽州范陽國統縣八，户一萬一千。燕國統縣十，户二萬九千。北平郡統縣四，户五千，上谷郡統縣二，户四千七十。晉書

〔朱彝尊原按〕晉燕國、北平郡所領縣及章武國之東平舒、文安，范陽國之涿、良鄉、方城、長鄉、范陽，上谷郡之居庸，皆今順天府屬地。

原瀛州章武郡領縣五，户三萬八千七百五十四，口十六萬二千八百七十。幽州燕郡領縣五，户五千七百四十八，口二萬二千五百五十九。范陽郡領縣七，户二萬六千八百四十

八，口八萬八千七百七。漁陽郡領縣六，户六千九百八十四，口二萬九千六百七十。安州密雲郡領縣三，户二千二百三十一，口九千一十一。廣陽郡領縣三，户二千八，口八千九百一十九。安樂郡領縣二，户一千一百六十六，口五千二百一十九。東燕州平昌郡領縣二，户四百五十，口一千七百一十三。上谷郡領縣二，户九百四十二，口三千九十三。魏書地形志

〔朱彝尊原按〕元魏燕、漁陽、密雲、安樂四郡所領縣及章武郡之平舒、文安，范陽郡之固安、范陽、萇鄉、方城，廣陽郡之燕樂，皆今順天府屬地。

【原】冀州河間郡統縣十三，户十七萬三千八百八十三。涿郡統縣九，户八萬四千五十九。漁陽郡統縣一，户三千九百二十五。安樂郡統縣二，户七千五百九十九。隋書

〔朱彝尊原按〕隋漁陽、安樂二郡所統縣及河間郡之文安、平舒，涿郡之薊、良鄉、安次、涿、固安、雍奴、昌平、潞，皆今順天府屬地。

【原】幽州范陽郡本涿郡，縣九，又涿州縣五，户六萬七千二百四十三，口三十七萬一千三百一十二。瀛州河間郡，縣五，户九萬八千一十八，口六十六萬三千一百七十一。莫州文安郡，縣六，户五萬三千四百九十三，口三十三萬九千九百七十二。檀州密雲郡，縣二，户六千六十四，口三萬二百四十六。薊州漁陽郡，縣三，户五千二百一十七，口萬

八千五百二十一。唐書

（朱彝尊原按）唐范陽、漁陽、密雲三郡所統縣及河間郡之平舒，文安郡之文安，皆今順天府屬地。

原 霸州防禦縣二，文安、大城，户主一萬四千一百二，客九百五十七。信安軍户主三百一十八，客三百九十一。保定軍户主八百二十八，客一百三十三。九域志

原 政和三年，蔡攸、何志同言天下户口數類多不實，如霸州主客户二萬二千四百七十七，而口纔三萬四千七百一十六，率三户四口，則户版刻隱不待校而知之。文獻通考

（朱彝尊原按）宋幽州本在化外，無户口數目，其見於載記者止霸州及信安、保定二軍而已。

原 南京析津府統州六、縣十一，析津户二萬，昌平户七千，良鄉户七千，潞户六千，安次户一萬二千，永清户五千，武清户一萬，香河户七千，玉河户一千，漷陰户五千。順州歸化軍統縣一，懷柔，户五千。檀州武威軍統縣二，密雲户五千，行唐户三千。涿州永泰軍統縣四，范陽户一萬，固安户一萬，新城户一萬，歸義户四千。薊州尚武軍統縣三，漁陽户四千，三河户三千，玉田户三千。遼史

（朱彝尊原按）遼析津所統州縣今皆隸順天府，惟新城改隸保定。

原中都路大興府縣十，大興、宛平、安次、漷陰、永清、寶坻、香河、昌平、武清、良鄉，鎮一，廣陽。户二十二萬五千五百九十二。通州縣二，潞、三河，户三萬五千九十九。薊州縣五，漁陽、遵化、豐閏、玉田、平谷，鎮二，石門、韓城，户六萬九千一十五。涿州縣五，范陽、固安、新城、定興、奉先，鎮一，政滿，户一十一萬四千九百一十二。順州縣二，温陽、密雲，户三萬三千四百三十三。霸州縣四，益津、文安、大城、信安，户四萬一千二百七十六。金史

〔朱彝尊原按〕新城、定興今隸保定府。

〔臣等謹按〕遵化、豐潤、玉田，金元明皆爲縣治。本朝定制，升遵化爲直隸州，以豐潤、玉田隸焉，已另編爲卷附後。此條係敘薊州連及，因仍其舊，後倣此。

原大都路大興府領縣六，大興、宛平、良鄉、永清、寶坻、昌平，州十，涿州領二縣，范陽、房山，霸州領四縣，益津、文安、大城、保定，通州領二縣，潞、三河，薊州領五縣，漁陽、豐閏、玉田、遵化、平谷，漷州領二縣，香河、武清，順州、檀州、東安州、固安州、龍慶州户一十四萬七千五百九十，口四十萬一千三百五十。元史

〔朱彝尊原按〕龍慶州金之縉山縣，本屬上都路，元仁宗生於此。延祐三年升縉山爲州，領懷來縣，即今之延慶州也。

〔臣等謹按〕延慶州今隸宣化府。

原洪武十四年正月，創編賦役黃册，以一百一十户爲里。明典彙

原順天府大興縣編户三十八里，宛平縣編户五十里，良鄉縣編户二十二里，固安縣編户三十七里，永清縣編户一十二里，東安縣編户一十八里，香河縣編户一十里，通州編户二十六里，三河縣編户二十里，武清縣編户二十里，漷縣編户一十里，寶坻縣編户三十里，昌平州編户二十七里，順義縣編户二十七里，密雲縣編户一十九里，懷柔縣編户一十四里，涿州編户四十六里，房山縣編户一十一里，霸州編户三十一里，文安縣編户三十三里，大城縣編户二十里，保定縣編户六里，薊州編户二十五里，玉田縣編户一十七里，豐潤縣編户二十二里，遵化縣編户一十二里，平谷縣編户八里。明一統志

欽定日下舊聞考卷一百四十六

風俗

原 燕無函。燕之無函也，非無函也，夫人而能爲函也。周禮考工記

原 燕之水萃下而弱，沈滯而雜，故其民愚戇而好貞，輕疾而易死。管子

補 燕性慤，其民愼，好勇義，寡詐謀，故陳守而不走。吴子

原 燕地踔遠，人民希，與趙代俗相類。史記貨殖傳

補 燕人少思慮，多輕薄，地使之然也。輕死急人，俗使之然也。禮書

補 燕、代田畜而事蠶。史記貨殖傳

原 燕俗愚悍少慮，輕薄無威，亦有所長，敢於急人，燕丹遺風也。漢書地理志

原 燕記曰，豐人杼首。燕之北鄙，凡大人謂之豐人；杼首，長首也。方言

原 燕之北郊，凡民男而聟婢謂之臧，女而婦奴謂之獲。同上

〔臣等謹按〕燕地語音見於漢揚雄方言者，攟摭詮解，頗爲繁密。朱彝尊原本僅採二

條，今復擇其有關於人事者四則，增綴於後。其實今時土俗語談並無若方言所紀者矣。

增 燕齊之間養馬者謂之娠，宮婢女廝謂之娠。方言

增 侔莫，强也。北燕之外郊，凡勞而相勉若言努力者謂之侔莫。同上

增 傑㑳，罵也。燕之北郊曰傑㑳。同上

增 燕之外郊，凡暴肉發人之私，披牛羊之五藏謂之膊。暴五穀之類，北燕海岱之郊謂之晞。同上

原 幽州突騎，冀州强弩，天下精兵，國家贍仗，四方有事，未嘗不取辦於二州也。蔡中郎集

原 自古言勇俠者皆出幽并，然涿郡前代以來多文雅之士。隋書地理志

原 燕趙古稱多感慨悲歌之士。昌黎集

原 幽并之地，程其水土，與河南等，常重十一二，故其人沈鷙多材力，重許可，能辛苦。樊川集

補 頟，鄂也，有垠鄂也，故幽州人則謂之鄂也。釋名

原 幽燕之地自古號多豪傑，名於國史者往往而是。東坡居士集

原 勁勇而沈静，燕之俗也。同上

【增】郡國志云：燕國其氣躁急，南通齊趙，渤海之間一都會也。又漢書云：愚悍少慮，輕薄無威儀，亦有所長，敢於赴人之急難，此燕丹之遺風。燕之爲言，燕也，其氣内盛。太平寰宇記

【增】民務農桑，士習詩書，無强暴相淩之風，有寡求不争之習。方輿勝覽

【原】范鎮幽都賦：過幽都以垂覽兮，觀禹跡之經營。地博大以爽塏兮，亘繩直而砥平。風俗樸茂兮，蹈禮義而服聲名。諫垣集

【原】燕自兩河之戰，遂非唐有，洊歷遼金，幾四百年。然而不漸宣政佻靡之化，豪勁任俠，渾厚敦雅，猶有唐之遺風焉。陵川集

【原】南京水甘土厚，人多技藝，秀者學讀書，次則習騎射，耐勞苦。遼志

【增】燕俗詳載趙洪江先生文集，俗尚勇力而敢敵有爲。輿地志

【增】燕自上古唐、虞、夏后，蓋更迭而王焉，其爲神明之所過化，載在方册，爍哉！周之代殷，召公封於燕，流風餘韻尚可想見。明順天府志

【原】昔人論燕人者，管子謂其愚戇，隋志則云冀幽之士鈍如錐，郝伯常稱其不漸宣政佻靡之化。今也不然，執塗之人及五尺童子叩之，莫不便便口給，其訥於言者蓋寡。乃知習俗之移，今昔攸殊也。兩京求舊録

【補】元静修劉先生過易臺詩云：萬里河山有燕趙，百年風氣自遼金。易臺，今順天所屬地

也。太宗皇帝相都其處，以控要害，燕趙河山，鈎距盤固百七十年，衣冠文物之化焕然盛備，舊習已移。其未純者冶容犕悍之俗爾。夢蕉詩話

增復有降蛇搏虎之技，援禽藏馬之戲，驅鬼役神之術，談天論地之藝，皆能以蠱人之心而蕩人之魂。是故猛火烈，山車之轟也；怒風搏潮，市之聲也；長雲偃道，馬之塵也；殷雷動地，鼓之鳴也；繁庶之極，莫得而名也。元大都賦

補燕俗薄骨肉而重交遊，厭老成而尚輕鋭，以燕遊爲佳致，以飲博爲本業。家無擔石而飲食服御擬於巨室，囊若垂罄而典妻鬻子以佞佛進香。甚則遺骸未收，樹幡疊鼓，飯僧動費百千，貧家亦强爲之。風會之趨，人情之化，始未嘗不樸茂，而後漸以漓，其變猶江河，其流殆益甚焉。順天府舊志

增舊志云：燕之山石塊壘，危峯雄特，水洌土厚，風高氣寒，其草木皆强幹而豐本。蟲鳥之化亦勁踵毻氄而瞿瞿然迅飛也。以故圓椉之粹，蒸爲賢豪，上之人文雅沈鷙而不狃於俗，感時觸事則悲歌慷慨之念生焉。其猶然燕丹遺烈哉！以至閭巷傭販之夫，亦莫不堅悍不屈，硜然以急人爲務，無闒冗呰窳之習，此其善也。隋志云：冀州於古堯之都也，帝居所在，故其界尤大。信都清河之間，博陵、恒山、趙郡、武安、襄國，其俗頗同，人性多敦厚，務在農桑，好尚儒學，而傷於遲重。前代稱燕冀之士鈍如錐，蓋取此

焉。俗重氣俠，好結納，其相赴生死亦出於仁義，故班志述其土風，悲歌慷慨，椎剽掘冢，亦自古之所患焉。前諺云：仕宦不偶遇冀部。實弊此也。太原山川重複，人性勁悍，習於戎馬，涿郡、上谷、漁陽、北平、安樂、遼西皆連接邊郡，習尚與太原同俗，故自古言勇俠者皆推幽并云。然涿郡、太原自前代以來皆多文雅之士。雖俱曰邊郡，然風教不爲比也。天府廣記

增宋著作郎許亢宗使金行程録畧曰：自良鄉六十里至燕山府。燕山乃古冀州地，舜以冀州廣遠，分置幽州，以其地在北方幽陰之地。東有朝鮮、遼東，北有樓煩、白檀，西有雲中、九原，南有滹沱、易水。唐制，范陽節度臨制奚遼。自晉割賂，建爲南京，又有燕京析津府。户口安堵，人物殷庶，州宅用遼舊大內，壯麗夐絶。城北有市，陸海百貨萃於其中。僧居佛地，冠於北方，錦繡組綺，絶於天下。蔬蓏果實稻粱之類，靡不畢出；桑柘麻麥羊豕雉兔，不問可知。水甘土厚，人多技藝，民尚氣節，秀者讀書，次習騎射，耐勞苦。當時景色之豐，士民之勤如此，宜乎元臣郝經對世祖曰：今即不能漢唐，如元魏金源可矣。同上

〔臣等謹按〕燕俗自古言者不一，或以爲愚戇而貞，或以爲勇義而愨，或以爲輕薄無威，或以爲沈鷙多材，其説各有不同。然皆往昔方隅之見，而非宅中撰教之定論

也。我朝定鼎京邑，建極敷猷聖聖相承，邦畿攸止，輦轂之下，共依日月之光，觀感之效既深，愛戴之誠倍切。化鄉曲而爲通方，服經常以安作息。經環九軌，斯會斯歸。累洽重熙，俗敦醇厚。土著者用長子孫，嚮風者樂占版籍。首善之漸摩，有由然矣。

原樂府出自薊北門行，其辭與從軍行同，而兼言燕薊風物及突騎悍勇之狀，與吴趨行同也。樂府古題要解

原唐之詩人惟陳子昂、張説、高適集中間有幽州之作，此外遊宦於兹土者寡。宋則非奉使不至，故題詠亦無多。王之渙九日送別詩云：薊庭蕭瑟故人稀，何處登高且送歸。今日暫同芳菊酒，明朝應作斷蓬飛。竇鞏薊門詩云：自從身屬富人侯，蟬噪槐花已四秋。今日一莖新白髮，懶騎官馬到幽州。馬戴詩云：荆卿西去不復返，易水東流無盡期。日暮蕭條薊城北，黄沙白草任風吹。張耒詩云：十月北風燕草黄，燕人馬飽風力强。虎皮裁鞍雕羽箭，射殺陰山雙白狼。四詩辭俱工。其餘雜見於出塞送行之作，如屢戰橋恒斷，長冰塹不流，徐陵詩也。塞禽惟有雁，關樹但生榆，王褒詩也。萬里寒光生積雪，三邊曙色動危旌，祖詠詩也。日生方見樹，風定始無沙，裴説詩也。沙河流不定，春草凍難青，王貞白詩也。風折旗竿曲，沙埋樹杪平，馬戴詩也。黄雲戰後積，白草暮來看，釋皎然詩也。塞館皆無簟，儒裝亦有弓；已行難避雪，何處合逢花，項斯詩也。戍樓承落日，沙塞礙征蓬，張蠙詩也。有雪常經夏，無花空到春；下營雲外火，驅馬月中塵，于鵠詩也。野燒枯蓬旋，沙風匹馬衝，黄滔詩也。兒童能走馬，婦女亦彎弓，歐陽修詩也。邊日照人如月色，野風吹草作泉聲，范鎮詩也。皆善狀燕中風景者。淥水亭雜識

補天下有九福，京都屏帷福也。紫桃軒雜綴

補燕俗謂陰雨爲酒色天。帝京景物畧

增京師宴中有爬竿戲，卽古尋橦戲也。其制用二橦，衣花裲襠、紅袴褶，緣竿而上，顛倒翔舞，最奇者但以臍拄竿而張其手足若鷹翔然，或以手揞竿而離其踵趾，若猿躍然。

西河詩話

〔臣等謹案〕都盧尋橦自漢卽聞此戲，今我皇朝戡定西陲，回人内隸，亦獻斯技，其騰擲超捷殆又過於昔所傳云。

原 燕京茶肆設雙陸局，或五或六，多至十餘，博者蹴局，如南人茶肆中置棊具也。松漠紀聞

增 酒槽坊門首多畫四公子，春申君、孟嘗君、平原君、信陵君，以紅漆闌干護之，上仍蓋巧細升斗，若宮室之狀。兩旁大壁併畫車馬騶從傘仗俱全。又間畫漢鍾離、唐呂洞賓爲門額。正門前起立金字牌如山子樣三層，云黄公鑪。夏月多載大塊冰入於大長石槽中，用此消冰之水醖酒，槽中水泥尺深。析津志

增 中人燕享，水陸區殫，後軒美人曳縞紵，秣陵之縠袀於中單，秀水機杼不藉而靡。少年日夜歌吹，東西樂部，倡家樓閣，通天乳，煎鏤蛤，冬果春蔬，棄之如遺，賞賜動以千計。三元正會，酺樂燈火，奧若連山，狀於六鼇，生花舞鳥，閉機其中，舉火樹者萬萬計。石甕記

補 燕地苦寒，寢者不以牀，以炕，室無東西南北，炕必近前榮。貧家一廛，衾枕之外卽街巷。婦人安坐炕上，市販者至，湯餅肴蔌傳食於窗牖中，或竟日不作㢝[illegible]之炊也。薊邱雜抄

補論語：伯牛有疾，子問之，自牖執其手。朱子注引禮君視疾南牖北牖之義，殊屬苦心。以予觀於燕齊之俗，人家土炕多近窗牖，疑古亦然。則問疾者不入户，自牖執手特常事爾，不用辭費詮釋也。羣經別解

原朱弁炕寢詩 風土南北殊，習尚非一躅。出疆雖仗節，入國暫同俗。淹留歲再殘，朔雪滿崖谷。禦冬貂裘敝，一炕且跧伏。西山石爲薪，黝色驚射目。方熾絶可邇，將盡還自續。飛飛湧元雲，焰焰積紅玉。稍疑雷出地，又似風薄木。誰容鼠棲冰，信是龍銜燭。陽曦助喘息，未害摇空腹。惠氣生袴襦，仍工展拳足。豈惟脱膚鱗，兼復平體粟。元冥負暄那用詫，執熱定思沃。收功在歲寒，較德比時燠。雖餘炙手焰，寧有爛額酷？矧當凝冰辰，炎帝獨回轂。元冥真退聽，祝融端可録。嗟予亦何者，萬里歌黄鵠。偃仰對牕扉，妍煖謝衾褥。壯懷羞竈媚，晚悟笑突曲。因思墮指人，暴露苦皸瘃。頻年未解甲，蹈此鋒刃毒。遥知革輅中，旰食安豆粥。陪臣將命來，意懇誠亦篤。有奇不能吐，何術止南牧？君心想更切，臣罪何由贖？此身雖自温，此志轉煩促。論武貴止戈，天必從人欲。安得四海春，永作蒼生福？聊擬少陵翁，秋風賦茅屋。中州集

增宮友鹿暖炕詩 朔野號天風，射我玉肌粟。朝出狐謀裘，夜卧鷺拳足。脛縮被生稜，半牀未嫌促。譬以地賂秦，尺寸不可復。圬者一何巧，置槷定方幅。東西依兩垣，寛平半横屋。北户墐嚴威，南榮就朝旭。最宜列高窗，取便寫文牘。朝治夕以成，稱名混土俗。繚之青蘆灰，緣以白文木。施簟有餘地，兩端置箱簏。不因徐孺懸，難容孟叟踼。朝客躡履升，文茵疊方褥。蓐食憐淮陰，長跽笑籍福。瓦溝馳炎官，花甎隱回禄。文明耀地中，象取明夷畫。挾纊難比温，吹葭未云速。壁燈滴香穗，頂棚燥葦束。借暖活花卉，收烟種萊菔。凍蝎跂欲行，寒蠅癡不伏。誰嘲竈下養？此非厝薪宿。惡卧兒不啼，吉夢婦頻卜。紙窗捲風簾，非烟散遥矚。市聲穿枕來，鬧坊賣漿粥。爬羅出餘燼，透露發新熇。棄灰當塗高，秦法不可督。福過易生災，寵多乃延辱。炙手詎足誇？熱中亦宜沃。坂或名頭痛，國如號身毒。飲冰消煩心，噀水豁眵目。抽薪冷翠釜，炙涼一反覆。我作暖炕詩，主文寄忠告。恕堂甲乙遊草

補黄尊素長安竹枝詞 作婦由來不費詞，不煩井臼不煩炊。火燒涼粥牀邊買，到晚數錢酒一瓶。黄忠端集

原古詩：燕趙多佳人，美者顔如玉。被服羅裳衣，當户理清曲。然燕中婦女雖曰穠麗，大約調朱殺粉，塗飾爲多，十三輒嫁，至三十而顦顇矣。此如蕣華易落，何如玉之有？至於青樓之伎，多著窮袴，其被服羅裳者亦鮮矣。析津日記

【補】杜子美詩：暖老須燕玉。留青日札：燕玉謂燕趙美婦人如玉也。秘言云：思得暖玉之杯也。藝林彙考

【補】古詩：燕趙多佳人，美者顔如玉。杜詩：煖老須燕玉。黄平倩太史贈范遷有云：燕玉從教解舉雛。説楛

【增】嫁娶之時，男家爲新婦上髻，女家爲新壻冠巾，先期備禮送其家。順天府志

【增】合婚得吉相視留物爲贄，行小茶、大茶禮。娶前一日，壻備物往女家曰催妝。新婦及門，壻以馬鞍置地，婦跨過曰平安。婦進房，陰陽家唱催妝詩，撒諸果，曰撒帳。婦家以飲食供送其女，曰做三朝，做單九，做雙九。同上

【補】婦人首飾以髮爲之者曰假頭，亦曰假髻，作俑於晉太元中。弘治末，京師婦人悉反戴之，殆非佳兆。儼山集

【補】婦人匀面，古惟施朱傅粉而已，至六朝乃兼尚黄。幽怪録：神女智瓊額黄。梁簡文帝詩：同安鬟裏撥，異作額間黄。唐温庭筠詩：額黄無限夕陽山。又黄印額山輕爲塵。又詞：蘂黄無限當山額。牛嶠詞：額黄侵膩髮。此額妝也。北周静帝令宫人黄眉墨妝，温詩：柳風吹盡眉間黄。張佖詞：依約殘眉理舊黄。此眉妝也。段氏酉陽雜俎所載有黄星靨。遼時燕俗婦人有顔色者目爲細娘，面塗黄謂爲佛妝。温詞：臉上金霞細。又粉心黄

藥花靨。宋彭汝礪詩有女夭夭稱細娘，真珠絡髻面塗黄。此則面妝也。西神脞説

【補】彭汝礪詩　有女夭夭稱細娘，真珠絡髻面塗黄。南人見怪疑爲瘴，墨吏矜誇是佛妝。鄱陽集

【補】明制，直房内官與司房宫人俱有伉儷，謂之對食，又謂之菜户，若强作伉儷者稱白浪子。西河詩話

【補】宫女衣皆以紙爲護領，一日一换，欲其潔也。江西玉山縣所貢。戒庵漫筆

【原】黄淳耀燕姬歎　燕中姹女顔如玉，腰素盈盈纔一束。翠翹寶靨試新妝，皓齒青蛾矜艷曲。十斛明珠許换歸，初言松柏比心期。流蘇帳開珠箔掩，破盡工夫與畫眉。何知覿面成捐棄，只買朱顔難買意。北邙蕭瑟白楊風，一半春宵酬秘戲。陶庵集

【補】京師婦女嫁外方人爲妻妾者，初看時以美者出拜，及臨娶以醜者易之，名曰戳包兒。過門信宿，盗其所有逃去者，名曰拏殃兒。菽園雜記

【補】火葬倡於釋氏，末俗因之。焚屍之慘，行路且不忍見，況人孤人弟乎？燕京土俗以清明日聚無主之柩，堆若邱陵，又剖童子之棺殮而未化者，裸而置之高處，剪紙爲旗，縛之於臂，此尤不仁之甚矣。或謂火化俗釀自元，然世祖至元十五年曾嚴焚屍之禁，具載典章，論世者未之考爾。西神脞説

【補】京師喪家出葬，浮費最多。一喪車或至百人舁之。銘旌有高五丈者，纏之以帛，費百餘疋。其餘香亭幡蓋儀從之屬，往往越分。又紙糊方相，長亦數丈，紙房累數十間。集

送者張筵待之，優童歌舞於喪者之側，跳竿走馬，陳百戲於道，尤屬悖禮。薊邱雜抄

補王惲論中都喪祭禮事狀：竊惟送終，人子之大事。今見中都風俗薄惡，於喪祭之禮有亟當糾正者。如父母之喪例皆焚燒以爲當然，習既成風，恬不知痛，敗俗傷化，無重於此，理合禁止，以厚薄俗。又無問貴賤，多破錢物市一切紙作房室侍從車馬等儀物，不惟生者虛費，於死者實無所益，亦乞一就禁止。烏臺筆補

補京師期功以下服孝帽，頂心皆綴紅絨一朵，曰花花孝，莫知所自，流俗可笑。露書

補京師喪禮殯不踰時，殯三日具祭墓所曰暖墓，亦禮虞祭遺意也。明順天府志

補正統間，北京滿城忽唱妻上夫墳曲，有旨令五城兵馬司禁捕，不止。明年，朝廷有北轅之厄，軍没甚衆，京城哭聲震天，始驗其事，亦氣數之先兆也。暖姝由筆

補大明門左右，日日市，曰朝前市。東華門外，歲燈節十日市，曰燈市。東華門内，月三日市，曰内市，今移張燈市矣，猶稱内市也。正陽橋日昃市，曰窮漢市。城隍廟月朔、望、二十五日市，曰廟市。帝京景物畧

補都城市肆初開，必盛張鼓樂，户結綵繒。賀者持果核堆盤，圍以屏風祀神。正陽門東西街招牌有高三丈餘者，泥金殺粉，或以斑竹鑲之，或又鏤刻金牛白羊黑驢諸形象以爲標識。酒肆則横扁連楹，其餘或懸木罌，或懸錫盞，綴以流蘇。挾有限之貲，先事無名之費，甚無謂也。寄園寄所寄録

增幽燕沙漠之地，風起則沙塵漲天。有鬼眼睛者，以鯱爲之，嵌於眼上，仍以青皂帛繫

於頭上，多有黑沙者。日稍出則高處卽乾燥，蓋其沙土橫紋故也。析津志

增 市民多造茶褐木綿鞋貨與人，西山人多做麻鞋出城貨賣，婦人束足者亦穿之，仍繫行纏，欲便於登山故也。同上

補 楊勸農春卿夜讀書，有鼠出，躍書几上，忽投膏甌中，楊取一方木覆之，隨突以出，環書册走不輟。作人語曰：油著油著。楊笑起曰：吾避汝。燕城闕前晌午市合更忙，猝不能過，卽擎虛器云：油著油著，人卽開避，故鼠亦云云，聞者爲笑。玉堂嘉話

補 京師相傳有十可笑：光禄寺茶湯，太醫院藥方，神樂觀祈禳，武庫司刀槍，營繕司作場，養濟院衣糧，教坊司婆娘，都察院憲綱，國子監學堂，翰林院文章。猶漢世諺稱舉秀才，不知書，察孝廉，父别居之謂也。戴斗夜談

補 村夫子誨人子弟必其父兄造請而後教之，無榜門招致人之理。獨京師學究大書其門曰秋爽擇日來學，則何異百工之肆？大非童蒙求我之義矣。臆説

（臣等謹按）揭榜於門，招人就學，今時猶然。蓋市販小民不能延師，得此以訓課子弟，體固未宜，事姑從便。其衣冠之家則不爾也。

補 唐詩詠少年子有云：樓下劫商樓上醉。又云：白晝殺人都市中。初讀之以爲過。觀京師之六街九衢市有劫奪，居者行者相視而不敢救，是則都城習染，易地皆然。安得趙張

王尹諸公一以重法繩之，使栗果惡少年交斂迹也！寄園寄所寄録

補都中惡少年，狡獪百端，聞明季玉河橋有身蒙驢皮黑面利爪，夜嚇行旅而謀其財者，相傳謂爲真鬼，既而事露伏法。又有於先農壇北昏夜兩人相接爲長人，葛巾木棉袍，見者以爲魍魎，靡不驚仆，因取其衣資并以土塞人口耳鼻中，如此者歲餘。一夕暗中有人貿貿而來，兩人相接而立，其人亦漸長反過其頂，則真魍魎也。隨以足踢兩人，一殞於地，一氣息尚存，爲人言其事云。查浦輯聞

補京師編民，男女之未年者，因事而出，多爲姦民所攘，女脅爲婢，子壓爲奴，否則載至遐徼殊域，若遼海，若朔漠，易羊馬牛駝以規利。幸而敗者常少，不幸而轉市互鬻，使其父子兄弟妻女死生不相聞者，比比有焉。歸田類稿

補都人生子，往往閹割，覬爲中官，有非分之福，或投爲軍，或夤緣入廠衞，穿白韡刺事，又或十五結黨横行街市間，號爲闖將。其游手不自給者，目曰閒的兒，遇人移居，賃運家具。而長班一項尤多，見士子入京進取，輒隨之，釋褐後往來挾刺交謁，匪惟熟識縉紳邸舍，并嫻習各衙門相見儀，以是仕者便之。然門生屬吏修謁，必饜其欲而後許之入見，始進者未嘗不以爲憾。及爲達官居要路，則每倚之爲耳目腹心矣。迨崇禎甲申，都城一破，士大夫雖至不肖，未必盡甘心從賊，其如長班争先具職名投僞政府，并

各言所居之地，於是按名而索，降者授官，未降者刑辱，見任候補諸員無一得免者。白頭閒話

〔臣等謹按〕今京師雖猶存長班之名，至出入跟隨，倚爲耳目，此風久已無之矣。

補黃尊素長安竹枝詞 四民到此盡無分，半作長班半作軍。鄭媼生兒齊下祝，他年跟得一官員。忠端集

補五刑，宫次於大辟，肉刑既除，墨劓剕永革矣。惟京畿民間生子，每私自閹割，何其忍哉！吾鄉高工部承埏知寶坻縣事，下車禁私閹甚力。終其任，縣民無敢犯者，洵美政也。戴斗夜談

補燕北風俗，不問士庶，皆自稱小人。宣和間有遼國右金吾衛上將軍韓正歸朝，授檢校少保節度使，對中人以上語卽稱小人，中人以下卽稱我家。每日到漏舍誦天童經，自云：對天童豈可稱我？於是凡稱我者皆改爲小人，云：皇天生小人，皇地載小人，日月照小人，北斗輔小人。然小人有母皆嘗小人之食，小人之稱，其來古矣。施之於經，是可笑也。錢氏私誌

補京師人呼巷爲衚衕。世以爲俗字，不知山海經已有之，食囂鳥可以止衕，郭璞注：治洞下也，音洞。又飛魚食之已痔衕。獨衚字未經見。疑耀

〔朱昆田原按〕衚衕二字，元人有以此入詩者。衕字載在説文，收入廣韻，兼平、去

二音，初非俗字也。

補今京師勾欄中諢語謂紿人者曰黃六。予初不解其義，後閱一小説，黃巢兄弟六人，巢行第六而多詐，故詐騙人者指爲黃六也。疑耀

補元宋正獻公本至治集中，有驢牽船賦。今京東五牐剥運船多用之。雅坪散録

補燕人諱言四十五歲，人或問之，不曰去年四十四歲，則曰明年四十六歲，不知何所謂也。朔紀

〔臣等謹按〕前朝迎春有以樂工執役者，俗謂之春官，因以春爲譏訕語。又俗有春打六九頭之諺。四十五於數爲五九，正立春之時，故并年歲諱言之。今雖無樂工、春官之制，而俗語猶相沿避忌也。

增凡歲時不雨，家貼龍王神馬於門，瓷瓶插柳枝掛門之旁，小兒塑泥龍，張紙旗，擊金鼓，焚香各龍王廟，羣歌曰：青龍頭，白龍尾，聲作以。小孩求雨天歡喜。麥子麥子焦黃，起動起動龍王。大下小下，初一下到十八。聲作巴。摩訶薩。初雨，小兒羣喜而歌曰：風來了，雨來了，禾場背了穀聲作古。來了。雨久，以白紙作婦人首，剪紅緑紙衣之，以苕帚苗縳小帚，令攜之，竿懸簷際，曰掃晴娘。帝京景物畧

增日月蝕，寺觀擊鐘鼓，家擊盆盎銅鏡救日月，聲嘈嘈屯屯滿城中。蝕之刻，不飲不

食，曰生噎食病。同上

增幼兒見新月曰月芽兒，即拜祝，乃歌曰：月月月，拜三拜，休教兒生疥。小兒遺溺者，夜向參星叩首曰：參兒辰兒，可憐溺牀人兒。見流火則啐之，曰賊星。夜不以小兒女衣置星月下，曰女怕花星照，兒怕賊星照；亦不置洗濯餘水，爲夜遊神飲馬也，曰不當價。如吴語云罪過。同上

增初聞雷則抖衣，曰蚤蝨不生。見電曰虹，戒莫指，謂生指頂瘡，曰惡指也。初雪，戒不入口，曰毒；再雪，則以炖茶，積雪以塑於庭。同上

增燕舊有風鳶戲，俗曰毫兒。今已禁。風則剖秫稭二寸，錯互貼方紙其兩端，紙各紅緑，中孔，以細竹横安秫竿上，迎風張而疾趨，則轉如輪，紅緑渾渾如暈，曰風車。同上

欽定日下舊聞考卷一百四十七

風俗

原遼俗，立春，婦人進春書，刻青繒爲幟，象龍御之，或爲蟾蜍，書幟曰宜春。遼史禮志

增立春，太史院奏，某日得春，移文赤縣以是年立春日支干。宛平縣或大興縣依上年故事，塑春牛勾芒神。比及未立春三日前，太史院司農司使請都堂宰輔合府正官司屬官，迎太歲神牛於齊政樓之南，香花燈燭，祀如常。立春之日質明，司農守土正官率赤縣屬官具公服拜長官，以綵杖擊牛三匝而退，土官大使送勾芒神入祀中書户部院寺監府。析津志

原凡立春日，於午門賜百官春餅。燕都遊覽志

原申時行立春賜春餅詩：紫宸朝罷聽傳餐，玉餅瓊殽出大官。齋日未成三爵禮，早春先試五辛盤。迴風入仗旌旗暖，融雪當筵匕箸寒。調鼎十年空伴食，君恩一飯飽猶難。賜閒堂集

補京尹迎春，自春場入府。是日，塑小春牛芒神，以京兆諸生舁入朝進上。帝京景物畧

增造牛芒法，日短至，辰日，取土水木於歲德之方。木以桑柘，身尾高下之度，以歲八

節四季、日十有二時，踏用府門之扇，左右以歲陰陽，牛口張合，尾左右繳。芒立左右，亦以歲陰陽，以歲干支納音之五行。三者色，爲頭身腹色，日三者色，爲角耳尾，爲膝脛，爲蹄色。以日支孟仲季爲籠之索、柳鞭之結、子之麻苧絲。牛鼻中木，曰拘脊子，桑柘爲之，以正月中宮色爲其色也。芒神服色，以日支受尅者爲之，尅所尅者。其繫色也，歲孟仲季，其老壯少也。春立旦前後五日中者，是農忙也。過前，農早忙，過後，農晚閒也。而神並乎牛，前後乎牛分之，以時之卯後八曰燠，亥後四曰寒，爲罨耳之提且戴，以日納音，爲髻平梳之頂耳前後，爲鞋袴行纏之懸著有無也。田家樂者，二荆籠，上著紙泥鬼判頭也。又五六長竿，竿頭縛脬如瓜狀，見僧則捶，使避匿，不令見牛芒也。又牛臺上，花繡衣帽，扮四直功曹立，而兒童瓦石擊之者，樂工四人也。同上

原正統中，每歲立春，順天府別造春牛、春花進御前及仁壽宮中。宮凡三座，每座用金銀珠翠等物，費錢九萬餘。景皇卽位，以明年春日當復增三座，宛平坊民相率陳愬，乞買時花充用。從之。湧幢小品

增立春前一日，順天府尹率僚屬朝服迎春於東直門外，隸役舁芒神土牛，導以鼓樂，至府署前陳於綵棚。立春日，大興、宛平縣令設案於午門外正中，奉恭進皇帝、皇太后、

皇后芒神、土牛，配以春山，府縣生員舁進，禮部官前導，尚書、侍郎、府尹暨丞後隨，由午門中門入，至乾清門、慈寧門恭進。内監各接奏，禮畢皆退。府尹迺出土牛環擊，以示勸農之意。大清會典

原上元穿燈景補子，三月三日換羅衣，四月四日換紗衣，五月朔穿五毒艾虎補子蟒衣，七月七日穿鵲橋補子，九月四日穿重陽景菊花補子，十月朔換穿紵絲，冬至節穿陽生補子蟒衣，臘月二十四日祭竈後，宫眷内臣穿葫蘆景補子蟒衣。燕史

原清明，戴柳枝於髮。夏至戴草麻子葉、長命菜，卽馬齒莧也。立秋日戴楸葉。上同

原鐸針者，内官釘帽中央，金銀珠翠珊瑚皆可製。元旦則大吉葫蘆，元夕則燈籠，端午則天師，中秋則月光，重陽則菊花，冬至則綿羊。太子頒曆日則寶曆萬年，其製八寶荔枝、卍字鮎魚也。萬壽節則萬壽洪福齊天，其製於齊天字兩旁各紅蝙蝠一枚，又有枝箇，其製減小，偏向成對。又桃枝則不垂。上同

原歲除，簷楹插芝麻稭，院中焚柏木柴，名曰熰歲。元旦起，擲門閂於地者三，曰跌千金。以小榼盛驢肉食之，曰嚼鬼。立春日，無貴賤食蘿蔔，曰咬春。二月二日，用黍麪棗糕以油熬之，曰薰蟲。三月食鮓，曰桃花鮓。四月八日，進不落夾，用葦葉方包糯米，長可四寸，闊一寸，味與粽同。六月六日，食銀苗菜，卽藕苗也。九月食迎霜兔。

臘月八日，賜餐百果粥。同上

【補】立春日啖春餅，謂之咬春。立春後出遊，謂之討春。陳檢討集

【原】遼俗，每年正月一日，以糯米炊飯，用白羊髓和丸如拳大，行宮寢帳內各散四十九丸。燕北雜記

【原】戊夜，各於帳內窗中擲丸於外。數偶，動樂飲宴。數奇，令巫十有二人，鳴鈴執箭，繞帳歌呼，帳內爆鹽鑪中，燒地拍鼠，謂之驚鬼。人日煎餅食於庭中，謂之薰天。遼史禮志

【原】元旦，貴戚家懸神荼、鬱壘。民間插芝梗、柏葉於户。小兒女剪烏金紙作蝴蝶戴之，名曰鬧嚷嚷。初八、九日，陳設燈市，至十八而罷。人家用粉糁寒具饋送，徧市鬻之。五花帚爲號宴，席間尚王瓜、豆莢。一瓜之值三金，豆一金。點茶用椿芽、蒲笋發之冰下，牡丹、芍藥、薔薇俱有花，較春時薄小，一瓶值數千錢。貴戚倡家插茉莉花。官裏放燈假五日，夜行不禁。北京歲華記

【原】歐陽原功漁家傲詞 正月都城寒料峭。除非上苑春光到。元日班行相見了。朝回早，闕前褫帕歡相抱。漢女姝娥金搭腦。國人姬侍金貂帽。繡轂雕鞍來往鬧。閒馳驟，拜年直到燒燈後。圭齋集

【增】上元之前，宮中穿燈景補子蟒衣。於乾清宮丹陛上安放牌坊燈，於壽皇殿安放方圓鼇山燈，牌坊自七層，鼇山至十三層。十九日乃撤上鼇山山頂之燈，安放神器三位。王譽昌詩注

【補】京師風俗，每正旦，主人皆出賀，惟置白紙簿并筆硯於几，賀客至書其名，無迎送

也。（寓圃雜記）

增 正月元旦五鼓時，不臥而噎，噎則急起，或不及衣，曰臥噎者病也。夙興盥漱，啖黍糕，曰年年糕。家少長畢拜，姻友投箋互拜，曰拜年。（帝京景物略）

增 元旦至三日，男女於白塔寺繞塔。（同上）

補 今京師凡孟春之月，兒女多剪采爲花，或草蟲之類插首，曰鬧嚷嚷，卽古所謂鬧裝也。嚷與裝音相近，故訛也。唐白樂天詩，貴主冠浮動，親王轡鬧裝，是已。（余氏辨林）

補 燕地上元節用烏金紙剪成飛蛾，以猪鬃尖分披片紙貼之，或五或七，下縛一處，以鍼作柄，婦女戴之，名曰鬧蛾兒。此古之遺俗也。（瑮譚）

原 公鼐都城元宵曲　鼇山綵繡五雲隈，白果園中御帳開。傳語侍臣休放馬，君王月下打圍來。蹀躞驊騮氣正驕，垂鞭嘶過玉河橋。不知明月誰家怨，腸斷樓中弄玉簫。黃瓦牆頭髹畫戟，直從析木象銀河。三三五五橋頭去，贏得相思滿綠波。曲砌迴廊卍字闌，松飄亭子月中看。金鑪休放沉香火，醉擁如花夜不寒。内園湯火漫相匀，種得紅梅放早春。莫向樽前吹玉笛，朝來愁殺賞花人。白袷裁衫玉滿頭，短檐鬆髻學蘇州。儂家新様江南曲，縱是愁人不解愁。（小東園詩集）

補 燕城元日，以阡張供祖考之前，三日後撤而焚之。佛前則供以果麪阡張，至元宵後乃焚之。阡張鑿紙爲條，與冥錢同類。正月十日至十六日結燈者，各持所有，貨於東安門外，名曰燈市，價有至千金者。商賈輳集，技藝畢陳，冠蓋相屬，男婦交錯，市樓貰價騰湧。十四日夜試燈，十五正燈，十六日罷燈。（宛署雜記）

補正月十一日至十六日，鄉村人縛秫稭作棚，周懸雜燈，地廣二畝，門徑詰曲，藏三四里，入者誤不得徑，即久迷不出，曰黃河九曲燈。帝京景物畧

補燈市惟内臣秉筆、朝臣閣部、外臣計吏不得過市，猶古罰𢅙幕蓋帷遺意。上同

增正月十三日，家以小琖一百八枚夜燈之，徧散井竈門户砧石，曰散燈。其聚如螢，散如星，富者燈四夕，貧者燈一夕，又甚貧者無燈。上同

原正月十六日夜，婦女俱出門走橋，不過橋者云不得長壽。手攜錢賄門軍摸門鎖，云即生男。北京歲華記

補燕京風俗，元夜婦女競往前門摸釘爲戲，相傳讖宜男也。陳檢討集

原元夕，童子撾鼓，旁夕向曉，曰太平鼓。二童子引索畧地如白光輪，一童子跳光中，曰跳白索。婦女相率宵行以消疾病，曰走百病，又曰走橋。帝京景物畧

原周用走百病詩　都城燈市由來盛，大家小家同節令。諸姨新婦及小姑，相約梳妝走百病。俗言此夜鬼穴空，百病盡歸塵土中。不然今年且多病，臂枯眼暗兼頭風。踏穿街頭雙繡履，勝飲醫方二鍾水。誰家老婦不出門，折足蹣跚曲房裏。今年走健如去年，更乞明年天有緣。蘄州艾葉一寸火，只向他人肉上然。去年同伴今希有，幾人可卜明年走？長安主人肯居停，寂寂關門笑後生。但願中秋不見月，博得元宵雨打燈。周恭肅集

增揭傒斯結羊腸詞　正月十六好風光，京師女兒結羊腸。焚香再拜禮神畢，剪紙九道尺許長。撚成對綰雙雙結，心有所祈口難説。爲輪爲鐙恒苦多，忽作羊腸心自別。隣家女兒聞總至，未辨吉凶憂且畏。須臾結罷起送神，滿座歡欣雜顛頟。但願年年逢此日，兒結羊腸神降吉。秋宜集

補燕都燈市，十四日，羣兒牽繩爲圓城，空其中方丈，城中兩兒輪以帕蒙目，一兒持木

魚，時敲一聲，旋易其地以誤之。蒙目者聽聲猜摸，以巧遇奪魚爲勝。則拳擊執魚者，出之城外，而代之執魚，又輪一兒入摸之，名曰摸瞎魚。至十六日，小兒羣集市中爲戲，首以一人爲鬼，繫繩其腰，羣兒共牽之，相去丈餘，輪次躍而前，急擊一拳以去，名曰打鬼。若爲繫者所執，謂爲被鬼執。鬨然共笑，捉以代繫者，名曰替鬼。又有以長絙丈許，兩兒對牽，飛擺不定，令難凝視，若百牽然，其實一索也。羣兒乘其動時輪跳其上，以能過者爲勝，否或爲索所絆，聽掌繩者以繩擊之示罰，名曰跳百索。其夜婦女羣游，祈免灾咎，前一人持香辟人，名曰走百病。凡有橋處，三五相率以過，謂之度厄。宛署雜記

增余嘗於燈市見一燈，皆以卵殼爲之，爲燈、爲蓋、爲帯、爲墜，凡計數十百枚。每殼必空四門，每門必有榱栱窗槅，金碧輝耀，可謂巧絶。然脆薄無用，不異雕冰畫脂耳。甲乙剩言

增今時小兒以鉛錫爲錢，裝以雞羽，呼爲韃子，三四成羣，有裏外廉、拖槍、聳膝、突肚、佛頂珠、剪刀抛之名色，亦蹴踘之遺事也。事物原始

增紙鳶，古傳韓信所作。按六帖云，五代漢季李業與隱帝爲紙鳶於宮門外放之。今春時小兒紙鷂是也。上同

增今小兒兩頭曳索而對挽之，力强者牽弱者而仆，以爲勝負笑樂，此唐清明節拔河之戲也。留青日札

增鞦韆本北方山戎之戲，以習輕趫者。後中國女子學之，乃以綵繩懸木立架，士女炫服坐立其上推引之，名曰鞦韆。荆楚歲時記

補李紳周員外席上觀柘枝詩：畫鼓拖環錦臂攘。今京師迎年鼓製施兩銅環，以手擎之高下，環聲索索，鼓聲相間，疑即其遺製也。西神脞說

增楊補長安迎年鼓曲　團鼓團鼓春月淨，索絡連錢鐵輪柄。粲粲兒女手腕輕，一槌兩槌臂爲政。意中有曲無知之，抖肩掂踵不自持。窗風簷雨急春暮，歷亂老鸛彈枯枝。聲先聲後聞噍殺，金氣入聲秋戛戛。九衢烟霧六街泥，點破羇魂馬蹄聒。耳熱心寒避不得，坐憶江梅舊消息。城西山雪城裏白，女兒鼓聲帝也力。帝京景物畧

〔臣等謹按〕樂府雜録，健舞曲有柘枝，軟舞曲有屈枝。又樂苑，羽調有柘枝，商調有屈枝，用二女童帽施金鈴，抃舞有聲，其來也於二蓮花中藏，花坼而後見云云。柘枝舞久不傳，所謂畫鼓拖環者，亦莫可彷彿。西神脞說乃以京師太平鼓當之，恐非其實。

補燕城烟火諸製，有聲者曰響炮，高起者曰起火，起火中帶炮連聲者曰三汲浪，不響不起、旋繞地上者曰地老鼠。築打有虛實，分兩有多寡，有花草人物等形者。花兒名百餘種，別以泥函者砂碢兒，以紙函者曰花筒，以筐函曰花盆，統名曰烟火。勳戚家有集百

巧爲一架，分次第傳爇，通宵以爲樂。宛署雜記

【補】孟浩然薊門看燈詩　異俗非鄉俗，新年改故年。薊門看火樹，疑是燭龍然。襄陽集

【增】元旦至晦日，家家竿標樓閣，松柏枝蔭之，夜燈之，曰天燈。是月也，女婦閒，手五丸，且擲且拾且承，曰抓子兒，丸用象木銀礫爲之，競以輕捷。帝京景物畧

【增】東之琉璃廠店，西之白塔寺，賣琉璃瓶盛朱魚，轉側其影，小大俄忽。同上

【原】正月十九日，都人集白雲觀，游冶紛沓，走馬蒲博，謂之燕九節，或曰閹邱，或曰宴邱，相傳是日真人必來。或化冠紳，或化士女，或化乞丐，於是羽士十百，結坐松下，冀幸一遇之。同上

【原】吳寬燕九日詩　京師勝日稱燕九，少年盡向城西走。白雲觀前作大會，射箭擊毬人馬蹂。古祠北與學宮依，簫鼓不來牲醴稀。如何義士文履善，不及道人邱處機！匏翁家藏集

【原】二十五日，人家市牛羊豕肉，恣餐竟日，客至苦留，必盡飽而去，名曰填倉。北京歲華記

【原】二月一日爲中和節，八日爲悉達太子生辰，雕木爲像，儀仗百戲導從，循城爲樂。遼史禮志

【補】都人呼二月二日爲龍擡頭，鄉民用灰自門外蜿蜒布入宅廚，旋繞水缸，呼爲引龍迴。宛署雜記

【增】二月二日曰龍擡頭，煎元旦祭餘餅，薰牀炕，曰薰蟲兒，謂引龍，蟲不出也。燕少蜈蚣而多蝎，其爲毒倍焉。少蚊而多蠅，其爲擾倍焉。蚤蝨之屬，臭蟲又倍焉。所苦尤在編

户，雖預薰之，實未之有除也。帝京景物略

原 歐陽原功漁家傲詞 二月都城春動野。引龍灰向銀牀畫。士女城西爭買架。看馳馬，官家迎佛官蘭若。水暖天鵞紛欲下。鷹房奏獵催車駕。却道海青逢燕怕。纔過社，柳林飛放相將罷。圭齋集

原 二月，都人進香涿州碧霞元君廟，不論貴賤男女，額貼金字，結亭如屋，坐神像其中，繡旗瓶鑪前導，從高梁橋歸，有雜伎人騰空旋舞於橋岸，或兩馬相奔，人互易之，或兩彈追擊，迸碎空中。北京歲華記

增 盧師山，二月二日，南北二城遊賞，如燕九節。析津志

增 是月，北城官員士庶婦人女子多遊南城，愛其風日清美而往之，名曰踏青鬭草。若海子上，車馬雜沓，繡轂金鞍，珠玉璀璨，人樂昇平之治，官無風埃之虞，政簡吏清，家給人足，上自內苑，中至宰執，下至士庶，俱立鞦韆架，日以嬉遊爲樂，紅女之事殆庶幾焉。然醉卧隔簾，香風並架，花靴與繡鞋同蹴，錦带與珠襦共飄。縱河朔之娉婷，散闉闈之旖旎，此遊賞之勝事也。同上

原 遼俗，三月三日以木雕爲兔，分兩朋，走馬射之，先中者勝，負者下馬跪進勝者酒，勝者於馬上接盞飲之。燕京雜記

原 上巳日上土穀祠。清明日始賣冰，以兩銅盞合而擊之。次日，花木皆出窨，播瓜菜種於地。後三日新茶從馬上至。至之日，官價五十金，外價三二十金，不一二日即二三金

矣。二十八日賽東嶽廟。北京歲華記

【補】三月二十八日，燕京祭嶽廟，民間集衆爲香會，有爲首者掌之。盛設鼓樂旗旛，戴甲馬，羣迎神以往，男婦有跪拜而行者，名曰拜香。宛署雜記

【增】清明寒食，宮庭於是節最爲富麗，起立綵索鞦韆架，自有戲蹴鞦韆之服，金繡衣襦，香囊結帯，雙雙對蹴，綺筵雜進，珍饌甲於常筵。中貴之家，其樂不減於宮闈。達官貴人豪華第宅悉以此爲除祓散懷之樂事。然有無各稱其家道也。析津志

【補】清明日，各宮安鞦韆架。蕪史

【原】歐陽原功漁家傲詞 三月都城遊賞競。宮牆官柳青相映。十一門頭車馬並。清明近，豪家寒具金盤飣。播祭流連芳草逕。歸來風送梨花信。向晚輕寒添酒病。春烟暝，深深院落鞦韆迥。圭齋集

【原】四月初一日，戒壇開，城中人多往西山。初八日，各寺浴佛。十三日，上藥王廟。諸花盛發，白石莊、三里河、高梁橋外皆貴戚花場，好事邀賓客游之。北京歲華記

【補】京師僧俗念佛號者，輒以豆識其數，至四月八日佛誕生之辰，煮豆微撒以鹽，邀人於路請食之，以爲結緣也。陝志

【補】都中遺老述萬曆間西山戒壇四月遊女之盛，鈿車不絕，茶棚酒肆接於路。至有挾妓入寺者。一無名子嘲以詩云：高下山頭起佛龕，往來米汁雜魚籃。不因説法堅持戒，那得觀音處處參？辛齋詩話

【原】先是，四月八日，梵寺食烏飯，朝廷賜羣臣食不落夾，蓋緣元人語也。嘉靖十四年，始賜百官於午門食麥餅宴。燕都遊覽志

【補】朝廷每年四月八日賜百官午門外食不落夾。曹御史宏云，是麪食也。醫官張天民云，即今之粽子。戒庵漫筆

【補】四月八日，燕京高梁橋碧霞元君廟，俗傳是日神降。傾城婦女往乞靈祈生子，西湖玉泉碧雲香山游人相接。又旁近有地名秋坡，都中伎女競往逐焉，俗云趕秋坡。宛署雜記

【增】四月八日捨豆兒，曰結緣，十八日亦捨。先是，拈豆念佛，一豆號佛一聲，有念豆至石者，至日熟豆人偏捨之，其人亦一念佛、啖一豆也。凡婦不見答於夫姑宛若者，婢妾擯於主及姆者，則自咎曰：身前世不捨豆兒，不結得人緣也。帝京景物略

【增】四月一日至十八日，傾城趨馬駒橋，幡樂最盛，碧霞元君誕也。上同

【補】立夏日啟冰，賜文武大臣。編氓賣者手二銅盞疊之，其聲嗑嗑，曰冰盞。上同

【增】四月，榆初錢，麪和糖蒸食之，曰榆錢糕。上同

【原】歐陽原功漁家傲詞 四月都城冰碗凍。含桃初薦瑛盤貢。南寺新開羅漢洞。伊蒲供，楊花滿院鶯聲哢。歲幸上京車駕動。近臣準備鑾輿從。健德門前飛玉鞚。争持送，葡萄馬乳歸銀甕。圭齋集

【原】五月五日午時，采艾摘葉與綿相和，絮衣七事，遼主著之。番臣漢僚各賜艾衣三事。渤海廚子進艾糕。燕北雜記

原夏至日謂之朝節，婦人進綵扇，以粉脂囊相贈遺。遼史禮志

原金因遼俗，重五日插柳毬場爲兩行，當射者以尊卑序，各以帕識其枝，去地約數寸，削其皮而白之。先以一人馳馬前導，後馳馬以無羽横鏃箭射之，既斷柳又以手接而馳去者爲上，斷而不能接去者次之，或斷其青處及中而不能斷與不能中者爲負。每射必伐鼓以助其氣。已而擊毬，各乘所常習馬，持鞠杖，杖長數尺，其端如偃月，分其衆爲兩隊，共争擊一毬。先於毬場南立雙桓置板，下開一孔爲門，而加網爲囊，能奪得鞠擊入網囊者爲勝。毬狀如小拳，以輕韌木枵其中而朱之。金史禮志

原五月朔日至旬杪，女兒艷服，戴花滿頭。五日前，民間不得市蘇州席子。端午，用角黍杏子相遺，挈酒遊高粱或天壇，壇中有決射者，蓋射柳遺意。薄暮争門入，無賴子弟以是日刺臂作字，或木石鳥獸形。民間是日生子，束一木或荆條祭於堂，斬其木五六尺許，祝曰：如是止，勿長抵户。北京歲華記

增午節，宣徽院進寶扇、綵索、珠花、金羅、酒醴、涼糕、香粽，中正院三后所屬衙門各有故典儀物以次進獻，禮部亦然，蓋以此爲大節故耳。析津志

增擊毬者，今之故典。五月五日、九月九日，太子諸王於西華門内召集各衙萬户、千户能擊毬者，咸用上等駿馬，繫以雉尾纓絡，縈綴鏡鈴，裝飾如畫。一馬前馳，擲大皮縫

軟毬子於地，羣馬争驟，各以長藤柄毬杖争接之，而毬子忽綽在毬棒上，隨馬走如電，終不墜地。力捷而熟閑者，以毬子挑剔跳躑於虚空中而終不離於毬杖，然後打入毬門，中者爲勝。同上

【原】京師最重午節，天壇遊人極盛，聯鑣飛鞚。豪門大估之外，則中官輩競以騎射爲娱。蓋皆賜沐請假而出者。内廷自龍舟之外，則修射柳故事，其名曰走驃騎，蓋沿金元之俗。命御馬監勇士馳馬走解，不過御前一逞迅捷而已。惟閣部大老及經筵日講詞臣得拜川扇香果諸賜，視他令節獨優。野獲編

【補】端午，賜京官宫扇，竹骨紙面，俱畫翎毛不工。綵絲一條，五色線編者，鬚頭作虎形。綵仗二根，長丈許，五色線纏繞。艾虎紙二幅，方尺許，俱畫虎并諸毒蟲。戒庵漫筆

【補】京城端午，貴賤人等必買新蒲鞋穿之過節，歲以爲常。暖姝由筆

【補】五月五日，賜文武官走驃騎於後苑。其制，一人騎馬執旗引於前，一人馳騎出呈藝於馬上，或上或下，或左右騰擲趫捷，人馬相得，如此者數百騎，後乃衣蕃服，臂鷹走犬，圍獵狀終場，俗名曰走解。觀畢，賜宴而回。彊識畧

【補】永樂時，禁中有剪柳之戲，卽射柳也。識小編

【補】故事，五月五日，太醫院官具旗物鼓吹赴南海子捉蝦蟇，取蟾酥，以針刺其兩眉，蟾

多死。吾鄉朱公儒爲院使，俾兩眉止刺其一，蟾雖被刺，得活，後遂因之。閒史掇遺

補 燕都自五月一日至五日，飾小閨女盡態極妍，已出嫁之女亦各歸寧，俗呼是日爲女兒節。宛署雜記

增 五月五日，漬酒以菖蒲，插門以艾，塗耳鼻以雄黄，曰避毒蟲。家各懸五雷符，簪佩各小紙符簪，或五毒五瑞花草，項各綵繫，垂金錫若錢者、若鎖者，曰端午索。帝京景物畧

增 端陽節，中官於端門鬻内造紫金錠。居易録

補 踏青本清明故事，獨燕京以五月五日遊天壇松林、高粱橋、柳林、滿井，藤陰結伴攜觴者甚衆。近咸集於金魚池上，他處皆闃寂矣。詠歸録

〔臣等謹按〕金魚池觴酒遊戲今亦無有，别詳城市卷中。

原 歐陽原功漁家傲詞　五月都城猶衣裌。端陽蒲酒新開臘。月傍西山青一掐。荷花夾，西湖近歲過苕雪。血色金羅輕汗搨。宮中畫扇傳油法。雪腕綵絲紅玉甲。添香鴨，涼糕時候秋生榻。圭齋集

欽定日下舊聞考卷一百四十八

風俗

原六月六日，内府皇史宬晒曝列聖實録、列聖御製文集諸大函，每歲故事也。至於時俗，婦女多以是日沐髮，謂沐之則不膩不垢。至於猫犬之屬，亦俾浴於河。京師象隻，皆用其日洗於城外之水濱，一年惟此一度也。野獲編

原六月十二日，御廐洗馬於積水潭，導以紅仗。中有數頭，錦帕覆之，最後獨角青牛至，諸馬莫能先也。北京歲華記

〔臣等謹按〕三伏日洗象，語詳城市卷中。至積水潭洗馬之制，在明代本屬具文，今已久廢。仰惟我朝考牧之盛，龍騋馴擾於天閑，游牝孳生於外厩，馬政修而武騎飭，灤都薊野，蹀躞千羣，豈區區牧圉池澤之足云乎？

增六月，京師中多市麻泥、科斗粉、煎茄、炒韭、煎餅。五更汲水，以備合醬之用，咸謂此日水與臘水相同。仍以此日曬乾肉，猶臘味也。析津志

【增】六月進肴蔬果。京都六月內，月日不等，進桃、李、瓜、蓮，俱用紅油漆木架，蔬菜、茄、匏、瓠、青瓜、西瓜、甜瓜、葡萄、核桃等，凡果菜新熟者，次第而進。同上

【原】歐陽原功漁家傲詞　六月都城偏晝永。轆轤聲動浮瓜井。海上紅樓攲扇影。河朔飲，碧蓮花肺槐芽瀋。綠鬢親王初守省。乘輿去後嚴巡警。太液池心波萬頃。閒芳景，掃宮人户撈漁艇。圭齋集

【增】立秋日相戒不飲生水，曰呷秋頭水，生暑痱子。帝京景物畧

【增】都中人民七月祀先，用麻稭奠酒爲誠，買紙錢冥衣燒化於墳，謂之送寒衣，仍以新土覆墓。市中賣摩訶羅巧神、泥塑人物大小不等。宮庭宰輔士庶之家咸作大棚，張掛七夕牽牛織女圖，盛陳瓜果酒餅蔬菜肉脯，邀請女流作巧節會，稱曰女孩兒節，晛卜貞咎，飲宴盡歡，次日饋送還家。析津志

【原】七夕前數日，種麥於小瓦器，爲牽牛星之神，謂五生盆。燕石集

【原】宋褧詩　曉涼門巷柳陰蟬，九陌晴泥著錦韉。到處簾籠盡相似，巧棚人静五生蔫。同上

【原】七夕宮中最重，市上賣巧果，人家設宴，兒女對銀河拜。北京歲華記

【補】九引臺，七夕乞巧之所。至夕，宮女登臺，以五采絲穿九孔鍼，先完者爲得巧，遲完者謂之輸巧，各出資以贈得巧者。元掖庭記

【補】七夕，各宮供像生牛郎、織女、從人、麒麟、象、羚羊、海馬、獅子、獬豸、兔，海味，糖果，糖菜，俱用白糖澆成。光禄寺志

補燕都女子七月七日以椀水暴日下，各自投小鍼浮之水面，徐視水底日影，或散如花，動如雲，細如綫，觕如椎，因以卜女之巧。宛署雜記

增七夕節，宮中立巧山子，衣鵲橋補，初一起至十四日止。中元節食銀苗菜及水鴨。菜乃藕之嫩芽。鴨乃先一日煮熟凝成膏。甜食房供佛波羅蜜。西苑作法事，放河燈。陳琮詩注

原七月十三日至十五日，迎節、送節、笑節。燕北雜記

原十三日，天子於宮西三十里卓帳宿焉。前期備酒饌，翌日諸軍部落從者皆動蕃樂，飲宴至暮乃歸行宮，謂之迎節。十五日動漢樂大宴。十六日昧爽復往西方，隨行諸軍部落大譟三，謂之送節。遼史禮志

補七月十五日，燕城鄉民，薥黍苗、麻粟苗連根及土縛豎門之左右，別束三叢立之門外，供以麫果，呼爲祭麻穀。月令廣義

原中元節前，上冢如清明，各寺設盂蘭會，以長椿寺爲盛。晦日謂是地藏佛誕，供香燭於地，積水潭、泡子湖各有水燈。北京歲華記

補燕市七月十五夜，兒童爭持長柄荷葉，然燈其中，繞街而走，青光熒熒若燐火然。陝志

原歐陽原功漁家傲詞 七月都城爭乞巧。荷花旖旎新棚笊。龍袖嬌民兒女狡。偏相攬，穿針月下濃妝佼。碧玉蓮房和柄拗。晡時飲酒醒時卯。淋罷麻稭秋雨飽。新涼稍，夜燈叫買雞頭炒。圭齋集

原八月八日，遼俗屠白犬於寢帳前七步瘞之，露其喙，後七日中秋，移寢帳於其

上。遼史禮志

增車駕自四月内幸上都。太史奏，某日立秋，乃摘紅葉。涓日張燕，侍臣進紅葉。秋日，三宫太子諸王共慶此會，上亦簪秋葉於帽，張樂大燕，名壓節序，若紫菊開及金蓮開，皆設燕。蓋宫中内外宫府飲宴必有名目，不妄爲張燕也。析津志

增是月，都城當諸角頭市中，設瓜果、香水梨、銀絲棗、大小棗、栗、御黄子、頻婆、柰子、紅果子、松子、榛子諸般時果發賣，宣徽院起解西瓜等果時蔬北上，迎接大駕還宫。同上

增八月十五日祭月，其祭果餅必圓，分瓜必牙錯瓣刻之，如蓮華。紙肆市月光紙，繢滿月像。趺坐蓮華者，月光徧照菩薩也。華下月輪桂殿，有兔杵而人立搗藥臼中。紙小者三尺，大者丈，工緻者金碧繽紛。家設月光位於月所出方，向月供而拜，則焚月光紙，徹所供，散家之人必遍。月餅月果戚屬餽相報，餅有徑二尺者。女歸寧，是日必返其夫家，曰團圓節也。帝京景物略

原中秋夜，人家各置月宫符像，符上兔如人立，陳瓜果於庭，餅面繪月中蟾兔，男女肅拜燒香，旦而焚之。北京歲華記

補燕都士庶，中秋餽遺月餅西瓜之屬，名看月會。月令廣義

補京師八月秋社各以社餻社酒相餽送，貴戚宮院多切肉和蔬果鋪於飯上，謂之社飯。人家婦女皆歸外家，姨舅輒以新葫蘆貽之，云宜外甥。自得語

原歐陽原功漁家傲詞：八月都城新過雁。西風偏解驚游宦。十載辭家衣綫綻。清宵半，家家搗練砧聲亂。等待中秋明月翫。客中只作家中看。秋草牆頭螢火爛。疏鐘斷，中心臺畔流河漢。圭齋集

原遼俗，九月九日打圍，賭射虎，少者爲負，輸重九一筵席。射罷，於地高處卓帳，飲菊花酒，出兔肝生切，以鹿舌醬拌食之。燕北雜記

增九月，車駕還都，初無定制，或在重九節前，或在節後，或在八月。宮中菊節，自有常制，駕至大内下馬，大茶飯者浹旬。析津志

增九月九日，都中以麪爲糕餽遺，作重陽節。亦於闤闠中笊筴蘆蓆叮賣，如七夕午節。市人又多以小扛車上街沿叮賣。士庶官員亦以追節爲重，往還燕禮如常故事。同上

原重九日，勑賜百官花糕宴。燕都游覽志

原九日集無定所，而阜成門外真覺寺金剛寶座游人爲多。市上賣糕人頭帶吉祥字。霜降後鬭鵪鶉，籠於袖中若捧珍寶。北京歲華記

增九月九日，載酒具茶鑪食榼，曰登高。高山高閣釋而不登，但賃園亭、闖坊曲爲娱耳。麪餅種棗栗其面，星星然，曰花糕。糕肆摽綵旗，曰花糕旗。父母家必迎其女來食，亦曰女兒節。帝京景物畧

【增】重陽前後設宴相邀，謂之迎霜宴。席間食兔謂之迎霜兔。好事者列菊花數十層於屋下，前者輊，後者軒，望之若山坡，五色燦爛，環圍無隙，名曰花城。（陳琮詩注）

【原】歐陽原功漁家傲詞　九月都城秋日亢。馬頭白露迎朝爽。曾上西山覩蒼莽。川原廣，千林紅葉同春賞。一本黄花金十鎰。富家菊譜籤銀榜。龍虎臺前鼉鼓響。擎仙掌，千官瓜果迎鑾仗。圭齋集

【原】十月朔，上冢如中元，祭用豆泥骨朶。（北京歲華記）

【補】十月朔日，紙坊剪紙五色作男女衣，長尺有咫，曰寒衣。有疏印緘識其姓字輩行如寄書然，家家修具夜奠，呼而焚之其門，曰送寒衣。（帝京景物略）

【增】十月，皇城東華門外朝廷命武官開射圃，常年國典。（析津志）

【補】燕市賣韃人以十月一日爲韃生日，供具祭之，以其陰晴卜一冬寒燠。（宛署雜記）

【增】十月羊始市，兒取羊後脛膝之輪骨，曰貝石，置一而一擲之。置者不動，擲之不過，置者乃擲，置者若動，擲之而過，勝負以生。其骨輪四面兩端，凹曰真，凸曰詭，勾曰騷，輪曰背，立曰頂骨律。其頂岐亦曰真，平亦曰詭，蓋真勝詭負而騷背間，頂平再勝，頂岐三勝也。其勝負也以貝石。（帝京景物略）

【原】歐陽原功漁家傲詞　十月都城家旨蓄。霜菘雪韭冰蘆菔。暖炕煤鑪香豆熟。燔獐鹿，高昌家賽羊頭福。貂袖豹袪銀鼠襮。美人來往氊車續。花户油窗通曉旭。回寒燠，梅花一夜開金屋。圭齋集

【原】遼俗，至日，帝御天祥殿，北南臣僚常服入朝，依位賜坐。遼人南面，漢人北面，分朋行鬮，或五或七籌，賜膳及茶。若帝得鬮，臣僚進酒訖，以次賜酒。（遼史禮志）

增冬至日，太史院進曆，回回太史進曆。又進畫曆後，市卽有賣新曆者。宰相於至日親率百辟恭賀，遞手帕，隨貢方物。士庶人家並行賀禮。析津志

增凡時憲書，歲以二月一日進來歲書式，四月一日頒直省刊刻，十月一日恭進。大清會典

補京師最重冬節，不問貴賤，賀者奔走往來，家置一簿，題名滿幅。自正統己巳之變，此禮頓廢。孤樹裒談

補故事，自冬至後至立春日，殿前將軍甲士賜酒肉，名曰頭腦酒。明典故紀聞

補冬至日，人家畫素梅一枝，爲瓣八十有一，日染一瓣，瓣盡而九九出，則春深矣，曰九九消寒圖。帝京景物略

增楊允孚雜詠詩 試數窗間九九圖，餘寒消盡暖回初。梅花點遍無餘白，看到今朝是杏株。同上

原十一月，人家墐户，藏花木於窖，食兔羹。女子嫁者多歸寧，爲母浣濯，曰報娘恩。琢石如彈丸置於地，童子以足送之，前後交擊爲勝。始擊羯鼓，鼓用鐵爲圍，單皮覆之，每十人五人聚擊，女子亦然。北京歲華記

原歐陽原功漁家傲詩 十一月都人居暖閣。吴中雪紙明如堊。錦帳豪家深夜酌。金雞喔，東家撤雪西家噱。纖指柔長宫線弱。陽回九九宫冰鑿。盡道今冬冰不薄。都人樂，官家喜受新年朔。圭齋集

原十二月八日，賜百官粥。民間亦作臘八粥，以米果雜成之，品多者爲勝。此蓋循宋時故事，然宋時臘八乃十月八日。燕都游覽志

【增】是月八日，禪家謂之臘八日，煮紅糟粥以供佛飯。僧都中官員士庶作朱砂粥，傳聞禁中一如故事。析津志

【補】陸釴午門臘八日賜食次文徵仲韻詩　漢宮臘日千官會，爛漫朱筵傍紫墀。浴佛競傳南土俗，賜酺初展上方儀。瑶階霽雪輝金仗，太液寒雲凍玉卮。近侍恩波知爾共，還家須擬少陵詩。少石集

【原】臘月束梅於盎，匿地下五尺許，更深三尺，用馬通然火，使地微温，梅漸放白，用紙籠之，鬻於市。小桃、郁李、迎春皆然，餽遺尚鮮果。羯鼓聲益喧，曰迎年鼓。先除夕一日，曰小除。人家置酒宴，往來交謁，曰別歲。焚香於户外，曰天香，凡三日止。帖宜春字，小兒女寫好字。北京歲華記

【補】京師風俗，入冬以地窖養花，其法自漢已有之。漢世大官園冬種葱、韭菜、茹，覆以屋廡，晝夜爇熅火，得温氣，諸菜皆生。召信臣爲少府，謂此皆不時之物，有傷於人，不宜以奉供養，奏罷之。但此法以養菜蔬，未嘗養花木也。今内家十月卽進牡丹，亦是此法。然在漢止言覆以屋廡而已，今法皆掘坑塹以窖之，蓋入冬土中氣暖，其所養花木借土氣火氣相半也。疑耀

【補】京師舊俗，歲終二十四日謂諸神上界，其夜家人設祭遣奠致詞，且有過惡揚善之屬。秋澗集

【補】王惲詩　五祀開三代，人間閱歲華。交更同選調，遣奠具餳茶。天潤神驂馭，燈青喜結花。逢新如有問，萬一善相誇。同上

增十二月二十四日，以糖劑餅、黍糕、棗、栗、胡桃、炒豆祀竈君，以槽草秣竈君馬，謂竈君翌日朝天去，白家間一歲事。祝曰：好多說，不好少說。記稱竈老婦之祭，今男子祭，禁不令婦女見之。祀餘糖果禁幼女不令得啖，曰啖竈餘則食肥膩時口圈黑也。帝京景物略

補燕俗，圖竈神鋟於木，以紙印之，曰竈馬，士民競鬻。以臘月二十四日焚之，爲送竈上天。別具小糖餅奉竈君，具黑豆寸草爲秣馬具，合家少長羅拜祝曰：辛甘臭辣，竈君莫言。至次年元旦又具如前，爲迎竈。月令廣義

〔臣等謹按〕京師居民祀竈猶仍舊俗，禁婦女主祭。家無男子，或迎鄰里代焉。其祀期用二十三日，惟南省客户則用二十四日，如劉侗所稱也。

增十二月二十五日五更，焚香楮，接玉皇，曰玉皇下查人間也，竟此日無婦嫗詈聲。帝京景物略

原歲十二月下旬，於西鎮國寺内牆下灑掃平地，束稈草爲人形一，爲狗一，剪雜色綵段爲之腸胃，選達官世家之貴重者交射之至糜爛，以羊酒祭焉。祭畢，帝后及太子嬪妃并射者各解所服衣，俾蒙古巫覡祝讚，讚畢，遂以與之，名曰脱災，國俗謂之射草狗。元史祭祀志

增除夕五更焚香楮，送玉皇上界，迎新竈君下界，插芝麻稭於門簷窗臺，曰藏鬼稭中，不令出也。門窗貼紅紙葫蘆，曰收瘟鬼。夜以松柏枝雜柴燎院中，曰松盆，熰歲也。懸

先亡影像，祀以獅仙斗糖、蔴花、馓枝，染五色葦架罩陳之，家長幼畢拜，已，各自拜，曰辭歲。已，藂坐食飲，曰守歲。是月，小兒及賤閒人，以二石毬置前，先一人踢一令遠，一人隨踢其一，再踢而及之、而中之，爲勝。一踢即着焉，即過焉，與再踢不及者同爲負也。再踢而過焉，則讓先一人隨踢。其法初爲趾踵苦寒設，今遂用賭，如博然，有司申禁之，不止也。帝京景物略

補 都下寺院，每用歲除鍛磨，是日作鍛磨齋。僧園逸記

補 江隣幾雜志：雄霸沿邊塘泊，冬月載蒲葦，悉用凌牀。沈存中筆談：信安滄景之間，挽車者衣韋袴，冬月作小坐牀，冰上拽之，謂之凌牀。今京師在處有之，一人挽行，滑如帆駛。聞明時積水潭嘗有好事者聯十餘牀，攜都籃酒具，鋪氍毹其上，轟飲冰凌中，亦足樂也。倚晴閣雜抄

補 京師臘月河冰結時，水面多設冰牀，往來絡繹，以供行客，其捷如飛，較之坐騎乘車，遠勝多矣。陳檢討集

補 京師冬月，既以紙糊窗格，間用琉璃片畫作花草人物嵌之。由室中視外，無微不矚。從外而觀，則無所見。此歐陽楚公十二月漁家傲詞所云花户油窗也。蓋元時習俗已尚之。蒓魰詞話

原 歐陽原功漁家傲詞 十二月都人供暖箑。宮中障面霜風獵。甲第藏鉤環侍妾。紅袖壓，笑歌聲送金蕉葉。倦客玉堂寒正怯。曉淘金井冰生鬣。凍合竈觚餳一楪。吳霜鑷，換年懶寫宜春帖。圭齋集

原 北人打圍，一歲間各有處所：五月釣魚海上，於水底釣大魚；二月、三月放鶻，號海東青，打雁；四月、五月打麋鹿；六月、七月於涼淀坐夏；八月、九月打虎豹之類，自此至於歲終。如南人趁時耕種也。使遼録

原 金源之制，歲以正月如春水，九月幸秋山，五月之間，羣臣一進起居表。潛溪集

〔朱彝尊原按〕春水、秋山疑無定所：春漁於水，則謂之春水；秋獵於山，則謂之秋山云爾。

〔臣等謹按〕京師土俗，惟帝京景物略所紀，近日多沿其舊，朱彝尊原書採録殊少，今增採如右。

欽定日下舊聞考卷一百四十九

物産

〔臣等謹按〕朱彝尊原書物産門，雜叙衆物，不分品類，其中亦有未能該備者。兹採摭記載及永樂大典内之析津志、元一統志、北平圖經志書，增其缺軼，並爲條分品目。首總類，次穀食，次蔬蓏，次花藕，次果實，次草木，次藥物，次牲畜，次器用，次珍寶，次飛羽，次走獸，次水族，次蟲豸，爲類共十有四。伏讀聖祖仁皇帝御製詩文集並皇上御製文集詩集，天章炳焕，蹻跂花石之倫，肖形畢備，今繹有關京師物産及他書未經見者，謹依次編載卷内。

原 幽州其利魚鹽，其畜宜四擾，其穀宜三種。周禮

原 四擾：馬、牛、羊、豕。三種：黍、稷、稻。周禮鄭康成注

增 龍門碣石北多馬、牛、羊、旃裘、筋角。史記貨殖傳

原 幽都之山，上有元鳥、元蛇、元豹、元虎、元狐、蓬尾。山海經

原燕有魚、鹽、棗、栗之饒。史記

原幽州范陽貢綾，檀州人薓，薊州鹿角膠。唐六典

原范陽郡土貢綾、綿、角弓、人薓、栗，密雲郡土貢人薓、麝香，漁陽郡土貢白膠。唐書

原幽州土產綿、絹、人薓、瓜子，貢范陽綾，霸州土產絲、綿、絹，涿州土產綾，薊州土產鹿角膠、人薓、遠志、白朮，檀州土貢安東府人薓，又銀錫二穴，密雲郡都管，又有水精，是寶出昌平縣。太平寰宇記

原霸州信安軍、保定軍土貢各絹一十匹。九域志

〔朱彝尊原按〕范陽之綾，貢於唐宋，霸州亦產絲絹，元於涿州設錦局織染提舉司，不知何時遂休其蠶織也。

原大興縣產金銀銅鐵，藥產滑石、半夏、蒼朮、代赭石、白龍骨、薄荷、五味子、白牽牛。金史

原順天府土產：豐潤、寶坻鹽，遵化鐵，宛平琉璃，房山石炭，又密雲出藁本香，寶坻出銀魚，遵化出綿梨，宛平西北齋堂村出畫眉石。明一統志

增順天府土產：穀、鹽、棗、栗、梨、桃、杏、李、柰、榛、白櫻桃、葡萄、蘋婆果、

文官果、松巘、山藥菜、瓜子、白膠、芍藥、煤石、藁本香、琉璃、角弓、鷹、鶵、鳩、黄鼠、魚。（大清一統志）

原 京市都城，舊日如勾欄衚衕何闉門家布，前門橋陳内官家首飾，雙塔寺李家冠帽，東江米巷党家鞋，大栅欄宋家靴，雙塔寺趙家薏酒，順城門大街劉家冷淘麪，本司院劉鶴家香，帝王廟街刁家丸藥，皆著名一時，起家鉅萬。至抄手衚衕辛家專煮猪頭，内而宫禁，外而勳戚，皆知其名。薊鎮將帥置走馬傳致。亦見當時太平勝概。（菊隱紀聞）

〔臣等謹按〕以上係總類。

原 房山縣有石窩稻，色白粒牣，味極香美。以爲飯，雖盛暑經數宿不餲。（燕山叢録）

原 西山大石窩所收米最稱嘉美。（潞水客譚）

增 粱粟類，北方水土深厚，窖地而藏，可數十年不壞。（周禮地官注）

增 北地燥，冬多雪，春少雨，麥晝花，薄皮多麪，食之宜人，陳者更良。（廣羣芳譜）

增 乾隆六年御製麥詩 平疇膏雨足，夏麥芃芃美。良苗將秀時，翠浪翻數里。朝曦淡以暄，珠露垂纍纍。緩騎眄緑畦，香風扇餅餌。祈年廑淵衷，敬誌心中喜。

〔臣等謹按〕詠麥御製詩，是爲首見之篇，謹編載卷内。

增 穀之品：高苗青、（句）詐張柳、（句）撑破倉、（句）乾鏈青、（句）鵞兒黄、（句）紅鐲腦、（句）八稜、（句）

鏩子、句皮包、句賈四、句狗見愁、句餓殺狗、句白糙、句毛穀、句臨熟變、句狗蝨青、句奈風鬬、句麻熟。析津志

增黍有赤黍、黑黍。黏者别名秫，北方謂之黄米，亦謂之黄糯。爾雅翼

增黍之品：糯黍、小黍、秫黍。析津志

增稷冀北謂之䰕，俗呼爲穈。廣羣芳譜

增稻有秔有糯，北方以爲佳品。北方地平，惟澤土宜旱稻，種類甚多。同上

增聖祖御製御稻米文　豐澤園中有水田數區，布玉田穀種，歲至九月始刈穫登場。一日循行阡陌，時方六月下旬，穀穗方穎，忽見一科高出衆稻之上，實已堅好，因收藏其種，待來年驗其成熟之早否。明歲六月時，此種果先熟，從此生生不已，歲取千百。四十餘年以來，内膳所進皆此米也。其米色微紅而粒長，氣香而味腴，以其生自苑田，故名御稻米，一歲兩種，亦能成兩熟。口外種稻，至白露以後數天，不能成熟，惟此種可以白露前收割。故山莊稻田所收，每歲避暑用之尚有贏餘，曾頒給其種與江浙督撫織造，令民間種之。聞兩省頗有此米，惜未廣也。南方氣暖，其熟必早於北地，當夏秋之交，麥禾不接，得此早稻，利民非小。若更一歲兩種，則畝有倍石之收，將來蓋藏漸可充實矣。昔宋仁宗聞占城有早熟稻，遣使由福建而往，以珍物易其禾種，給江淮兩浙，

卽今南方所謂黑穀米也。粒細而性硬，又結實甚稀，故種者絶少。今御稻不待遠求，生於禁苑，與古之雀銜天雨者無異。朕每飯時，常願與天下羣黎共此嘉穀也。

〔臣等謹按〕穀實類之有御稻米，始見於聖祖御製文集，恭載卷内。

【增】豆之品：黑豆、小豆、菉豆、白豆、赤豆、紅小豆、豌豆、板豆、羊眼豆、十八豆。析津志

【增】蜀秫，紅白二種，俗呼高糧。在北方地不宜麥禾者乃種此，尤宜下地。農政全書

【增】穇子，北地荒陂處種之，苗葉似穀，穗如粟穗而分數歧，碾米、煮粥、蒸食皆宜。廣羣芳譜

【補】東薔色青黑，粒如葵子。語曰：貸我東薔，償我白粱。幽并皆有之。廣志

【補】范陽去都百里而遠，土風宜麥與稻。北齊皇建中平州刺史嵇煜建議開督亢舊陂，歲收稻數十萬石，北境賴以周贍，此其驗也。烏臺筆補

【補】端拱二年，六宅使何承矩請於順安砦，西引易河築堤爲屯田。既而河朔連年大水，承矩又言宜因積潦蓄爲陂塘，大作稻田以足食。會滄州臨津令閩人黃懋上書，言河北州軍多陂塘，引水溉田，省功易就，三五年間公私必大獲其利。遂以承矩爲制置河北沿邊屯田使，懋爲大理寺丞充判官，發諸州鎮兵一萬八千人給其役，於雄、莫、霸州，平戎、順

安等軍興堰六百里，置斗門，引淀水灌溉。初年種稻，值霜不成。懋以晚稻九月熟，河北霜早而地氣遲，江東早稻七月即熟，取其種，課令種之。是歲八月稻熟。初承矩建議，沮之者頗衆，既種稻不成，羣議愈甚。至是承矩載稻穗數車，遣吏送闕下，議者乃息。而莞蒲蜃蛤之饒，民賴其利。（宋史食貨志）

（朱昆田原按）雄霸之間無處非水，地最宜稻。而北人不好食稻，每云食之病熱。然都城百萬户，糴太倉稻米食者甚多，未見其病，安在習俗之不可移乎？使倣何、黄之策行之，誠足民之要術也。

增乾隆六年御製秧針詩　緑水盈疇遠若無，新秧似插菩公鬚。翻風貼貼疑鋪毯，帶露瀼瀼欲貫珠。翠穎透波光瀲灩，青鋒著雨意舒蘇。勾芒奪得天孫巧，刺出豐年一幅圖。

增乾隆五年御製觀穫詩　白露湛郊原，西成候已至。緑野滿黄雲，紫莖垂絳穟。銍艾茲其時，錢鎛良具庤。幾餘臨別院，農務觀次第。值此歲云稔，實感天所賜。念予恤民艱，常凜祈年意。積以三時憂，今朝乃大慰。

（臣等謹按）秧針及觀穫御製諸詩，是爲首見之篇，謹編載卷内。

增麮麳，河濟稱小麥麪，燕曰麳麪。（事物紺珠）

增今市肆標曰重羅白麪，漢束晳賦曰重羅之麪。（留青日札）

增宏仁橋旁列肆，摶麪角之曰麻胡餳，和炒米圓之曰歡喜團。帝京景物略

增乾隆十年御製碾䬹詩　餅餌香風到，雕槃薦碾䬹。不寧嘗野味，兼以憶窮簷。秋近日無幾，芒抽雨未霑。密雲空讀易，愁上兩眉尖。

增乾隆八年御製榆餅詩　新榆小於錢，爲餅脆且甘。導官羞時物，佐膳六珍參。偶啗有所思，所思在閭閻。鳩形鵠面人，此味猶難兼。草根與樹皮，辣舌充飢諳。幸不問肉糜，玉食能無慚。

〔臣等謹按〕碾䬹、榆餅皆他書所未有，始見於御製詩集，恭載卷内。

原程敏政傅家麪食行　傅家麪食天下工，製法來自東山東。美如甘酥色瑩雪，一凷入口心神融。旁人未許窺炙釜，素手每自開蒸籠。侯鯖尚食固多品，此味或恐無專功。并洛人家亦精辦，斂手未敢來争雄。主人官屬司徒公，好客往往尊罍同。我雖北人本南産，飢腸不受餅餌充。惟到君家不須勸，大嚼頗懼冰盤空。膝前新生兩小童，大者已解呼乃翁。願君飣餖常加豐，待我醉攜雙袖中。篁墩集

原燕山酒頗佳，館宴所餉極醇厚，名金瀾，蓋用金瀾水以釀之者。北轅録

補周麟之金瀾酒詩　金瀾酒，皓月委波光入牖。冰臺避暑壓瓊艘，火炕敵寒揮玉斗。追歡長是秉燭游，日高未放傳杯手。生平飲血狐兔場，醲醺爲酒氈爲裳。猶存故事設茶食，金剛大鐲胡麻香。五辛盈柈雁粉黑，豈解玉食羅雲漿？南使來時北風冽，冰山峩峩千里雪。休嗟北酒不醉人，别有班觴下層闕。或言此酒名金瀾，金數欲盡天意闌。醉魂未醒醆未覆，會看骨肉争相殘。一雙寳榼雲龍翥，明日朝辭倒壺去。只留餘瀝酹昭臺，帝鄉自有薔薇露。海陵集

增御酒坊後牆有街曰長連，又一街曰短連，總曰廊下家，荅應長隨多住此賣酒，京師稱廊下内酒家。相傳明武宗曾遣宫人雜扮壚婦，貰酒歇宿，即此。西河詩話

【原】薊州薏苡仁酒，周氏第一，成氏次之，三屯營所造更勝。清冽秀美，有出色香味之表者。鳳洲筆記

【補】張能臣記天下酒名，保定軍有知訓堂酒、杏仁酒。曲洧舊聞

【補】予憩燕京會同館，有梁大使者，先朝内侍官也。入館傳旨，賜金瀾酒二瓶，銀魚牛魚二盤，瓶盤皆金銀爲之，升龍交錯，形製甚精古，且并令留之。古樂府曰月穆穆以金波，又曰洞庭秋月生湖心，層波萬頃如鎔金。金瀾之名其取諸此乎！銀魚長尺餘，比南方者尤大。牛魚出混同江，其大如牛，或云可與牛同價，故名。又燕中暑月於冰窖造御酒甚清冽，使至嘗被賜。女真人多釀糜爲酒。盛饌以雁粉爲貴，以木柈貯之，其瀋墨色，以生葱蒜韭之屬置於上。又俗重茶食，阿古達開國之初，尤尚此品。若中州餅餌之類，多至數十種，用大盤累飣高數尺，所至供客，賜宴亦用焉，一種名金剛鐲，最大。海陵集

【增】酒之屬：葡萄酒、棗酒、椹子酒。析津志

【補】衛侯以百花露名酒，多至百種，大内每需之。賴古堂集

【補】大都酒使司於葡萄酒三十分取一。至元十年抽分酒户，白英十分取一。爲御史臺所察議，得葡萄酒漿雖以酒爲名，其實不用米麯，難同醞造别酒一體辦課，仍改正三十分取

一。元典章

補大都之鹽，於南北二城置局十有五處，每局日賣十引，設賣鹽官二員，以歲一周爲滿。元史食貨志

增膏腴蔬蓏果實稻粱之類靡不畢出，而桑柘麻麥羊豕雉兔不問可知。大金國志

增亦有嘉蔬綺葱、豐本、黄芽、赤根、天花、石菌、蕪菁、芸薹、葵、茄、薑、堇，萊菔頳於夏蓴，水蘇脆於冬筍。北京賦

〔臣等謹按〕以上穀食類。

增蔬百畦可當五帛，相思桃李芳實還。石甕記

增乾隆六年御製剪蔬詩　雨畦烟甲茁，珠露垂闌干。緑潤披微風，生意何翩翻！圃師爲剪摘，聊復憑欄看。翠痕應手折，香霏齒頰寒。采采已盈筐，適可供盤餐。仍復留新穎，用以待滋蕃。鄙事足會心，高吟興未闌。

增乾隆二十一年御製菜花詩　黄萼裳裳緑葉稠，千村欣卜榨新油。愛他生計資民用，不是閑花野草流。宿雨初收羃野烟，金英千頃遠蔫綿。幾株紅杏低枝照，大似蘇堤春曉天。特清風味不妖芬，韡燴光中驛路分。連壠緑牟相映處，此黄雲先去聲彼黄雲。

〔臣等謹按〕剪蔬及菜花御製諸詩，是爲首見之篇，謹載卷内。

原雞頭，北燕謂之葰。方言

原天壇生龍鬚菜，清明後都人以鬻於市，其莖食之甚脆。析津日記

原松繖産盤山，土人目爲紫蘑菇。盤山志

補京師無筍，以蘆芽爲筍。按杜詩：渚秀蘆筍短。又云：泥筍苞初荻。又云：春飯兼苞蘆。注：苞蘆，蘆筍也。則唐時已尚之。排悶録

補大房山有草，葉初生類椿芽，微有白毛。上房山僧摘以爲蔬，食之甚腴，目爲莿頭菜。奥室記

增家園種蒔之蔬：白菜、莙蓬、蔓菁、同蒿、葫蘆、蘿蔔、王瓜、茄、天菁葵、赤根、青瓜、稍瓜、冬瓜、蒲筍、葱、韭、蒜、莧、匏塔兒葱、茴茴葱。析津志

增京南北東西山土地所宜之蔬：壯菜、蕨菜、解葱、山韭、山薤、黄連芽、木蘭芽、芍藥芽、青虹芽、洒花芽、灰條、紫團參、槐柳椿梨芽、山藥、沙參、皮袴脚、馬齒莧、黄雀花、摘蒜、刺榆、紅七、擊菜、段木芽、赤子兒、芃科、豆芽、带三、句絡英磨菰、英山石榆、句黄必苗、句養朮苗、句鸎雀兒、句人杏、句山蔓菁、春不老、甘露、白皮、苦馬里、句沙芥、地椒、山葱、戲馬菜、白菜。同上

增野蔬之品：蒼耳子、莠子、稗草子、芃蒿子、金喬麥、黄臘子、紫蘇子、仁杏子、喬

麥花、葉海藻。同上

〔臣等謹按〕析津志所載山野之蔬多係藥物，以其可葅聶作食，故列入蔬類，今仍之。

增菌之屬：茴茴葱、高麗菜、苦茴菜、爽頭、句磨菰、句懶頭、句香蕈、沙菌。同上

增白菜一名菘，北方多入窖内，不見風日，長出苗葉皆嫩黄，色脆美無比，謂之黄芽，乃白菜别種。廣羣芳譜

增擘藍，南方謂之芥藍，葉可擘食，故北方謂之擘藍，葉大於菘，根大於芥薹，苗大於白芥，子大如蔓菁。同上

增苦益菜，溝澗中多有之，似野菊，有浮毛。三月間採之，黴乾亦佳。盤山志

增百合産盤山澗中，秋冬劚之，甘香可食。同上

增豆苗菜，叢生似豆苗，山家採食之，作羹極鮮美。同上

增菌木生者如芝，草生者如蓋，土生者如釘，土人總名曰蘑菇。惟凍黄、天花、延壽、猴頭、雞腿、羊肚爲最。畿輔通志

增北人蘿蔔，一種四名：春曰破地錐，夏曰夏生，秋曰蘿蔔，冬曰土酥。農書

增莧有馬齒莧、紅莧、白莧，北人呼荇，乃莧音誤也。詢芻録

增王瓜出燕京者最佳，種之火室中，逼生花葉，二月初卽結小實。學圃餘疏

〔臣等謹按〕以上蔬蓏類。

原牡丹近數曹亳，北地則大房山僧多種之，其色有夭紅淺緑，江南所無也。淥水亭雜識

增燕地苦寒，江南羣芳不可易得，卽有携種至者，僅可置盆盎中爲几席玩。其有進御者，皆爲火迫而發，日月朝夕之艷，無經歲計也。長安可遊記

增右安門外草橋，唐時有萬佛寺，寺廢而橋存，天啟間建碧霞元君廟其北。土近泉，居人以種花爲業，冬則蘊火暄之，十月中旬，牡丹已進御矣。帝京景物略

增栽剔接治，各有其法，謂之弄花。牡丹譜

增牡丹栽之法、分之法、接之法、洗之法、醫之法，一如博州洛下，近有藤花而牡丹葉者，曰高麗牡丹。帝京景物略

增乾隆十年御製牡丹八韻 畹蕙還舒豔，源桃早遜香。不嫌遲好節，應爲殿韶光。妃子亭邊妬，蜂兒蕋底忙。標名偏許洛，極愛獨稱唐。響識金鈴綴，陰看錦幙張。每當花綻朶，常值麥抽芒。幾度憂雲漢，何曾命羽觴？摧隤欄榭畔，孤負衆芳王。

增乾隆十一年御製詠盆中温牡丹詩 纔破青韶未匝旬，盆中爛漫火催春。女夷應不禁蕭寞，故遺花王饋歲新。堂堂鏤瓣葉娑娑，好處惟應喚奈何。爾許春光迴照處，文筵重

得晤東坡。（東坡有和述古冬日牡丹詩。）月想丰姿霞想烘，重簾不畏妬花風。韓湘縱是饒仙術，枝上應無兩度紅。

〔臣等謹按〕牡丹並温牡丹御製詩，是爲首見之篇，謹編載卷内。

增花之品：牡丹、芍藥、桃、梅、杏、御黄子、李、林檎、柰子、蘋婆、櫻桃、石榴、海棠、荼蘼、合歡花、棗、荷、芡、秋子、御馬纓、紫荆、石竹、葵花、金盞兒花、山丹、松丹、木香、薔薇、刺薇、粉團、月季、紫菊、金蓮、雁傳書、獅頭石竹、長十八、馬蘭兒、大花菊、句樓子芍藥、玉簪。（析津志）

補京師多海棠，初以鐘鼓樓東張中貴宅二株爲最。嘉隆間，數左安門外韋公寺。萬曆中，又尚解中貴宅所植高明。區中允大相詩，解家海棠帝苑邊，開時車馬日喧闐，是也。今舊本俱無存矣。（陝志）

增海棠：上西府，次銕梗，次垂絲，贋者木瓜，辨之以其葉。木瓜，花先葉；海棠，葉先花。韋公、慈仁二寺皆京師海棠盛處。（帝京景物略）

增丁香：紫、白二種。（畿輔通志）

增乾隆二十六年御製戲題紫白丁香詩　同是春園百結芳，紫丁香遜白丁香。（白者香，紫者不香，故戲及之。）山人衣好僧衣俗，鄭谷清詞趣獨長。

〔臣等謹按〕丁香花御製詩，是爲首見之篇，謹編載卷内。

增 紫薇，北人呼爲猴郎達樹，謂其無皮，猴不能捷也。北地其樹絶大，有環數夫臂者。西陽雜俎

補 燕中榴花有千瓣白、千瓣粉紅、千瓣黄。大紅者比他處不同，中心花瓣如起樓臺，謂之重臺石榴。遵生八箋

補 玫瑰花有二種，其一種色黄，出燕中，花稍小於紫玫瑰。同上

〔朱昆田原按〕黄玫瑰，京師目爲刺梅者是也。

補 紂以紅藍花汁凝作燕脂，以燕國所生，故名。中華古今注

增 燕支，葉似薊，花似蒲公英，出西方，土人以染，名爲燕支。中國人謂之紅藍，以染粉爲面色，謂爲燕支粉。今人以重絳爲燕支，非燕支所染也。燕支花所染自爲紅藍爾。舊謂赤白之間爲紅，即今所謂紅藍也。崔豹古今注

補 燕脂，今燕國所出，故名。今人寫燕字加月，甚有因旁加月者，失其本矣。余氏辨林

補 荷包牡丹，草本，一名朝鮮牡丹，花似僧鞵菊而深紫色。其以牡丹名者，因其葉相類也。京師槐樹斜街慈仁寺、藥王廟，花市恒有之。六街花事

增 隆恩寺小軒，蠟梅一株甚大，江南亦不多得。燕都遊覽志

增六宅使何承矩議因陂澤之地瀦水爲塞，欲自相度，恐其謀泄，日會僚佐泛船置酒賞蓼花，作蓼花遊數十篇，繪爲圖。夢溪筆談

增乾隆六年御製蓼花詩 臨水參差影，摇風綽約叢。霞光不争爛，秋信與添紅。疏景供幽覽，分陰類轉蓬。文鱗瀺灂處，掩映鏡波中。

〔臣等謹按〕蓼花御製詩，是爲首見之篇，謹編載卷内。

補燕地苦寒，惟草花異種最多，江南委之水濱籬外者，無不釀艷蒸芳，鮮奇炫目，至有不能辨名者。長安問花記

補豐臺種花人，都中目爲花兒匠，每月初三、十三、二十三日，以車載雜花至槐樹斜街市之。桃有白者，梨有紅者，杏有千葉者，索價恒浮十倍。日昳則雖不得善價亦售矣。桃花白者見於詩人吟詠絶少；紅梨則歐陽永叔有詩，所云紅梨千葉愛者誰，白髮郎君心好奇，是也。楊廷秀杏花詩：於中更有紅千葉，且道化工奇不奇。斯亦上苑之異種矣。聞百花陀所産更異，雙厓一澗，下上皆花，村民多有不知其名者，惜無荷擔者載之入市也。六街花事

增乾隆五年御製雨中看紅梨詩 只道宜晴雨亦宜，偏親詩客露丰姿。暫游洛浦將飛際，小浴温泉未起時。濃抹幾番因洗淨，淡妝無力倩誰持？天公應惜胭脂褪，故把珠簾四

面垂。

〔臣等謹按〕紅梨御製詩，是爲首見之篇，謹編載卷内。

增京師右安門外十里曰草橋，居人以花爲業，都人賣花擔，每辰千百，散入都門。入春而梅、而山茶、而水仙、而探春，中春而桃李、而海棠、而丁香，春老而牡丹、而芍藥、而孿枝。入夏榴花。外皆草花，花備五色者蜀葵、罌粟、鳳仙，三色者鷄冠，二色者玉簪，一色者十姊妹、烏斯菊、望江南。秋花耐秋者紅白蓼，不耐秋者木槿、金錢，耐秋不耐霜者秋海棠。木槿，南種也，最少；菊，北種也，最繁。種菊之法，自春徂夏，辛苦過農事。菊善病，菊虎類多於螟螣賊蟊，圃人廢晨昏者半歲，而終歲衣食焉。帝京景物略

增京師鬻花者以豐臺芍藥爲最，南中所産惟梅、桂、建蘭、茉梨、梔子之屬，近日亦有佛桑、榕樹。榕在閩廣，其大有蔭一畝者，今乃小株，僅供盆盎之玩。佛桑重臺者，永昌名花，見藝林伐山。香祖筆記

增析津日記云：京師豐臺芍藥連畦接畛，荷擔市者日萬餘。謹按：北地芍藥之美勝於江南，不特豐臺所産也。涿州志

增今京師臘月卽賣牡丹、梅花、緋桃、探春諸花，皆貯暖室，以火烘之，所謂堂花，又

名唐花是也。按漢書召信臣傳：信臣爲少府，大官園種冬生葱韭茹，覆以屋廡，晝夜爖藴火，待温氣乃生。唐人詩：内園分得温湯水，二月中旬已進瓜。蓋漢唐以來皆然。居易録

增乾隆二十四年御製戲詠唐花詩　爖煴嫋嫋萬芳新，巧奪天工火迫春。設使言行信臣傳，憐他失業賣花人。

〔臣等謹按〕唐花御製詩，是爲首見之篇，謹載卷内。

增聖祖御製西苑芙蕖賦　惟澤芝誌於爾雅，菡萏詠於風詩。繫金塘之麗草，允柳沼之朱儀。夫其的爍輕沙，翩躚清瀨。玉節蟠根，翠羽襞蓋。縷黄作鬚，跗紫成蔕。蔭太液之漣漪，蕩昆明之霧靄。爾乃幽房晨折，芳葩夜舒。前迎丹殿，後匝瑶除。高披直道，斜裊周廬。萋萋川碧，淼淼天虚。光留錦鷟，陰晻文魚。葉漾珠而錯落，影翻月而軒渠。若夫黛罨如烟，華濃似綺。藻采横洲，霱雲被沚。或雪沁瓊英，螺含碧蘤。桃倩紅皺，菊分金蕊。競秀揚輝，爛兮出水。如仰如俯，似低復昂。亭亭交倚，田田並將。宛若瑶林之四映，矯如朱鷺之載翔。至於萍合橋痕，蒲牽波縠。溪静禽喧，臺高樹複。梅雨滴而浮馨，麥飈扇而散馥。氤氲於講席之書，郁烈乎侍臣之服。間命沙棠之楫，駕芙蓉之舟。似搴華峯之種，無待汾水之謳。宴羣工於在鎬，聊悦豫以凝庥。蓋其擢素挺生，拔

泥不滓。外直中通，花榮實旨。潔比高人，清同君子。是以廬山則淵明屆焉，濂溪則惇頤樂只。予願賢士之釋荷裳，乃睠幽姿而不自已。

增聖祖御製千葉蓮詩　禁苑初秋玉殿涼，緑荷經瀨遞清商。千英水面重重艷，幾度風前柄柄香。宫女移船摇紺葉，近臣載筆詠紅芳。定心坐對西山静，不管穠纖映夕陽。

增乾隆六年御製晚荷曲　金風披拂太液池，池中芰荷疑先知。殘芳亞波紛錯落，餘香猶逐雙鳧飛。雙鳧飛下平湖淨，翺翔似戀明妝靚。翠蓋饒擎露顆多，紅葩却讓霞光映。我來池上弄秋水，南華妙意差堪擬。何必對景惜韶光，山華陸葉俱如此。

增又御製夾竹桃詩　竹比丰標桃比芳，因風只少透帷香。河陽縣裏玄都觀，髣髴劉郎會阮郎。

增又御製梔子花詩　暑雨初晴處，薰風細度時。麝蘭輸馥郁，冰玉想丰姿。影向疏間好，香因静裏知。依稀𢇲破蕾，壓雪一枝枝。

增乾隆八年御製紫藤詩　紫藤花發淺復深，滿院清和一樹陰。儘饒裊裊娜嬛態，安識堂堂松柏心！

增乾隆十一年御製早桂詩　玉華古名寺，育桂特標奇。乳竇淙細泉，蟠根於以滋。偶來雲外賞，乍睹月中姿。蘢葱密葉間，開此三兩枝。垂粟尚未丹，含韻偏葳蕤。山風過寺牆，冷芬殊可挹。不辨六月杪，恰如仲秋時。地靈奪天工，神妙乃若斯。指似江南人，爲我別然疑。

增又御製晚香玉詩 西域傳來貴似金，繁滋簇簇滿牆陰。晚紉騷客幽蘭珮，閒掠佳人白玉簪。名狀標題應入疏，畫圖省識尚沈吟。尋常悟得香中諦，是卉皆成薝蔔林。

增乾隆十二年御製金錢花詩 可校還勝都内，買笑應過沈郎。設遇清談夷甫，許教阿堵繞牀。

增乾隆二十年御製老少年詩 是葉皆花錦十樣，階前石畔擅風流。叢問接取瀼瀼露，飲硯摛毫字字秋。竹扶秋色過牆來，花譜：以長竹扶之，可以過牆。朔氣嚴霜且漫摧。指示老人渾似此，逢場何處不顏開。秋思迎人韻颯風，煇煇不待雁來紅。是花一名雁來紅。淮南門者如嫌老，色似桃花是八公。

〔臣等謹按〕花藹類聖祖御製詩並皇上御製諸詩，有原書及增採諸書所無，而於京師物産攸關者，並於卷内恭載首見之篇。

〔又按〕以上花藹類。

增聖祖御製文集 櫻額樹叢生，果形如野葡萄而稍小，味甘澁，性温，補脾，古北口外亦有之。山莊之千秋島，遍植此種，每當夏日，則纍纍綴枝，遊觀其下，殊堪娱目，不獨秋實之可採也。

增聖祖御製文集 近得哈密各種葡萄，植於苑籞中。結實有白者、緑者、長如馬乳者，又一種大葡萄，中間有小者，名公領孫，又一種小者，名瑣瑣葡萄。種類雖殊，食皆甘美，移植南方，便失本味。大約其性於北方沙石水土相宜。

增聖祖御製文集 倒弔果，俗名弔搭果，形似山梨而小，體微長，味酢，肉多沙，長蔕，花實皆下垂，故名。性暖，健脾消食。樹枝葉俱如梨，今遵化沿邊多有之。

〔臣等謹按〕櫻額樹、哈密葡萄、倒弔果皆他書所未見，始見於聖祖御製文集，恭載果木類之前。

增南有碣石雁門之饒，北有棗栗之利，民雖不田作而棗栗之實足食於民矣。此所謂天府也。戰國策

增蓊鬱蔓薱，蔬果成陰。崇桃蕡實，乃玉乃金。花紅青翠，香水黑琴。朱櫻素柰，若榴丹椹。虎刺班於榅桲，蘋菠楙於來禽。北京賦

增菓之品：葡萄、蘋婆、桃、栗、瓜、胡桃、香水梨、大梨、榛、棗、山桃、山杏。析津志

增北方大棗味有殊，既可益氣又安軀。神異經

增 燕秦千樹栗，其人與千户侯等。史記

原 密雲産棗，小者佳。密雲縣志

原 黄淳耀賣棗兒行　燕山棗樹深，棗生纂纂懸赤心。懸赤心，人不喜。謂言南方棗如瓜，仙種傳來勝於此。市兒狡猾生大貪，卽將北棗呼爲南。剸皮脱核開生面，北人得棗皆稱善。賣棗兒謂言爾黠爾更癡，安得終身挾詐不使旁人知。陶庵集

原 遼於南京置栗園司，蕭罕嘉努爲右通造典南京栗園，是也。元昌平縣亦有栗園，薩里傅戰於昌平栗園殺二人，是也。蘇秦謂燕民雖不耕作，而足於棗栗。唐時范陽以爲土貢。今燕京市肆及秋則以錫拌雜石子爆之。栗比南中差小，而味頗甘，以御栗名，正不以大爲貴也。析津日記

原 左太沖魏都賦：信都之棗，故安之栗。注云：故安屬范陽，出御栗。按水經注云，汝南有栗園，其栗殊小，不並固安之實矣。名勝志

原 固安之栗，天下稱之爲御栗，因有栗園。括地志

原 五方皆有栗，惟漁陽、范陽栗甜美味長，他方者悉不及也。詩草木鳥獸蟲魚疏

原 栗園在固安縣界。北魏孝昌三年，上谷賊杜洛周遣其黨曹紇真掠薊南，幽州刺史常景遣將于榮擊破之於栗園，是也。方輿紀要

原 王逸荔枝賦云：北燕薦朔濱之巨栗。庾肩吾謝東宮栗啓云：未若北燕巨實，用奪榮

枯。似乎栗以大爲貴，然燕人之論殊不爾也。詠歸録

增 乾隆八年御製食栗詩 小熟大者生，大熟小者焦。大小得均熟，所恃火候調。堆盤陳玉几，獻歲同春椒。何須學高士，圍鑪芋魁燒。

〔臣等謹按〕食栗御製詩，是爲首見之篇，謹編載卷内。

原 榛出北山黄花鎮者良。昌平州志

增 過仰山村，山多梨樹，秋深紅葉如燒。燕山紀遊

〔臣等謹按〕朱彝尊原書有湛然居士集二條，述遵化棉梨事。遵化今别爲州，不隸順天府，謹移附遵化卷末。

增 房山車營嶺，環十數里，峯頭澗底皆是杏林。又東一小嶺，樹尤奇古，高者三丈，低者丈餘，狀如垂柳，繁花綴之。北遊紀方

補 馬祖常謝杏子詩 杏子黄金色，筠籠出薊邱。味甘醒午寢，可是督詩郵？石田集

原 白櫻桃生京師西山中，微酸，不及朱櫻之甘碩也。因樹屋書影

原 慕容儁觀兵近郊，見甘棠於道周，從者不識。儁曰：此詩所謂甘棠。甘者，味之主也；木者，春之行也。五德屬仁，五行主土，春以施生，味以養物，色又赤者，將有赫赫之慶於中土。吾謂國家之盛，此其徵也。傳曰：升高能賦，可以爲大夫。羣司亦各書

其志，吾將覽焉。於是內外臣僚並上甘棠頌。十六國春秋

原 燕地蘋婆果味雖平淡，夜置枕邊，微有香氣。佛書所謂蘋婆，華言相思也。采蘭雜志

原 曾棨詩 異果曾因釋老知，喜看嘉實出京師。芳腴絕勝仙林杏，甘脆全過大谷梨。炎帝遺書慙未録，長卿多病獨相宜。由來南土無人識，那得靈根此處移？巢睫集

（朱彝尊原按）詩：蔽芾甘棠。毛公傳：甘棠，杜也。鄭康成注：北人謂之杜梨，南人謂之棠梨。爾雅：杜，赤棠。郭璞曰：今之杜梨也。樊光曰：赤者爲杜，白者爲棠。陸璣曰：赤棠與白杜同，但子有赤白美惡，子白色爲白棠，甘棠也，少酢滑美，赤棠子澁而酢，無味。通志：甘棠謂之棠梨，又有沙棠。廣志云：如棠，味如李，無核。竊疑今之蘋婆果卽詩所云甘棠，而俗呼沙果卽沙棠，呼檳子者乃赤棠也。其曰棠梨者，以花似棠，實似梨，合而稱之爾。

增 葡萄，北方天寒，初冬草裹，埋地尺餘，春分後取出，數日架起。了生，去繁葉，使霑風露，則結子肥大。廣羣芳譜

增 綿而沙者曰沙果，又秋子似沙果而小，土人多曝爲乾。畿輔舊志

增 木饅頭，京師亦有之，謂之無花果。倦遊録

增 芡在京師産者形如刺蝟而有粳，糯糯而大者味勝杭産。學圃雜疏

增 乾隆七年御製題白石榴二首 盡把緗囊換絳囊，臨風薄粉試梳妝。相逢似在瑶臺夜，

不辨花光與月光。一種風流澹處宜，檻窗清絶晚涼時。東山少傅今猶在，羽扇綸巾看著棋。

〔臣等謹按〕果實類御製詩，有原書及增採諸書所無，而於京師物産攸關者，卷内恭載首見之篇。

〔又按〕以上果實類。

欽定日下舊聞考卷一百五十

物産

原 穀，幽州人謂之穀桑。詩草木鳥獸蟲魚疏

補 曹子建艷歌：出自薊北門，遥望湖池桑，枝枝自相值，葉葉自相當。庾子山詩：桑葉紛紛落薊門。王介甫詩：幽燕桑葉暗川原。蓋幽薊古多樹桑，此桑乾所以名河，樓桑所以名村也。今則千里之内樹桑絶少矣。卍齋詩話

增 木之品：椴木、澁木、楸木、桑木、梨木、白楊木、牛筋木、青楊木、椿木、柏木、荆榛、橡。析津志

增 盤山之松以百萬計，而奇絶者多生石罅中，擁腫卷曲，如怒龍之攫。又陂陀土壤而生者大數十圍，龍鱗斑駁，或挺茸直上，或青葱垂下。口北多松柏，蔽雲干霄，爲千里松林。盤山志

增 乾隆十二年御製寫盤山松詩有序 盤山松，奇秀不可勝紀，偶寫虬枝，以誌一臠鼎味，

口占率題。記得萬松寺，當門阿那株。偶然爲放筆，所喜不相殊。

增 乾隆十九年御製偃松歌　飛空忽見垂蒼龍，其上無雲惟碧峰。之而押擖弄光怪，李老子兮黄石翁。根不土胎性不屈，盤盤塥[illegible]滃葱鬱。譬如商顔肥遯流，老而益腴卷緑髮。春風秋月田盤山，鶴鳴鹿旅太古閒。大椿扶桑此其侶，大夫受號嗟赧顔。東坡偃松斯鼻祖，成形疑自元黄剖。今日應作如是觀，公孫大娘劍器舞。

〔臣等謹按〕盤山松御製諸詩，謹繹有關紀述事實者編載卷内，餘各條已載入薊州，兹不複綴。

增 涿州靈椿寺椿木一本，大不可量，凡樹影皆隨日月升沈以爲斜正，而椿影早暮未嘗少移。宦遊紀聞

增 香山卧佛寺娑羅樹大三圍，皮鱗鱗，枝槎槎，癭纍纍，根搏搏，花九房，葉七開，實三稜，西域種也。帝京景物略

增 聖祖御製娑羅樹歌　娑羅珍木不易得，此樹惟應月中植。想見初從西域移，山中有人多未識。海桐結蕊松栝形，千花散盡七葉青。山禽迴翔不敢集，虛堂落子風泠泠。楚州遺碑今已偃，峨眉雪外雙林遠。未若兹山近可遊，靈根終古蟠層巘。繁陰亭午轉團欒，回睇精藍路幾盤。憑教紫府仙山樹，寫入披香殿裏看。

增乾隆三十九年御製娑羅樹歌　震旦號交讓，梵天稱娑羅。交讓虛名誰則見？娑羅實有而弗多。徒傳巴陵及伊洛，佛宇對峙聳枝柯。香山寺前今見一，千年外物猶婆娑。巨本擁腫榦𡍤𡒄，輪囷如嶽森嵯峨。鬱葱葉葉必七瓣，定力院契歐陽哦。我聞如是佛成道，八佛八樹名殊科。毘舍浮證涅盤際，即此娑羅誠非訛。梵僧攀泣思往事，見荊南記。未識佛在理則那。笑我卅年未經詠，癸亥始遊香山，至今三十年矣，詩不下數百首，而未經詠此樹。或者有待今斯過。萬刼一瞬應視此，視此靈根戢沓恒。友優曇，拘那含牟尼佛成道樹。及普陀。毘婆尸佛成道樹。

〔臣等謹按〕娑羅樹御製詩，是爲首見之篇，謹編載卷内。

增西山滑石根，名之曰不灰木，以之爲粗布，不畏火，今西山有之。析津志

增竹之品：甜竹、苦竹、緑竹。同上

增乾隆十一年御製蒔竹詩　蒔竹宜三庚，圃師有妙訣。亦稱消夏方，偶一試其說。朝來宿雨收，爽風蕩炎熱。擇地取幽偏，帶影移清絶。欲疏不欲密，合散不合列。已看琅玕浴，復如絲管咽。窗外足橚槮，谷口增曲折。戢戢白鶴遊，翩翩紫燕頡。佳信得平安，逸韻標高潔。匪學隱士風，聊慕君子節。

增乾隆十二年御製新筍詩　渭南梢已緑，冀北苞方紫。因憶忘年交，不妨皆君子。宿雨潤蘭谿，怒生一日齊。試看分寸際，便爾異雲泥。爲愛干雲意，寧爲清夏供？長松

將古鶴，早與結高蹤。戢戢龍新角，依依鳥重枝。栽培生意在，造物本無私。

〔臣等謹按〕蒔竹並新筍御製諸詩，是爲首見之篇，謹編載卷内。

原 藟，似燕薁，延蔓生，葉如艾，白色，其子赤，可食，酢而不美，幽州謂之推藟。卷耳，幽州人呼爵耳。芣苡，幽州人謂之牛舌草。葑，幽州人或謂之芥。菲，似葍，莖粗，葉厚而長，有毛，可作羹，幽州人謂之芴。葍，幽州人謂之燕葍，其根正白，可著熱灰中温噉之。芄蘭，幽州人謂之雀瓢，蔓生，葉青緑色而厚，斷之有白汁，鬻爲茹，滑美，其子長數寸，似瓠子。蘞，似栝樓，葉盛而細，其子正黑如燕薁，不可食也，幽州人謂之烏服。蓫，似蘆菔而莖赤，可瀹爲茹，滑而美，幽州人謂之蓫。苕，幽州人謂之翹饒，蔓生，莖如勞豆而細，葉似蒺藜而青，其莖葉緑色，可生食。詩草木鳥獸蟲魚疏

補 稽含南方草木狀：鹿葱有紅、黄、紫三種。任彦升述異記：萱草一名紫萱。今京師有草，花葉皆絶類萱，春時葉布地，經暑則朽，及秋花發，則葉已無存矣。都人謂曰孤挺花。花澹紫色，疑卽紫萱也。六街花事

原 茅地經冬燒去枝梗，至春，取土中餘根白如玉者搗汁，煎之至甘，可爲洗心糖。幽燕紀異

原 左行草使人無情，范陽長貢之。酉陽雜俎

增 草之品：示儉草、包茅、蓍草。析津志

〔臣等謹按〕析津志所稱示儉草，考葉世奇草木春秋，又作誓儉草，卽柯九思宮詞所云數尺闌干護青草者也。詳元宮室卷内。

增包茅出湖廣常德澧州，三脊茅是也，上位鬯裸所用，在灰池内，每歲進上，重報本也。蓍草産汝寧府，卽蔡州，白龜池上者佳，此伏羲畫卦揲蓍之祖本也，每歲進上者九尺長，公卿七尺，皆有等第。此二草皆植御園。析津志

增房山縣白蒂山生芯題草。帝京景物略

增稀薟草，居庸出，金稜銀線，素莖紫荄。昌平舊志

增蘆、葦，通一物。北人以水旁下濕處生者爲葦，其細不及指。人家園池間所植者爲蘆，其幹差大，深碧色者爲碧蘆。丹鉛録

增乾隆二十三年御製向陽草詩　年前立春春氣早，更兼霢霂春雨好。栽者培之古所云，向陽暖處有新草。嫩青遥見近不無，如茵如毯皆虚摹。文章大塊始屬稿，生意昌昌自此都。得暄霑潤增顔色，枯莽空懷對隅泣。物猶如此人何堪，春雨春陽難遍及。吁嗟乎春雨春陽難遍及，對之怦然爲躕立。

〔臣等謹按〕恭讀向陽草御製詩，爲生植之類攸關，謹編載卷内。

〔又按〕以上草木類。

補出藥土地：檀州人葠，幽州人葠、蛇膽、知母。藥録纂要

補人葠有生幽州、檀州者，爲藥無效。茶經

增乾隆二十九年御製詠人形葠六韻　本草，葠受地氣之精，年久者根如人形。此葠正似之。又世人以葠爲貴物，能滋補，然错用致禍者亦復不少，故末及之。五葉三椏長白珍，年深形肖竟何因？太原土貢今焉是？上黨沙生寧有真？具體幾曾五官具？陳筐徒訝四支陳。雖緣滋補稱延命，頗見輕投致喪身。大約佐饔圖利益，遂忘剜肉值艱屯。草莖誰悟文殊語，能活人還能殺人。

〔臣等謹按〕人葠御製詩，是爲首見之篇，謹編載卷内。

原山藥産采育者甘美，特異他處。析津日記

原杏仁皆味苦，有一種甘者，謂之巴旦杏，或謂之八達杏。長安客話

增藥之品：黄精、葳蕤、榆仁、半夏、柴胡、升麻、荆芥、薄荷、當歸、蒼朮、黄芩、地黄、細辛、五味子、山川烏、烏頭、茯苓、茯神、防風、鎖陽、大黄、善化屯甘草。析津志

〔臣等謹按〕以上藥物類。

補周時燕王進馬，一形十影，言其駿也。殷文圭啟：二首六身，英雄雅符於魯史；一形

十影，遐程遂繞於燕山。海録碎事

原代宗以御馬九花虬并紫玉鞭轡以賜郭子儀，范陽節度使李懷仙所貢也。額高九寸，毛拳如麟，身被五花紋，故曰九花虬。杜陽雜編

增冀之北土，馬之所生。左傳

增冀之北土，馬牧之所蕃庶，故天苑之象存焉。唐天文志

增冀馬填厩而駔駿。魏都賦

增幽冀馬四足，可當中人之産。石甕記

增乾隆五年御製閲馬詩 平原草色著霜初，試閲天閑萬乘餘。鳳耳臨風多騕褭，龍鬐耀日有驒魚。漫誇唐牧張千錦，何用周王歷八虚？燕市驪黄掄選徧，遺材猶恐伏鹽車。

〔臣等謹按〕閲馬御製詩，是爲首見之篇，謹編載卷内。

補虞書：擊石拊石，百獸率舞。至唐開元中，教習舞馬，曲盡其態。杜甫詩：舞馬解登牀。陸龜蒙詩：月窟龍孫四百蹄，驕驤輕步應金鞞。皆紀其實也。鄭嵎津陽門詩云：幽州曉進供奉馬，玉珂寶勒黄金羈。又云：馬知舞徹下牀榻，人惜曲終更羽衣。然則舞馬産於幽州者爲多也。説臆

補塞外以善馬來貢者，上俾之教習，衣以文繡，絡以金鈴，飾其鬣間，雜以珠玉。其曲

傾盃樂者數十回，奮首鼓尾，縱横應節。又施三層板牀，舞馬於上，抃轉如飛。或命壯士舉榻，馬舞於榻上，樂工數十人立於前後左右，皆衣淡黄衫文玉帶，必求年少而姿白美秀者。明皇雜録

補舞馬衣紈綺而被鈴鐸，驤首奮鬣，舉趾翹尾，變態動容，皆中音律。安禄山將數匹以歸，而私習之。其後田承嗣代安，有存者，一旦於厩上聞鼓聲，頓挫其舞，厩人惡之，舉篲以擊之，其馬以爲怒未妍妙，因更奮擊宛轉，曲盡其態。厮恐，以告承嗣，以爲妖，遂戮之，而舞馬自此絶矣。津陽門詩注

補唐子西舞馬行云：天寳舞馬四百蹄，綵牀襯步不點泥。按魏志：陳思王上文帝表曰：臣於武皇世得大宛紫騮馬一匹，教令習拜，今已能拜，又能行與鼓節相應，是知馬可教以舞，不獨唐也。猗覺寮雜記

補徐積舞馬詩 開元天子太平時，夜舞朝歌意轉迷。繡榻盡容騏驥足，錦衣渾蓋渥洼泥。纔敲畫鼓頭先奮，不假金鞭勢自齊。明日梨園翻舊曲，范陽戈甲滿關西。徐節孝集

補周霆震讀天寳遺事詩 太液華清汙禄兒，從官千騎競西馳。君恩舊日深如海，賴有銜盃舞馬知。石初集

增朔人獻燕昭王以大豚，年百二十矣，人謂豕仙。符子

增波斯猫極大，拂菻狗極小，今爲京師土産。燕京賦注

〔臣等謹按〕以上牲畜類。

【原】北方之美者有幽都之筋角焉。爾雅

【原】燕之角，材之美者也。考工記

【原】陳琳武庫賦　弩則幽都筋角，恒山檿幹。通肌暢骨，直矢輕弦。當鋒摧決，貫遐洞堅。賦苑

【原】江統弧矢銘　幽都筋角，會稽竹矢。易以獲隼，詩以殪兕。太平御覽

【補】燕古惟以函名，迨元有神臂柱子之弓，神鳳摺疊之弩，筋蹄翎根之鎧，象掌躍圈之甲。燕史

【增】涿州貢羅。金史地理志注

【增】太宗八年，建織染七局於涿州。元史

【增】昌平之南，沙河城內，康熙年間設立氈作局，製造上用及官用氈片，額設八品催總一員，筆帖式二員，委署催總二名，庫守三名，拜唐阿領催一名，匠役二百二十二名，其匠役均在沙河居住，世習爲業。昌平州册

【增】乾隆十一年御製氈廬詩　塞北燕南惟所如，坐來吾亦愛吾廬。不愁白露侵黄幔，每引青山入碧疏。持偈寧殊十笏地，吟詩可命四宜居。端知茅土風猶在，何必靈光詡植蕖！

〔臣等謹按〕氈廬御製詩，是爲首見之篇，恭載卷内。

【原】漁陽泉州有鐵。後漢書

【原】元於燕北燕南設立鐵冶提舉司，大小一十七處，約用扇煉人户三萬有餘，歲扇課鐵一千六百餘萬。秋澗集

〔臣等謹按〕朱彝尊原書此條後尚有明英宗實録、春明夢餘録二條，述遵化鐵冶事。遵化今别爲州，謹移歸遵化卷内。

【原】檀州大峪錐山有鐵礦，至元十三年立四冶，三十五年罷。檀州淘金户明時亦嘗開採，後封閉焉。昌平山水記

【增】美石比玉，從古所稱。瑩者如圭，潔者如瓊。温者若璐，潤者若瑛。以磨以礱，乃堅乃貞。明皇都大一統賦

【增】石大數十丈，或方或圓，如鑿如削。盤山志

【補】白玉石産大石窩，青砂石産馬鞍山、牛欄山、石徑山，紫石産馬鞍山，豆渣石産白虎澗。大石窩至京城一百四十里，馬鞍山至京城五十里，牛欄山至京城一百五里，白虎澗至京城一百五里。折方估價，則營繕司主之。明水軒日記

【原】凡山陵大工所用白石黝堊，皆取於順義西北諸山。昌平山水記

【原】宛平西齋堂村産石，黑色而性不堅，磨之如墨。金時宫人多以畫眉，名曰眉石，亦曰黛石。燕山叢録

增 畫眉石出齋堂，其石燒鍋銚盤雖百年亦不損壞，以此得名。析津志

補 順天府西山與天壽山相接，大雪初霽，千峯萬壑，積素凝華若圖畫。其石精巧，人常以此充英石，但色枯不甚黑耳。素園石譜

補 燕中西山黑石狀儼若英石，而崒屼巉巖，紋片皺裂過之，可作研山者頗多，但石性鬆脆，不受擊觸爾。遵生八箋

補 楊大年石硯詩云：得自燕臺側。然則燕石亦可作硯也。硯箋

補 薊州産褐黄石硯，理麤，發墨不滲，類夔石，土人刻成硯，以草一束燒過爲漫灰煨之，色遂變紫，用之不燥。稗史彙編

增 凡採石之制，工程需用之石各有宜稱，視近畿州縣諸山産石最良者，委官定限採取，按工計運，給發價值。採石煅灰亦如之。大清一統志

原 包金土，色微黄，中帶金星，用以泥祠殿壁，出紅石口。昌平州志

〔臣等謹按〕朱彝尊原書此條後有燕山叢録一條，述玉田砂事。玉田今隸遵化州，謹移歸遵化玉田合卷。

補 北京諸處多出石炭，俗稱爲水和炭，可和水而燒也。戒庵漫筆

增 凡開採煤窰，如出邊關隘口者，均酌指處所報部給票，與内地官山各輸常課，民業聽

之。其不遵禁約私擅開採者，論如法。大清一統志

增凡修建宫殿所需物材，攻石煉灰皆於京西山麓，琉璃甎甓取備於京窰。上同

增凡陶甓之制，設琉璃窰於正陽門之西，以陶琉璃器具。質用澄泥，色有青、黄、翡翠、紫、緑、黑，甎甓異名，各按模式。吻有大小垂脊之飾，各有等差，以供大工之用。上同

補琉璃廠原爲燒殿瓦之用。瓦有黄、碧二種，明代，各廠俱有内官司之。如殿瓦之外，所製一曰魚瓶，貯紅魚雜翠藻於中。一曰琉璃片，以五色渲染人物花草煉成，嵌入窗户。一曰葫蘆，小者寸計，大或至徑尺，其色紫者居多。一曰響葫蘆，小兒口銜，嘘吸成聲，俗名倒掖氣。一曰鐵馬，懸之簷以受風戛者也。按漢書西域傳，罽賓國有琥珀流離。師古注引魏略云：大秦國出赤、白、黄、黑、青、緑、縹、紺、紅、紫十種流離。此蓋自然之物。考北史，魏太武時月氏人商販京師，自云能鑄石，有五色琉璃，於是采石礦中鑄之，光澤美於西來者。則是西域琉璃亦用石鑄，非自然生成者矣。今廠中所煉，大約本月氏人遺法也。倚晴閣雜鈔

〔臣等謹按〕琉璃廠，前明以内官司事，乃秕政之尤。本朝定制，琉璃、亮瓦二廠皆隸於工部，差滿漢官二人，筆帖式二人，三年更代。

補凡製琉璃，先以琉璃爲管焉，必有鐵杖、剪刀焉，非是弗工。石之在冶，涣然流離，猶金之在鎔。引而出之者，杖之力也。受之者，管也。授之以隙，納氣而中空，使口得爲功，管之力也。引之使長，裁之使短，拗之使屈，突之使高，抑之使凹，剪刀之力也。凡爲葫蘆，先得提，後得腹，接處爲腰。凡爲魚瓶，先得口，次得腔。凡爲響器，先得下口，後得上口。凡爲燈碗，先得圓毬，吸其下，按其上，斷其臍而坐之，上反爲底，下反爲面。凡爲鼓璫，先得葫蘆，旋燒其底而凹流之以均其薄，欲平而不平，使微槓焉，以隨氣之動乃得鳴。鼓璫者，響葫蘆也。顔山雜記

增凡薪炭兩廠，各設監督，鑄給關防以董其事，歲周更代。大清一統志

增朝廷内用炭俱圓木所燒，渾淪一樣，長尺許，兩頭磨光，外有麻路。恐爆，用礱糠火煨熟。一筐三四十斤。暖姝由筆

增荆條器：笆、筐、笊籬、車塔、雀籠、米囤、雜籠、無底圈、炊飯荆笆、糞筐、門籬笆、屋椽笆、挑菜筐。圖經志書

增柳條器：簸箕、斗、升、井桶、車箕筐、撮米斗、擔水斗。析津志

增蒲器：帽盒、蒲合、蒸餅盒、酒蓋、座團、鞍韉、方座、酒甕蓋。同上

補宣銅罏款，莫若彝乳罏之口徑三寸者，其製百摺，彝罏、乳罏、戟耳、魚耳、蜒蚰

耳、薰冠、象鼻、獸面、石榴足、橘囊、香奩、花素、方圓鼎，上也。角端象頭鬲、判官耳、雞腿脚扁鑪、翻環、六稜、四方、直脚鑪、漏空桶鑪、竹節、分襠、索耳等，下也。耳有别鑄，磨治釘入，分寸始合者，其色仿宋燒斑者，初年色也。尚沿永樂鑪製。蠟茶本色，中年色也。本色愈淡者，末年色也。後人辨宣鑪色五等：栗色、茄皮色、棠梨色、褐色，而藏經紙色爲最。鎏金色者次本色，爲掩銅質也。鎏腹以下曰湧祥雲。鎏口以下曰覆祥雲。雞皮色者，覆手色，跡如雞皮，拂之實無跡，火氣久而成也。其款陰印陽文，真書大明宣德年製。僞造者有施家北鑄、蔡家蘇鑄、甘家南鑄。舊鑪僞款者有永樂之燒斑彝，景泰、成化之獅頭彝，後人僞鑿宣款，以重其價。真鑪真款而釘嵌者，當年監造官每種成不敢鑄款，呈上準用，方依款鑄，其製質特精。流傳至後，謂有款易售，取宣銅别器款色配者，鑿空嵌入，其縫合在款隅邊際，但從覆手審視，覺有微痕爾。相傳宣廟時，内佛殿災，金銀銅像流液，因用鑄器，非也。宣廟欲鑄鑪，問工，銅以何法煉而佳？工奏，煉至六次則現殊光寶色，異恒銅矣。上曰：煉十二次。煉已，條之，置鐵鋼篩格，赤炭鎔之，其清者先滴，則以鑄鑪，存格上者以作他器云。帝京景物略

補古銅以褐色爲上，水銀黑漆鼎彝爲次，青緑者又次之。宣廟喜倣褐色，故宣銅此色爲

多，宣銅小者如百摺彝罏、乳罏、雨雪點金片貼鑄戟耳彝罏、石榴足者更佳。赤金霞片小元鼎罏、象頭鬲罏、五供養、細腰橐盤、滲金雙螭箸、架香合匙鉼、蟠螭鎮紙，種種皆精。大如鼎罏、角端獸罏、方耳壺、商從尊，精美可翫。其底識文用匾方印子陽鑄大明宣德年製真書，字畫完整，印地光滑，蠟色可愛。他如判官耳雞腿脚扁罏、翻環六稜回鑄滲金番字花瓶、四方直脚罏、翻環元鉼蓋、鑿錢文漏空桶罏皆下品也。蓋宣鑄多用蠟茶、滲金二色。蠟茶以水銀浸擦入内薰洗爲之，滲金以金鑠爲泥，數四塗抹，火炙成赤，所費不貲，非民間可能彷彿也。遵生八箋

補永樂年，果園廠製盒，漆朱三十六遍爲足，時用錫胎、木胎，雕以細錦者多。底用黑漆，鍼刻大明永樂年製。宣德時製同永樂，而紅則鮮妍過之，器底亦光。黑漆，刀刻大明宣德年製六字，以金屑填之。同上

補漆器，古有犀毗、剔紅、戧金、攢犀、螺鈿。國朝可傳則剔紅、填漆。剔紅，宋多金銀爲裏，國朝以錫木爲胎，永樂中果園廠製也。帝京景物略

增乾隆三十八年御製詠永樂朱漆菊花盤詩　初明製器果園時，四百年兹雅玩貽。絶後徒勞宣德倣，空前直比至元奇。輕於紙葉朱紅艷，堅似金胎菊瓣蕤。虞舜椎輪應遜此，十人猶諫義當思。

〔臣等謹按〕永樂漆器御製詩，是爲首見之篇，謹編載卷內。

補大內洒金五色粉箋、五色大簾紙、洒金箋最細密。有等白牋，堅厚如板，兩面砑光，如玉潔白。有印金花五色牋紙。又若磁青紙如段素，堅韌可寶，多用寫泥金字經。有等藍色者，薄而不佳。（遵生八箋）

補宣紙至薄能堅，至厚能膩，有貢箋，有綿料，邊有宣德五年造素馨紙印。又有白箋、洒金箋、五色粉箋、金花五色箋、五色大簾紙、磁青紙，以陳清款爲第一。（帝京景物略）

補枕頂香印作枕板陰乾，自大內出者，旁有嘉靖年造，填以金字，鋸作扇牌等用，甚香。（香乘）

補安息香，都中有數種，統名安息。其最佳者劉鶴所製月麟、聚仙、沈速三品，百花香卽下矣。龍挂香有黃、黑二種，黑者價高，惟內府者佳。劉鶴所製亦可。芙蓉香、暖閣香亦劉鶴所製。龍樓香、萬春香內府者佳。甜香惟宣德年製清遠味幽，罈黑如漆，白底，上有燒造年月，每罈一斤，有錫蓋者方真。黑香餅亦以劉鶴製者爲上。前門外李家印各色花巧者亦妙。東院王鎮所製黃香餅，黑沈色，無花紋者亦佳。線香則數前門外李家，每束價直一分。又有以檀香入菩提子中孔，著眼引繩，謂之灌香數珠，京師有人能爲之，亦絶技也。（考槃餘事）

補萬曆間，恭順侯家香最良。寶顔堂筆記

補金章宗宮中以張遇麝香小御團爲畫眉墨。藝林伐山

補燕之筆，霜雪穎也，勁而莫爲屈，勁艱於如意，手指既據，致牽其臂而爲用，然不數日鋒方練，布畫愈精。秋澗集

增元時張進中者，字子正，都城耆老，善製筆，管用堅竹，毫用鼬鼠，精鋭宜書。吴興趙子昂、淇上王仲謀、上黨宋齊彦皆與之善，尚方時有所需，非進中製不用也。每自持筆以入，必蒙賜酒，今京師未聞以善筆名者矣。香祖筆記

補王惲贈筆工張進中詩　書藝與筆工，兩者趣各異。工多不解書，書不究筆製。二事互相能，萬穎率如志。進中本燕産，茹筆鐘樓市。雖出劉遠徒，妙有宣城致。我藏一巨弗，用久等聱敝。授之使改作，切屬鋒健鋭。疏治近月餘，去索稱不易。先生莫促迫，致思容仔細。中書不中書，安用從新繫？揭來欻見投，入手知利器。文房三貴人，刮目喜相視。正緣兩資藉，辨此揮灑技。吾錐兀不銛，廿分置散地。馳騁翰墨場，又匪老人事。不辭來縛坐，但愧簡拔意。子正來索詩，一笑吐吾喙。走書豪穎辭，遂擬俳爲戲。秋澗集

補霧靈山樹有瘰癧如黑芝，戚元敬將軍製以爲杯，裹飾白金，以遺朝士。諸公爲作芝杯歌。其實不雅，且易蛀也。碣石叢談

增乾隆十二年御製詠壺盧器詩　壺盧器者，出於康熙年間，皇祖命奉宸取架瓠而規模之，及熟遂成器焉。盌盂盆盒惟所命。蓋其朴可尚，而巧亦非人力之所能爲也。爰令園人倣爲之，既成，題以句而識其源如是。纍在栗薪烝，陶人豈藉憑？玉成原有自，瓠

落又何曾？納約傳遺製，隨圓泯鋭稜。愛茲淳朴器，更切木從繩。

〔臣等謹按〕器用類御製詩，有原書及增採諸書所無，而爲京師物産攸關者，恭載卷内。

〔又按〕以上器用類。

原 燕山多嬰石，似玉有符采嬰帶，所謂燕石也。山海經注

原 宋之愚人得燕石，歸而藏之以爲寶。闞子

原 燕山石出水中，名奪玉，瑩白而温潤，土人琢爲器，頗似真玉。石譜

原 山林川澤之産，元興因土人呈獻而定其歲入之課。産金之所，在腹裏曰檀州，銀之所，在腹裏曰大都。銀在大都者，至元十一年，聽王庭璧於檀州奉先等洞採之。十五年，令關世顯等於薊州豐山採之，珠在大都者，元貞元年，聽民于楊村、直沽口撈採，命官買之。元史食貨志

〔臣等謹按〕以上珍寶類。

欽定日下舊聞考卷一百五十一

物産

原京師北山鳥有紅雅、沙雞、文雉、半翅。薊邱集

原鵽鳩，褐色，昌平北山有之。爾雅釋鳥云，鵽鳩，寇雉是也。今土人呼曰沙雞，亦呼半翅，或曰卽突厥雀。唐書：車鼻未叛，鳴鵽羣飛入塞。吏曰：所謂突厥雀者南飛，寇必至。爾雅名以寇雉，疑古卽有此占矣。芹城小志

原鵽，大如鴿，似雌雉，鼠脚，無後指，岐尾，爲鳥憨急羣飛，出北方沙漠地。爾雅郭璞注

增半翅，盤山多有之，卽沙雞也，一名鐵脚。居易録

原桃雀，狀類黃雀而小，燕人謂之巧婦，亦謂之女匠。禽經

原睢鳩，深目，目上骨露出，幽州人謂之鷲雕，一名鶚。鳩，幽州人謂之鶻鵃。黃鳥，幽州人謂之黃鸎。鴟鴞，幽州人謂之鸋鴂。詩草木鳥獸蟲魚疏

增乾隆五年御製秋日聞黃鸝戲作 春光惜去生催去，秋信憎來强喚來。好惡恁殊誰聽

爾，何須得得語高槐！

增乾隆六年御製初夏日聞鶯詩 雨餘新緑林初鎖，風傳睍睆聲聲可。臨流度陌弄晴暉，柳絲花片紛婀娜。何處傷春不忍聽，誰人求友最關情？雙柑斗酒兩無賴，繁絲孤竹空復鳴。參差流韻紗窗緑，金猊半灺蘭烟馥。想見茅檐力穡人，當作村頭呼布穀。

增乾隆七年御製鳩詩 小軒夏云半，嘉蔭誠清絶。疏簾隔塵囂，翠簞含冰雪。何來鳴鳩聲，得得出林樾？拂羽過春時，喚霖當夏月。物各有天性，人自生分别。何喜噪簷鵲，何愁杜鵑血！何勞布穀催，何悲烏夜咽！而我聞鳩鳴，亦復怡然悦。卜雨愜我情，稍解心中結。

〔臣等謹按〕黄鸝並鶯鳩御製諸詩，是爲首見之篇，恭載卷内。

補吾鄉稻熟時，張羅以捕黄雀，北則陶家莊，南則馬家疃，所産獨肥，喻物者比之披綿，朶頤者侈爲珍饌。京師則不然，田雀以四月肥，背有黄羽，與江鄉純色者别。而以江南食法製之，亦甚腴美，蓋江南黄雀所食者稻，疑北地以食麥而肥也。小丹邱客談

補幽州之墟，有善鳴之禽，人面鳥喙，八翼一足，毛色如雉，行不踐地，名曰青鸐。拾遺記

增翎之品：海東青、句白海青、句青海青、句白黄鷹、句黄鷹、皂雕、鴉鶻、赤鶻、兔

鶻、角鷹、白鷂、崖鷹、魚鷹、鐵鷂、木鶻鷂、崧兒、句百雄、句茸垜兒、以上俱爲羽獵之雄者。天鵝、秃鶖、鴮老、地鶴、地鵏、白雉、朱鷺、鉤觜鷺鷥、句香匙觜鷺鷥、句山雞、鶡雞、花頭鴨、雉雞、句錦札鸕鴣、句赤眼鸛、句白頸鴉、斑鳩、翠禽、山鷓、山和尚、早種穀、句拖白練、句樂官頭、句杜鵑、黑翼、句臙脂雞、句青灰弗、句黃灰弗、句啄木、句絆鷓、句鶺鴒、山雉、拖紅、練角雞、石雞、小雞、章雞。以上在處通有。圖經志書

原鷹有房山白者，紫背細斑，三斤以上、四斤以下，便兔，生房山白楊、椴樹上，向范陽、中山飛。漁陽白，腹背俱白，大者五斤，便兔，生徐無及東西曲，一名大曲、小曲。白葉樹上生，向章武、合口、博海飛。黑皁鷴，大者五斤，生漁陽山松杉樹上，多死，時有快者，章武飛。白皁鷴，大者五斤，生漁陽、白道河、陽漠北，所在皆有，生枯柏樹上，便鳥，向雲邱、中山、范陽、章武飛。青斑，大者四斤，生代北白楊樹上，細斑者快，向靈邱山、范陽飛。西陽雜俎

增海東青產遼東海外，隔數海而至，常以八月十五渡海而來者甚衆。古人云疾如鶻子過新羅，是也。尼嚕罕田地是其渡海之第一程，至則人收之，已不能飛動矣。蓋其來饑渴困乏，羽翮不勝其任，自此始入東國。有制，犯遠流者能獲海東青即贖罪，傳驛而歸。嘗諏錫寶齊，云：海青一翅七日或八九日始得至尼嚕罕，其氣力不支，或饑而眼亂者多

溺死，凡能逮此地者，無不健奮。故其於羽獵之時獨能破鴐鵝之長陣，絶雁鶩之孤騫，雲間獻奏臂上功勳，此海青之功也。錫寶齊者，國言養鷹之蒙古名也。析津志 按：尼嚕罕，滿洲語畫也，舊作努兒干。今譯改。

增聖祖御製海東青詩　羽蟲三百有六十，神俊最數海東青。性秉金靈含火德，異材上映瑶光星。軒昂時作左右顧，整拂六翮披霜翎。期門射生諳調習，雄飛忽掣黄絛鈴。勁如千鈞激砮石，迅如九野鞭雷霆。原頭草枯眼愈疾，砉然一舉凌高冥。萬夫立馬齊注目，下逐鳥雀無留形。爪牙之用安可廢？有若猛士清郊坰。晾鷹築臺存勝蹟，佳名豈獨標禽經。

增乾隆十七年御製海東青行　鷙鳥種不一，海青稱俊絶。摩空健翮上層霄，千里下擊纔一瞥。當其脱韝始縱時，風力未會遲飛掣。羣燕緣撲或墜落，何異淮陰胯下氣且折！鷹鸇之雛可罹罿，海青之雛得未逢。聞之育卵大海東，追逐天鵞入雲中。迴顧忽失故國蹤。海東青，爾不遠爲利，爾不高騰空，安得受制於人垂頭仰飼居樊籠？王孫莫恨未央宫。

〔臣等謹按〕海東青御製詩，是爲首見之篇，恭載卷内。

補皇慶元年，上賜大都留守臣拜特穆爾白兔鶻一，翎翮皓潔，白雪同皎。至延祐元年，毛羽變赤，光采豔奕，異於尋常。雖老於五坊者亦不知其所以然也。松雪齋集 按：拜特穆爾，蒙古語拜不動之謂，特穆爾義見前，舊作伯帖木兒。今譯改。

增乾隆六年御製鷹詩 鷙鳥鳥中傑，羽翰利且便。其在山林中，食肉而飲泉。飛止任厥性，擊搏無留難。一朝落羈韝，人乃司柄權。養翎須以時，食飲毋或愆。精鋭乃奮厲，矯翼雲霄盤。如鵬飛北溟，萬里扶摇寬。鷹師苟非良，飼養失其天。飢乏片肉餐，困憊臂右肩。操縱復失術，弱翅凌風旋。小雀不能獲，何況雉兔焉！謂之無良鷹，是語豈其然。

增乾隆十六年御製白鶻行 鶻之與隼如枳橘，鷙鳥之中俊莫匹。是皆其色雜蒼黝，如雪白者萬無一。矯然致此白將軍，悚立一朶梨花雲。玉架金絛不放去，爾行其義我行仁。嚴若郅都飛李廣，問鶻何來來海上。蘭臺令史頌白雉，誰奮奇功酬豢養。鶻乎鶻乎！秋其德而辛其色。殊毛出衆非改常，致用求真正相得。

〔臣等謹按〕鷹白鶻御製諸詩，是爲首見之篇，恭載卷内。

增天鵞又名駕鵞，大者三五十斤，小者廿餘斤，俗稱金冠玉體乾皁靴是也。每歲大興縣管南柳林中飛放之所，彼中縣官每歲差役鄉民，廣於湖中多種茨菰以誘之來游食，其湖面甚寬，所種延蔓，天鵞來千萬爲羣。俟大駕飛放海青鴉鶻，所獲甚厚，乃大張筵會以

爲慶賞，必數宿而返。析津志

增禿鶖能食蝗蟲蝻子，有旨不敢捕食。其形醜惡，來則成羣，無問蟲蝗多少，悉能食之，而吐出復聚於石上，復食之。其頭如長袋。同上

補魏延興二年四月，幽州獻白鵲。太和十七年正月，幽州獻白雉。景明四年六月，幽州獻四足烏。正始元年五月，幽州獻三足烏。延昌四年十二月，幽州獻白雉。正光元年十月，幽州獻白烏。魏書靈徵志

增乾隆四年御製雉將雛詩　行行麥壠邊，見一雉將雛。雛兒纔長成，啞啞學母呼。一解翅軟未解飛，嘴嫩未能食。飲啄與遊翔，皆賴顧復力。二解兒兮依其母，母兮愛其兒。一朝羽翼全，那料南北飛？三解有童持長竿，捕雛何遽遽。老雛雖善飛，繞匝不忍去。四解雛兒頗有智，藏伏荆棘間。棘密難探取，頑童悵空還。五解須臾童去遠，老雉還來視。母子得全活，鼓翼心倍喜。六解爾童一何忍，爾雉一何慈？孰謂天良心，人禽乃倒之。七解觀物可會心，撫古常自鏡。今朝忽見此，大愧中牟令。八解

〔臣等謹按〕雉將雛御製詩，是爲首見之篇，恭載卷內。

增近京師花兒市鬻黃鴿二，毛羽作黃金色，索直甚高。居易録

原北燕朝鮮洌水之間謂伏雞曰抱，爵子及雞雛皆謂之鷇，其卵伏而未孚，始化謂之涅，

尸鳩謂之鶻鵃，戴勝謂之鵖。方言

增乾隆七年御製雞卵詩　無雞卵不生，無卵雞不成。循環誰爲始？倩彼雞卵評。

增又御製液池鳧詩　液池鳧，乘春流。灔灔錦波香蓝浮。浴波銜蕊依汀洲。託身喜無羅網憂。不羡雲鵬萬里之翱翔，不爲塒雞稻粱之仰求。猶人既無卓卓之譽，亦無戚戚之愁。液池鳧，爾何俯仰自得而悠悠！

增乾隆八年御製家鶴詩　家鶴唳松陰，聲淒故不揚。野雁呌洲渚，春雨隨翱翔。胡爲淩雲姿，遜彼棲蘆行？由來受羈束，只爲飽稻粱。垂飛翅已剪，待飼頸空長。彈舌弔水月，念結烟霞鄉。世事有如此，對之增慨慷。

增又御製燕詩　管領風光一剪齊，花邊翻掠柳邊低。何人却爲搴文幌，又得梁頭認故泥。

增乾隆九年御製鸚鵡詩　鸚鵡學人言，宛轉皆相似。其言自不知，諜諜殊未已。人讀聖賢書，期於用爲理。但務逞詞華，不實視諸履。吁嗟噂沓流，何以異乎彼！

增乾隆十一年御製鷺鷥詩　宛爾江鄉意，飄然楊柳風。雍陶吟獨絶，吕紀畫難工。心憶寥天闊，嗉嫌陳粟紅。不緣貪口腹，安得入樊籠。

增乾隆二十九年御製黄鴨詩　黄鴨本水鳥，或曰鴛鴦族。白頂身披金，黑足翅染緑。從不分匹配，寧須背背腹。於何獲其一，獻以雕籠獨。垂頭啄稻粱，故知非所欲。解籠命放之，御湖任飛宿。無何其匹來，雙雙合比目。飛亦不遠去，宿亦仍相逐。戢翼戒前離，盟心期後篤。願告畢羅人，還應懷並育。

〔臣等謹按〕飛羽類御製諸詩，有原書及增採諸書所未及，而於物産攸關者，謹編載卷內。

〔又按〕以上飛羽類。

原有熊有羆，有貓有虎，獻其貔皮，赤豹黃羆。毛詩

原貔，北燕朝鮮之間謂之絔。方言

原漁陽以豬爲豝。纂文

原獸有虎、豹、奇狸、狼、野干、白駁、豪豬、兔、麞。薊邱集

增瑞獸之品角端。析津志

增獸之品：獅、象、豹、彪、虎、安塔哈、黃羊、駱駝、騾、驢、騲騷、羚羊、獐、鹿、麋、麂、兔、野豕、㲋、香子、獾、狼、豺。同上 按：塔哈，滿洲語客也，舊作荅海。今譯改。

增乾隆十五年御製有鹿五章章四句 有鹿育麑，於原之隰。既拆既副，不能卒起立。有鹿育麑，於隰之苹。旋起踉蹌，見人兀不驚。鹿匪不驚，爲顧其子。子始學步，不

能遠去。叶　麂始離懷，知親其母。叶舐之觸之，以煦以乳。詩何云乎，以興以觀。阮籍猖狂，有警世言。

〔臣等謹按〕詠鹿御製詩，是爲首見之篇，恭載卷内。

增狼之品：九節狐、赤狐、黑狸、青狸、花狸、豺狼、麝。析津志

增安塔哈卽野駱駝也，似驢而差小，項下垂瓔毛，朔北野馬川甚廣，其性深喜飲人便溺，見則忘軀而吸飲之，蓋其地艱於水故也。因其喜飲水，故以誘其來而陷阱填獲焉。禁中有之。圖經志書

增彪羈於馬後，背田則縱之，毛色光耀，日照之則有五色花紋。捕獸則蹲伏於草莽中，卒然擒之，是其態也。析津志

增䮐騷，牛頭，唇反居上。驢毛矮小而醜，駕車力過於牛遠矣。同上

增羚羊，京西山廣有之。夜則挂角於險峻巖崖之下以睡，其蹺捷如飛，履險如夷。山人覘其往來多獲之，俗呼爲野羊是也。同上

補武定元年七月，幽州獲白狐以獻。魏書靈徵志

增今京師宴席最重鹿尾，雖猩唇、駝峯未足爲比。然自唐已貴之。陳子昂麈尾賦云：卒網羅以見逼，受庖廚而罹傷。爲君雕俎之羞，厠君金盤之實云云。若六朝以來，則以麈

尾爲談柄耳，未聞充盤俎也。耶律楚材西域詩亦以麈尾、駝峯作對。（香祖筆記）

〔臣等謹按〕以上走獸類。

原魴魚，廣而薄，肥恬而少力，細鱗，魚之美者。漁陽泉州鱮似魴，厚而頭大，幽州人謂之鴞鶚，或謂之胡鱅。（詩鳥獸草木蟲魚疏）

補燕人膾鯉，方寸切其腴以啗所貴。（山谷別集）

增金魚之種，深赤曰金，瑩白曰銀，雪白質黑章、赤質黃章曰瑇瑁，而別以管若箍；管者，鬣下而尾上，周其身者也，箍者，不及鬣，周其尾者也。魚有異種者，（白而朱其額曰鶴珠，朱而白其脊曰銀鞍，朱脊而白點七曰七星，白脊而朱畫八曰八卦。）有蝦種者，（銀目、金目、雙環、四尾之屬。）種故善變。飼以渠小蟲，魚則白，白則黃，黃則赤。無生而赤者。歲穀雨後，魚則市，大者歸他池若沼，小者歸盆若盎、若琉璃瓶。歲盛夏，遊人攜罍飲此，投餅餌，唼呷有聲，其大者銜餌竟去。（帝京景物略）

原寶坻銀魚，都下所珍，北人稱爲麪條魚，形似東吴鱠殘而倍大，出海中蛤山下。秋深霜降，上温泉産子，映日望之，波浪皆成銀色，人每候其至網之。（燕山叢録）

增房山甘池石將軍廟下穴中有一目魚，長可四寸，每於清明日出穴，行則二魚相附。（北游紀方）

增大防嶺山下有石穴，其水夏冷冬温，春秋有白魚出穴，數日而返。人有採捕食者，美

珍常味，蓋亦丙穴嘉魚之流類也。水經注

原 涿水有魚重脣，甘池有魚一目。析津日記

原 寶坻銀魚，霜降後自海中蛤山出，逆流北上薊州温泉下育子，其色瑩白如銀。寶坻縣志

原 高承埏食銀魚作 一束冰篸出水痕，蘆臺霜信蛤山根。只愁糝附油蒸慣，食法監廚試細論。稽古堂集

〔臣等謹按〕朱彝尊原書此條下有燕山叢録一條，述豐潤海螺事。豐潤今屬遵化州，謹移入遵化豐潤合卷。

補 雄、霸、武清等處俱係河泊斥鹵地面，其間貧難人户別無營産，止仰捕魚爲生。魚官劉古乃所管打魚人户七十六户，每年納魚二千餘頭。烏臺筆補

補 遼主達揄河釣牛魚，以其得否占歲好惡。近世周茂振使金，金主賜之魚，曰手所親釣者。金亦用遼制也。王易燕北録云：牛魚，觜長鱗硬，頭有脆骨，重百斤，卽南方鱏魚也。鱏、鱘同。然本草既有鱘魚，又別有牛魚，云生東海，頭如牛，則牛魚別是一種，非鱘也。馮道使遼詩曰：曾叨臘月牛頭賜。史謂遼真以牛頭賜之，非也。遼主率以臘月打圍，因敲冰釣魚，則臘月牛頭者，正本草所著東海之魚其頭如牛者也，非真牛頭也。演繁露 按：達揄，滿洲語飲馬處也，舊作達魯河。今譯改。

補 周樞密麟之充金哀謝使，金主愛之，享以所釣牛魚，非舊例也。樞密糟其首，歸獻於

朝。同館王龜齡目爲魚頭公。聞金人甚貴此魚，一尾之直與牛同。（二老堂雜志）

增 乾隆十九年御製詠鱏鰉魚詩　有目鰥而小，無鱗巨且修。鼻如矜鬮戟，頭似戴兜鍪。一雀安能齧？半豚底用投？伯牙鼓琴處，出聽集澄流。

〔臣等謹按〕鱏鰉魚御製詩，是爲首見之篇，恭載卷内。

增 乾隆五年御製飼魚詩　臨流坐石磯，忘機魚不避。投餌試飼之，引類紛然至。却知非釣竿，在藻心無忌。清漣漾鏡光，一一堪數計。因之識魚樂，長歌發幽思。遐想天地間，人物理不二。有心鷗乃去，去實人所致。吁嗟庸衆流，勞勞爲名利。有時喪其良，反不如魚智。若令貪釣鉤，早作盤中味。

增 乾隆六年御製觀魚詩　曲池風縠静，緑水鏡光平。在藻悠然逝，依蒲自在行。網罟從未入，鱗鬣不須驚。依檻知魚樂，微吟驗物情。

〔臣等謹按〕飼魚、觀魚御製諸詩，是爲首見之篇，謹編載魚事各條内。

補 霸州邊塘灤霜蟹，當時不論錢也。（春渚紀聞）

增 渤海螃蟹，紅色，大如碗，螯巨而厚。（遼史）

〔臣等謹按〕以上水族類。

原 北方黄鼠穴處，各有配匹，人掘其穴者，見其中作小土窖，若牀榻之狀，則牝牡所居之處也。秋時蓄黍菽及草木之實以禦冬，各爲小窖，别而貯之。天氣晴和，出坐穴口，見人則拱前腋如揖狀，即竄入穴。韓孟聯句所謂禮鼠拱而立者也。惟畏地猴。地猴形極小，人馴養之，縱入其穴，則銜黄鼠喙曳而出之，味極肥美。元朝恒爲玉食之獻，置官守其處，人不擅取也。霏雪録

原 黄鼠，足短喜走，極肥，見人則交其前足，拱而如揖。昌平州志

原 黄花鎮有鼠，色如鼦而毛淺，初冬掇榛實貯穴中，爲岐洞貯之，多至二三斗，美好倍於人所收者。土人每掘取之。鼠失榛，乃槁死樹上，纍纍相望。鎮將哀而禁之，不能止。昌平山水記

原 刁約使遼詩云：押燕移離畢，看房賀跋支。餞行三匹製，密賜十貔狸。皆紀實也。伊勒希巴，官名，如中國執政官，哈卜齊勒如執房閣，匹製小木罌，以色稜木爲之，如黄漆，貔狸如鼠而大，遼以爲珍膳。古今詩話

原 澠水燕談載，遼國産大鼠曰毗狸，形類大鼠而足短，極肥，其國以爲殊味。穴地取之，以供國王之膳。自公相以下，皆不得嘗。常以牛乳飼之。頃北使嘗攜至京，烹以進御。本朝使其國者亦皆得食之。蓋極珍重之也。張浮休使遼録亦謂有令邦者，以其肉一臠置之食物之鼎則立糜爛，是以愛重。陸氏舊聞云：狀類大鼠，極肥腯，甚畏日，爲隙

光所射輒死。續墨客揮犀載，刁約使遼詩所云毗狸如鼠而大，穴居食果穀，若㹠而脆，遼以爲珍膳。數説皆微有異同，要之卽此一物，亦竹𤠔、貛狸之類耳。近世乃不聞有此，叩之北客，亦多不知，何耶？（齊東野語）

〔朱彝尊原按〕刁約詩所云貔狸，疑卽黄鼠也。

增 鼠之品：銀鼠、青鼠、青貂鼠、山鼠、赤鼠、花鼠、火鼠、黑貂。（析津志）

增 松鼠有二種，一小者大不過三寸，通身豹紋，最靈黠，名松鼠。一大者灰色，善盜果實，名臊鼠。（盤山志）

原 蝙蝠，北燕謂之蠘𧒂。蜥易，北燕謂之祝蜓。蚰蜒，北燕謂之蚰蚭。馬蚿，北燕謂之蛆蟝。蚍蜉，燕謂之蛾蛘。蠭，燕趙之間謂之蠓螉，其小者謂之蠮螉。鼅鼄，北燕朝鮮洌水之間謂之蝳蜍。（方言）

原 螽斯，幽州人謂之舂箕。莎雞如蝗而斑色，毛翅數重，其翅正赤，六月中飛而振翼，索索有聲，幽州人謂之蒲錯。蟋蟀，似蝗而小，正黑有光澤如漆，幽州人謂之趣織，督促之言也。里語曰，趣織鳴，懶婦驚，是也。（詩草木鳥獸蟲魚疏）

原 永定門外五里胡家村産促織，善鬭，勝他産。（帝京景物略 此條原在郊坰門，今移改。）

〔臣等謹按〕胡家村在永定門外迤東，今尚産促織。

增促織感秋而生，其音商，其性勝，秋盡則盡。今都人能種之，留其鳴深冬。其法實土於盆養之，蟲生子土中，入冬以其土置暖炕，日水灑綿覆之，伏五六日，上蠕蠕動，又伏七八日，如蛆然，置子蔬葉，仍灑覆之，足翅成，漸以黑，匝月則鳴細於秋，入春反僵也。上同

增考促織，爾雅曰：螒，天雞。李巡曰：酸雞。郭璞曰：莎雞，一曰樗雞。方言：蛆蟝，一曰蜻蛚。爾雅翼曰：蟋蟀生野中，好吟於土石甎甓間，鬭則矜鳴，其聲如織，故幽州謂之促織也。上同

增蟋蟀別種三：肥大色澤如油曰油葫蘆，首大者曰梆子頭，銳喙者曰老米嘴。上同

增絡緯，便腹青色，以股躍，以短翼鳴，其聲聒聒，以其聲名之曰聒聒兒。上同

增乾隆十三年御製詠絡緯詩 皇祖時命奉宸苑使取絡緯種育於暖室，蓋如温花之能開臘底也。每設宴則置繡籠中，唧唧之聲不絕，遂以爲例云。羣知絡緯到秋吟，耳畔何來唧唧音？却共温花榮此日，將嗤冷菊背而今。夏蟲乍可同冰語，朝槿原堪入朔尋。生物機緘緣格物，一斑猶見聖人心。

〔臣等謹按〕絡緯御製詩，是爲首見之篇，恭載卷内。

增蟬，土人呼爲蜘蟟，三伏鳴者聲躁以急，曰伏天，入秋而涼，鳴則淒短，曰秋涼。京帝

景物略

增蜻蜓，大而青者曰老青，紅而黄者曰黄兒，赤者曰紅兒，好擊水而飛。同上

增黑蛺蝶大如扇，橘蠹所化，北人云元武蟬。桂海虞衡志

增蠭，北方地燥，多在土中，故多土蜜。方言：燕趙之間謂之蠓螉，其小者謂之蠮螉。爾雅翼

增蜂有土蜂、蜜蜂、馬蜂各名。蟪蛄即寒螿。蟲螽，燕俗呼螞蚱。涿州志

增鼅鼄，一種扁薄貼壁間者，北人呼爲壁繭。馬蚿，方言：北燕謂之蛆蟝，大曰馬軸。淮南子：幽州曰秦渠，一曰馬陸蟻。爾雅：蚍蜉大曰蟻，小曰螘。方言：蚍蜉燕謂之蛾蛘。同上

增乾隆六年御製喜子詩　喜子張羅網，蠛蠓爲其食。在户似處堂，跂脈頗自得。有童持長竿，捕之不費力。纔喜口腹飽，旋遭身命殛。物理有如此，觸目堪歎息。

〔臣等謹按〕喜子御製詩，是爲首見之篇，恭載卷内。

補螳螂，陶宏景云：燕趙謂之蝕肬，今人病贅肬者捕食之。爾雅疏刻本誤食厖，藝文類聚刻本誤食耽。化書

原蠨蛸亦名長脚。此蟲來著人衣，當有親客至。幽州人謂之親客蟗，幽州謂之蠍螗，燕

謂之蛉蚗，或名之蜓蚞。上同

增乾隆十九年御製榛蟈詩　啾啾榛蟈抱烟鳴，亘野黄雲入望平。雅似長安銅雀噪，一般農候報西成。蛙生水族蟈生陸，振羽秋叢解促寒。蟈氏去鼃因錯注，至今名象混秋官。按：蟈蟈乃絡緯、蟋蟀之類。周禮，蟈氏去鼃黽，原不指一物而言。注謂蟈今御所食蛙。夫蛙乃蝦蟆，不可食。黽亦其類，俗名田雞，尚可食。至蟈，則斷無可食之理。不精考而錯注，以訛傳訛，蓋不少矣。

增乾隆二十九年御製蠛蠓詩　蠛蠓浮撇天，陽氣始奏達。塘北冰欲蘇，池南水已活。醯雞甫辭波，飛空亂騰越。非甕無酒氣，撲地隨唾沫。驅散仍復聚，紛不可究詰。粘衣喪其生，較菌猶飄忽。微物亦一時，化工浩旋斡。

〔臣等謹按〕蟲豸所有御製諸詩，凡原書及增採諸書所未及，而爲物產攸關者，恭載卷内。

〔又按〕以上蟲豸類。

欽定日下舊聞考卷一百五十二

邊障

〔臣等謹按〕山河之固，在德不在險。舜時幽營之地界在遼水東西，後代德不能及遠，乃有邊防。明初徐達築邊牆，自山海關西抵慕田峪一千七百餘里，陀塞又安足恃乎？國家威德遠揚，輿圖式廓，每歲恭值避暑、行圍，自古北口外興桓名勝之區，清蹕所臨，皆爲都邑。奚有於此疆爾界也？臣等編纂朱彝尊原書，有邊障一門，大抵皆前明關鎮之制，其言山川形勢特詳。爰爲詮次存其舊，俾有所考云。

原 燕築長城，自造陽至襄平，置上谷、漁陽、右北平、遼西、遼東郡。史記

原 天保六年，發夫一百八十萬人築長城，自幽州北夏口至恒州九百餘里。北齊書

原 開皇長城起嵐州合河縣，經幽州，皆因古蹟修築。元和郡縣志 以上三條原在世紀門，今移改。

原 京東之外鎮，營、薊、遼陽也。京西之外鎮，宣、大、偏頭也。京東之內險，山海也。京西之內險，居庸、白羊、紫荊、倒馬、鴈門、寧武、平刑、龍泉也。長安客話

〔臣等謹按〕方輿紀要，平刑亦作瓶形，在山西繁峙縣界。

【原】關隘之要有四：曰古北口，曰居庸關，曰喜峯口，曰松亭關。烽堠相望者一百九十六處。明實録

【增】燕薊之北有松亭關、古北口、居庸關，此中原險要。宋史

【增】居庸、古北、松亭等關，東西千里，險峻相連，近在都畿，易於據守。金史

【增】漢唐都關中，去邊幾千里餘。今京師北抵居庸，東北抵古北口，西南抵紫荆關，近者百里，遠不過三百里爾。長安客話

【增】京師扆山帶海，有金湯之固。正定以北至於永平，關口不下百十，而紫荆、居庸、山海、喜峯口、古北口、黄花鎮，險絶尤著。職方圖考

【增】宣府、大同，藩籬也；居庸、紫荆，門户也；順天、正定、保定等府州縣，堂室也。藩籬密，斯門户固；門户固，斯堂室安。漁石集

【增】易州西北乃金坡關，即紫荆關。昌平之西乃居庸關。順州之北乃古北口。景州東北乃松亭關。平州之東乃渝關，即山海關。春明夢餘録

【原】薊鎮邊分東、中、西三路。東路帥駐臺頭營，昌黎縣。所急者四：曰山海關，撫寧縣。曰石門砦，撫寧縣東。曰燕河營，永平府北。曰建昌營。遷安縣北。中路帥駐三屯營，遵化縣東。所急者四：曰太平

砦，遷安縣西北。曰喜峯口，遵化縣東北。曰松棚谷，遵化縣北。曰馬蘭峪。薊州東北。西路帥駐石匣營，密雲縣東北。所急者四：曰牆子嶺，密雲縣東北。曰曹家砦，密雲縣東北。曰古北口，密雲縣北。曰石塘嶺。密雲縣西北。其邊牆皆依山湊築，大道爲關，小道爲口，屯軍曰營，列守曰砦。方輿紀要

〔臣等謹按〕石匣有新建龍王廟。御製詩已恭載京畿密雲縣卷内，兹不複録。

增 薊州自山海關而西至居庸之灰嶺，隘口共一百二十處，相去約二千一百里。又自州以西有邊牆三重：由州北里谷等關西達密雲之甎垜子關爲第一重，自州東北豐臺谷寨西達密雲之牆子嶺南谷寨爲第二重，自州東彰作里關西達密雲峨眉山嶺寨及香河縣爲第三重。而密雲之桃兒沖寨與甎垜子相接，邊牆至此始合爲一。又西則古北口，又西則居庸關也。方輿紀要

增 東起山海，西迄居庸，延袤二千里，皆屬薊鎮。同上

原 洪武初，卽古會州大寧地設北平行都司，興營諸屯衛，封建寧藩，與遼東、宣府東西聯絡爲外邊。已而魏國公經略自古北口至山海關增修關隘爲内邊，以故薊州西接居庸，北折而東南抵海上，盡漁陽盧龍，皆其管内。船泛登萊，陸走趙魏，襟帶原澤，馮翊京師，號稱雄鎮。迨文皇靖難，烏梁海内附，乃徙北平行都司於保定爲大寧都司，而散布興營諸衛於京府。大寧之地盡畀烏梁海通貢互市，諸音、大寧、福餘三衛是也。自是紅

螺白雲之北，遼東、宣府聲援隔絶，而喜峯、三屯、密雲、白羊以漸收縮，失計甚矣。明典彙 按：諸音，蒙古語官長也，舊作朵顏。今譯改。

原金立中京大定府，至貞元元年更爲北京。元世祖至元七年，改爲大寧路。洪武初，元將納克楚尚據金山。二十年三月，命大將軍宋國公馮勝等率師出松亭關，築大寧、寬河、會州、富峪四城，勝遂率兵趨金山。六月，納克楚降。九月，置大寧都指揮司，大寧中左右三衛及會州、木榆、新城等衛悉隸之。二十一年，改大寧都指揮司爲北平行都指揮使司，距北平布政司八百里。二十四年，封皇子權爲寧王。建文元年九月，燕王兵出劉家口，襲破大寧，下富峪、寬河、會州等城，以寧王及將士歸北平。大寧初設，未有民人，但立一十六衛，自燕王拔之而南，遂爲空城，及轉戰三年，始下南京，而大寧已棄之，後不能復置，因徙衛於山南，而以其地畀烏梁海。然永樂元年，仍命武安侯鄭亨於千户寨、灰嶺、廢州、神樹、西馬山、七渡河皆設墩堠，新昌伯唐雲領軍自小興州、大興州東接牛嶺、會州、塔山、龍山諸處屯種。迨十九年，命邊將置邏騎營於古北口之北神樹之地。則當時此地尚爲甌脱也。昌平山水記 按：納克楚，唐古特語黑水也，舊作納哈出。今譯改。

原薊鎮東自山海關，西抵石塘路亓連口，接昌鎮慕田峪界，延袤一千七百六十五里。四鎮三關志

增洪武二年，從淮安侯華雲龍言，自永平、薊州、密雲迤西二千餘里，關隘百二十有九，皆置戍守。明史兵志

補薊鎮經畫臺牆，規制俱出於戚少保。海嶽山房集

原薊鎮設督臣，自嘉靖庚戌始。太函集

〔臣等謹按〕以上各條總敘薊州一帶關砦。

原喜峯口乃烏梁海進貢之路，本名喜逢口，古松亭關也。長安客話

原灤陽驛東北四十里有雙冢。世傳昔有久戍不歸者，其父求之，適相遇此山下，相抱大笑，喜極而死，遂葬於是，因謂之喜逢口。圭塘小稿

原喜峯口路關砦一十二，東自鐵門關，西至團亭砦，延袤九十四里。董家口下關砦五：青山口關、橫山砦、游鄉口關、董家口關、勝嶺砦，俱洪武年建。邊城二十八里，空心敵臺二十五座。大喜峯口下關砦七：鐵門關、李家谷關、椵木谷砦、石梯子谷砦、大喜峯口關、小喜峯口關、團亭砦，俱洪武年建。邊城三十四里，空心敵臺一十五座。四鎮三關志

原鐵門關外有大潭，卽喜峯水之源也。關南十五里爲穹窿山，山多洞穴，高與鐵門關齊，自洞口而西十里爲西山嶺，卽喜峯，古松亭山也。南行二十里曰小喜峯，又西南三里曰老子谷，下爲團亭砦，灤水由此流入撫寧縣境。隔灤水而西爲樓子山，又南十里爲

平山，撫寧與遵化相出入處也。方輿紀要

【原】喜峯口關在遵化縣東北七十里，關城周三里，關口有來遠樓，可容萬人。宣德三年，車駕由喜峯口大敗烏梁海衆於寬河。嘉靖十年，三衛入侵，自此益增兵戍守，爲薊邊重地。同上

【原】嘉靖中，胡守中以都御史奉璽出行邊，乃出塞盡斬遼金以來松木百萬，於喜峯口創建來遠樓。守中恃寵驕恣，尋以賄敗。樓後爲水衝没，今臺址尚存。長安客話

【補】鐵門山距鐵門關三里，在李家谷左。其南爲穹窿山，頂明如月，穿之跨其巔，山與鐵門山並高。其洞十丈，大小二孔，廣如高之半，旁爲穹窿者多，其陽平疇也。洞内周十餘里，小洞十數，極巔大洞，紅觜鴉之巢也。轉而東懸，石皆五色。又東崖向北前坡，鼓以八音，莫不應焉，名應樂軒。出洞口十里爲西山嶺，卽喜峯，古松亭山也。其峯削下，腰有洞二丈餘，深倍之。有墳在岡臨關口，乃古蕃王墓。元許有壬紀事謂有久戍士，父尋之，相逢於此喜笑，父子俱死，葬焉。曾掘之，風雨大作而止。今戍者歲祀之。其稱喜峯，蓋訛自永樂之後也。碣石叢譚

【補】萬曆庚辰，夏仲辛巳，鵲蛇鬬於喜峯東園。同上

【補】萬曆甲申，仲夏辛酉，喜峯井兒北九號臺轟雷霹電，將舖房三間并汛軍火器盡燬，震死戍兵童守中，臺正臺副龔象、王亮三人。越五日，三屯營丑時地震，丁亥仲夏癸巳，三屯營酉時地震，自西北而東南，有聲如雷，喜峯李

家谷申時風雨交作，雹擁尺餘。同上

補喜峯口古松亭關外有山，石壁峭絶萬仞，無蹊徑可上，巔有精舍三合，朱扉粲然，自下望之可見，土人云每夜聞其上有鐘梵聲，竟不能測。皇華紀聞

原徐太傅城在喜峯口關東北。有小城，相傳中山王所築。歲久彌堅，遠望如碧玉，懸厓斗聳，人跡希邈。名勝志

原明蕭鎡大喜峯口關城興造記略　上卽位之明年，勅都察院右僉都御史鄒來學自山海以西，至天壽山以東千餘里之地，關城屯堡，其悉疆里之，軍務處置聽以便宜。公拜手稽首言曰：於乎！皇上所以委任者至矣。我何敢不力以欽承休命！先是，敵自白羊、紫荆諸關皆失利。公守喜峯口，親歷邊境，相地之險易，曰：多寡在人而捍禦之。廣斥堠，謹烽燧，民用以寧。及有是命，時鎮守則有尚膳監郁公永，總兵則有都督僉事宗公勝，左右參將則有都指揮僉事胡鏞、馬榮。公與之謀曰：鄉者緩急預備，一時權宜耳，經久之計，當如聖諭。衆咸是之，議既克協，乃經營繕治之，不獨喜峯口而已。其他董家、羅文諸峪，劉家、界嶺、一片石諸口，廣者百餘丈，狹者數百尺，皆築城以障其缺。舊所有者乃增高之，爲門以便我軍之出入，通水道者則制爲水關。城之外爲濠，濠之外爲牆，山之峻者削之爲壁，谿峪蹊徑，凡人跡可通者，盡築焉。蓋東西千餘里間，營壘相望，高深堅壯，足以經久，誠所謂金城湯池固也。公又以謂諸關獨喜峯口鉅鎮，朝貢道所由出，乃爲城樓以示壯觀。樓高四丈，深廣稱之，名曰鎮遠樓。經始於景泰壬申之七月，落成於癸酉之四月。力取於守禦之卒，而兵不知勞，材取於山峪之産，而民不知費。人見其功之成，而不知其何以爲之也。於是其將吏相與告於宗公曰：都憲公受上命疆里，而公式克協心同力以底於成，不有紀述，其何以示後？宗公曰：然。乃以書屬翰林編修劉宣請於予。古之爲天下者，不病乎其有患，恒病乎其無備。不病乎其無備，恒病乎難其人。夫事機之來無常，惟禦有其備，則雖有一朝之患，不足爲吾害。備不先具，使經理有其人，則雖弊敗之餘猶足成吾功。故曰惟在得人而已。北邊當永樂、宣德中，承平日久，無事修治。正統以來，蓋頽墮極矣。聖天子臨御，赫然述中興之業，乃始汲汲於斯。當此時受命而往者肩背相望，雖極一時之選，然其間苟簡就功者猶或有之。獨公毅然以爲己任，而凡將佐與同事者皆効力相成，故其所建立堅久不隳，使國家視之晏然無復後顧之憂。此蓋千萬世永遠之績，豈一時之功也哉！爲考其始末之概論著之，俾爲天下國家者知治之責在於得人，而後之任此者當思所以善繼之也。尚約集

原許有壬喜峯口歌　兒寒解衣重撫摩，兒饑推食孰忍訶？長成與國遠負戈，一去不返當如何！去時云戍東北鄙，直出榆關度遼水。白頭老翁形影俱，豈憚山川千萬里。天教此地適相逢，父曰從天墮吾子。笑疲樂極俱殞身，誰謂情

鍾遽如此。官家開邊方未已，同生又別寧同死。山雲漠漠風颼颼，山頭雙冢知幾秋。當時不忍一朝喜，今日翻成千載愁。猶勝貞女化爲石，終古孤身雙不得。清江寒影日悠悠，行人一去無消息。圭塘小稿

【原】王寅宿喜峯口詩　萬里秋風暮，連山到此分。幾年尋紫塞，今日宿黄雲。片月臨關見，孤軍擊柝聞。燕歌争勸酒，强飲不成醺。十岳山房集

〔臣等謹按〕喜峯口原作喜逢口，今從近稱。

〔又按〕以上各條皆敍喜峯口。

【原】由喜峯口東北六十里曰椵木峪關，又六十里曰松亭關。自松亭關至大寧廢衛凡三百六十里，爲控禦之要。道里記

【原】松亭關在喜峯口北百二十里，遼人自燕之中京，每自松亭趨柳河。方輿紀要

【原】劉敞奉使遼東，博聞强記，素知山川道里。遼自古北至柳河迴曲千餘里，敞問曰：自松亭趨柳河，其徑不數日可至中京，何不道彼而道此？遼人不虞敞知，相顧驚媿曰：誠如公言。自通好以來置驛如此，不敢易也。東都事略

【原】閻詢，字議道，鳳翔天興人，嘗使遼，頗知北方疆理。時遼主在錫津，迓者王惠導詢由松亭往。詢曰：此松亭路也，胡不徑葱嶺，而迂枉若是，豈非夸大國地廣以相欺耶？惠慚不能對。宋元史質　按：錫津，滿洲語釣魚絲線也，舊作轄綻。今譯改。

【原】渝關、居庸，可通餉饋。松亭、金陂、古北口，止通人馬，不可行車。山之南，五穀百果，良材美木，無所不有，出關未數里，則地皆瘠鹵矣。金國行程

原遼薩巴反，宗叙出松亭關取牛遞於廣寧。金史本傳 按：薩巴義見前，舊作撒八。今譯改。

原太祖自將襲遼主於大魚濼，留輜重於草濼，以達蘭爲奚六路軍帥鎮之，實古納、博勒和護送常勝軍及燕京豪族工匠，自松亭關入内地。上戒之曰：若遇險阨則分兵以往。實古納、博勒和乃合於達蘭。金史本傳 按：實古納，蒙古語審問也，舊作習古迺。博勒和，滿洲語潔淨也，舊作婆盧火。達蘭，蒙古語七十數也，舊作撻懶。今俱譯改。

原建文初，大寧帥劉貞等引兵出松亭關，駐沙河，攻遵化。燕王馳援，貞等退保松亭。既而燕王謀取大寧，諸將曰：大寧必道松亭關，關門險塞，守備方嚴，恐難猝拔。乃從別徑趨大寧，還收松亭。明成祖實録

〔臣等謹按〕以上各條皆叙松亭關。

原由石梯子砦五里至大喜峯口邊外通大川貢路。正關并南稍城及邋遢嶺通騎衝要。其大小安口等墩空山險通步。又五里至小喜峯口關，正關并東西稍城通單騎。又十里至團亭砦正關，有灣河一道，自外流入，平時水淺可渡，夏大水難行，邊外通喜峰口大川。三鎮邊務總要

原松棚路東自潘家口西至山口砦，延袤一百五十五里，關砦二十四：龍井兒、下關砦、八潘家口、新關、嘉靖四十一年建。東常峪關、西常峪關、三臺山關、俱洪武年建。蘇郎谷關、嘉靖十六年建。龍井兒關、張家安砦、椽八谷砦，俱洪武年建。邊城五十里，附牆臺四座，空心敵臺四十四座。洪

山口下關砦五：廖家谷關、（正德三年建。）洪山口關、西安谷砦、白棗谷砦、三道嶺砦，（俱洪武年建。）邊城二十里，附牆臺三座，空心敵臺四十四座。羅文峪下關砦十一：天勝砦、舍身臺砦、（俱永樂年建。）馬蹄谷關、（洪武年建。）蔡家谷砦、（永樂年建。）秋科谷砦、千家谷關、羅文峪關、猫兒谷砦、山寨谷關、沙坡谷關、山口砦，（俱洪武年建。）邊城六十三里，附牆臺一十一座，空心敵臺六十四座。（四鎮三關志）

【原】由團亭砦三里至潘家口關外，通喜峯口大川河口，并擂鼓臺墩東西空通騎衝要，蔡地谷次衝，其十八盤通步，餘山俱險。又二里至東常峪關，外通大川正口，并東稍城通騎衝要，其南山各墩空陡險稍緩。又八里至西常峪關，外通長城口并東稍城及横嶺墩東空通騎，餘山俱險。又十里至三臺山關，正關水口并東稍城通騎衝要，其餘山險通步。又五里至蘇郎谷關，通步不通騎。又五里至龍井兒關，邊外通大川，正關并河口東西稍城及真武廟、敵臺墩、椴木臺，東西空通騎衝要，餘墩空山險通步。又五里至張家安砦，隘口不寬，惟正關并東山梁通單騎不通大舉。又五里至椽八谷，外通洪山口大川平漫，正關并椽八谷墩、柞子嶺、白羊坡等墩座四處極衝，通大舉，餘險通步。（三鎮邊務總要）

【原】潘家口在遵化縣東北四十里。嘉靖三十八年，諸音入侵渡灤河，由潘家口而西，大掠薊州。其東曰團亭砦，又東即喜峯口也。（方輿紀要）

原三臺山關北五十二里曰寺兒峪，又北十六里曰土松嶺，又北六十七里曰謝兒嶺，又北有惱儂河、傍牌川等處。同上

原由椽八谷五里至廖家谷，正關并白草安通騎衝要，餘止通步。又三里至洪山口關，外通大川平漫，正關并西稍城及西墩空外俱寬平，通騎衝要，又三里至西安砦，外通大川各墩空俱通人馬衝。又六里至白棗谷，外通大川各墩空亦通人馬衝。又七里至三道嶺。此外關雖通大川，但裏口地勢三面如屏，險可以據，不通大舉。三鎮邊務總要

原洪山口關在遵化縣北三十里，有城，其内爲松棚營。方輿紀要

原弘治十二年八月，整飭薊州邊備都御史洪鐘奏：洪山口關原設於松棚谷境，與營相去不遠。成化間關移今所，而營堡仍舊。營去關三十餘里，且山嶺道隘，人馬不得並行，遇警，卒難策應。請移營於附近李家谷口。從之。明孝宗實録

原由三道嶺四里至天勝砦正關，通單騎不通大舉。又三里至舍身臺砦正關，并苦梨谷墩空俱通騎極衝。又五里至馬蹄谷關，正關并稍城通騎極衝，其餘墩空通步。又十里至蔡家谷關，正關水口并關東尖山墩空通騎衝要。又二里至秋科谷砦正關，秋科谷東空山墩猪墩通騎，餘通步。又十里至于家谷正關，并桃樹安墩，西界倒溝嶺墩，各空通單騎衝。又五里至羅文谷關，外通大川，各墩空俱通騎極衝。又二里至猫兒谷砦，外通大

川，各墩俱通騎極衝。又十里至山砦谷正關，并東西稍城及黃草安尖山墩、鶯窩崖、白嶺兒、石板溝，各墩空通騎極衝，餘止通步。又十五里至沙坡谷正關，桑樹安迤西東山墩三空通單騎衝，餘通步。又三里至山口砦正關，并東西角樓墩空俱通騎衝要。三鎮邊務總要

〔臣等謹按〕以上各條皆叙松棚路。

原 龍井兒關要衝也，其内爲三屯營。方輿紀要

原 三屯營去喜峯二舍，營曰三屯忠義中衛，百夫長凡三。景泰間勅征東大將軍駐劄。名勝志

原 營在景山之北，城周四里，西北至喜峯口六十里，西至遵化縣亦六十里。方輿紀要

原 三屯城宣德初建於獅子谷，天順間城於忠義中衛三百户屯，故曰三屯，門三各建重樓，戚繼光繕之，自爲之記。遵化縣志

原 三屯營城，天順四年建。萬曆二年，戚都督展創焉。四鎮三關志

原 萬曆元年，侍郎汪道昆閲視薊鎮，條奏善後事宜，以三屯營總兵所治，惟近設守備一員，原無軍衛，總兵標下各營支領文移，率出境借用遵化各衛印信，恐增減稽程。且本營駐劄各兵並非土著，兩防各發汛地，新舊二城俱空，不可無備。查忠義中衛設在遵化，該衛三百户所屯地則在三屯營，營由此得名。遵化城附衛一所不爲不足，請以忠義

中衛移置三屯營，就於三屯營城内空地蓋造衙門廨舍居之。邊庭碩畫

增 薊州以三屯營居中，爲本邊重鎮，東至山海關三百五十里，西至黄花鎮四百里。明春夢餘録

增 京東自山海關西至黄花鎮，爲關塞者二百一十二，爲營堡者四十四，爲衛二十，爲守禦所三，設分守參將五於燕河營、太平寨、馬蘭峪、密雲縣、黄花鎮，以管攝營堡，謂之關。設守備都指揮五於山海、永平、遵化、薊州、三河，以管攝衛所，謂之營。設總兵官一員於三屯營以總鎮焉。關設於外所以防守，營立於内所以應援。同上

補 薊鎮忠烈廟合祀於三屯，以死事都督孫臏未曾立廟，但塑像在景忠山三忠祠後，新廟既成，舁入居中獨坐，以副總兵而下旁列祀之。碣石叢譚

補 三屯城東北二十五里爲芹菜山，遼進士馮唐卿於山前結廬種芹自給，故名，其陰則青山關營也。同上

原 戚繼光重建三屯營城記略 三屯營去喜峯二舍，在遷安縣南百二十里，遵化縣去之五十里。左山海，右居庸，而綰轂其中。舊城庳薄而隘，繼光總理鎮務，鳩衆訓練於此，弗足以容，乃謀闢城於制府。會上卽位，詔增飭邊垣。適汪少司馬閲師，條便宜制，令移忠義中衛於三屯城内，遂置衛增營，及營建公署。明年秋，規外地而拓其址，徹南垣而圍之，凡五百五十七丈，高二丈五尺，加五尺爲堞，址廣四丈有餘。門三：南曰景忠，東曰賓日，西曰鞏京。次年春乃繕舊城，凡六百一十六丈，表裏高厚悉如樓臺，下旁各分便門。周城水洞有二，敵臺有九，環以羊馬牆，列孔以備睥睨，闢場以積芻茭，縱横五十丈。止止堂集

〔臣等謹按〕以上各條皆叙三屯營。

原 羅文峪關在遵化縣西北十里，馬蘭峪東第十四關口也。其北五十九里曰窟窿山，又北七里曰神山嶺，又北十三里曰白馬川，又北十一里曰石夾口。（方輿紀要）

原 馬蘭路關砦二十五，東自石崖嶺砦，西至峨嵋砦，延袤二百三十六里。大安口下關砦七：石崖嶺砦、（洪武年建。）冷觜頭關、龍池砦、沙嶺兒砦、大安口關、鮎魚石關、平山頂砦，（俱永樂年建。）邊城二十八里，空心敵臺八十五座。寬佃峪下關砦六：馬蘭峪砦、（洪武年建。）獨松谷砦、豐臺嶺砦、（俱弘治十三年建。）龍洞谷關、寬佃谷關、（俱永樂年建。）餓老婆頂砦，（正德十年建。）邊城二十七里，空心敵臺三十九座。黄崖口下關砦七：恥瞎谷砦、（成化二年建。）古强谷關、（永樂年建。）蠶椽谷砦、青山嶺砦、（俱成化二年建。）車道谷砦、（嘉靖十六年建。）太平安砦、（成化二年建。）黄崖口關，（永樂年建。）邊城六十里，空心敵臺一十二座。將軍營下關砦五：彰作里關、將軍關、黑水灣砦、黄松谷關、峨嵋山砦，（俱永樂年建。）邊城六十九里，空心敵臺一十八座。（四鎮三關志）

〔臣等謹按〕馬蘭峪，據大清一統志，今屬遵化州境，其西卽豐臺嶺，本朝爲陵寢重地。初賜名鳳臺山，康熙二年又封爲昌瑞山。設副將一員駐守。雍正五年，改設總兵官，所有恭建陵寢制度以暨節年祗謁典禮，並恭載大清會典，兹編不敢複録。

原 馬蘭峪在遵化縣西北七十里，爲守禦要地，有城。關外六十七里曰牽馬嶺，又鮎魚石關，馬蘭峪東第二關口也。正德四年，諸音入侵，自鮎魚石毁垣入馬蘭峪。十年，烏梁海寇馬蘭峪，參將陳乾戰死。嘉靖三十四年，諳達亦自此入侵馬蘭峪，其東爲大安口，亦要口也。嘉靖三十八年，嘗爲敵陷。口北三十六里曰柳林，又北二里曰白棗林，又北十六里曰新關嶺。方輿紀要

原由山口砦五里至石厓嶺西三墩空平漫通單騎，餘通步。又四里至冷觜頭關外通大川，各墩空俱衝，通大舉。又五里至龍池砦通大舉。又十里至大安口關邊外通大川，正關并各墩空俱通騎極衝。又四里至沙嶺兒砦、夾石口、過道嶺墩，内外平漫俱通騎極衝。又九里至鮎魚石正關通大舉。其東西墩空山險可通步。又四里至平山頂砦内外平漫通馬步衝。三鎮邊務總要

原沙嶺兒砦其北爲琵琶谷。四鎮三關志

原由平山頂六里至馬蘭峪境外，地名秋木嶺，離邊三十里，通大舉。東通鮎魚石，南通烏喀達，東北穿謝家峪衝。又三里至獨松砦、駝駝谷、安口墩，平漫通大舉衝。又七里至豐臺嶺砦，通步不通騎。又五里至龍洞谷，路窄，正關瓦子谷俱通單騎衝。又五里至寬佃谷，正關水口内外平漫通大舉。又五里至餓老婆頂砦，路窄，通單騎，東空平漫通騎。三鎮邊務總要 按：烏喀達，滿洲語塔子頭也，舊作歪骨垜。今譯改。

原寬佃谷，黄崖谷東第六關也。方輿紀要

原 黄崖谷有天香寺。長安客話

原 由餓老婆頂十里至恥瞎谷砦，又三里至古强谷關，並山險，不通騎。又三里至䵷椽谷，通步不通騎。又十里至青山嶺砦，通單騎。又八里至車道谷，由橛土嶺通步不通騎。又二里至太平安砦，由擦子臺離砦十里，通人馬，正口衝。又十一里至黄崖口關，正關水口東西稍城斷頭崖、安口墩、中山兒龍扒谷甎墩，東西二空俱通騎衝。三鎮邊務總要

原 黄崖谷關在薊州北四十里，其北三十五里曰尋思谷，又北十五里爲柞兒谷。又車道谷堡在黄崖谷東直北，卽元之大興州也。方輿紀要

原 黄崖谷俗呼曰萬塔黄崖山。嶺上一塔黄色，相傳金爲之，餘塔不可數。東南通古北口，元避暑古道也。長安客話

原 由黄崖口關四十里至彰作里關，正關水口并紅石谷墩空俱平漫通人馬極衝。又二十里至將軍石關，正關水口城下内外廠邊及大段頭山、小段頭山墩空極衝。又十五里至黑水灣砦，路狹山險通步。又八里至黄松谷關，正關水口城下内外平漫通人馬極衝。又二十里至峨嵋山砦，通步不通騎。三鎮邊務總要

原 黄松谷關邊界分屬密雲，而其地則逼近平谷縣境。方輿紀要

原 峨嵋山砦在密雲縣東北一百一十里，其東曰黄松谷、將軍石，自將軍石而北十三里曰夾

城嶺，又北一里曰私鹽嶺，又北十六里曰斗子谷。自峨嵋山東至薊州之黄崖谷關凡五口。同上

原興善寺在峨嵋山營東二里，至平谷縣二十里。唐咸通三年建。寺之東北里許靈泉山下有泉出焉，經流于寺，俗因稱水谷寺。平谷縣志

原白雲寺在黑豆谷砦北，至縣二十五里，金皇統四年建。同上

〔臣等謹按〕以上各條皆叙馬蘭路。

原曹家路東自小臺兒砦西至將軍臺砦，延袤一百三十五里。關砦二十二：小臺兒砦、石塘谷砦、姜毛谷砦、蘇家谷砦、大水窪砦、大蟲谷砦、遥橋谷砦、惡谷砦、南谷砦、燒香谷砦、烽臺谷砦、黑谷砦、水谷砦、汗兒嶺關、大角谷砦、倒班嶺砦、師姑谷砦、扒頭崖砦、梧桐安砦、齊頭崖砦、柏嶺安砦、將軍臺砦，俱洪武年建。邊城一百六十四里，空心敵臺五十八座。四鎮三關志

原由大黄崖關十里至小臺兒砦，邊外有横山通步。又七里至石塘谷，邊外山險通步。又七里至姜毛谷，邊外有横山通步。又十里至蘇家谷，邊外亦有横山通步。又五里至大水窪，又十五里至大蟲谷，又十五里至遥橋谷，又八里至惡谷，邊外皆霧靈山障之，僅通步。徑右折爲馬連谷營，再左爲南谷砦，自惡谷口至南谷五里，又五里至燒香谷，邊外

有霧靈山通步。又十里至烽臺谷北，五里至黑谷砦，其北爲紅門川，正關河口迤南通騎，折而右十里至水谷砦，平漫通騎衝。又十里至汗兒嶺，通川谷一道，隘口窄，正關并西山墩空通騎衝。又五里至大角谷通步。又五里至倒班嶺，通大川水口，迤西口土牆一帶通單騎。又五里至師姑谷，外通大川極衝。又五里至扒頭崖，東接土牆，外通大川，山險不通騎。又三里至梧桐安砦，又十里至齊頭崖，山俱險。又四里至柏嶺安砦、廟兒嶺墩、北高墩、狗皮嶺，路通單騎，迤西墩空俱山險。又六里至將軍臺，山險通步。三鎮邊務總要

原潮河川東二十里爲司馬臺，有城二門，提調一人守之。東南有將軍臺堡，又東四十里爲曹家砦，距密雲九十里，城周六里三十六步，三門，復築新營，附城之西，二門，遊擊一人守之。其東有黑谷關堡，有水關，守備一人守之。南有吉家莊堡，提調一人守之。曹家砦之東，牆子嶺之北，有霧靈山，距邊四十里。水經注：孟廣硎山也，其下爲廣硎水，自黑谷關入，西南流，逕牆子嶺西合清水河，其山高峻，有雲霧蒙其上，四時不絕。上多奇花，又名萬花臺。山之左右峯巒拱列，深松茂柏，内地之民多取材焉。元史有霧靈山伐木官。又言，文宗命西僧於霧靈山作佛事一月，而其絕頂可瞰塞内。議者謂山錯在諸音地界，據此山守之則易，循山南守之甚難。嘉靖初，巡撫都御史王大用欲通諸音，與以重賂，取其山城之，不果也。昌平山水記

原曹家砦在密雲縣東北九十里，西去潮河川六十里，古北口東第十三關口也。有城，城之西爲新營，口外三十五里爲青沙嶺，又北五十四里即小興州，又有牛心山在曹家砦土牆邊外四十里。方輿紀要

原黑谷關在曹家砦東北，其北十四里曰榆樹林，東南三十六里曰鴿子塘，又南十里爲窄道兒，東北過斗裏庫。上同

原惡谷砦在黑谷關南，嘉靖間，議者請於惡谷、紅土谷、香罏石等處，塹崖壁以爲固，其地蓋相近也。上同

原黑谷關東南爲吉家莊營，又東五十里曰大安子嶺，又東三十里曰黄土嶺，又東北三十里曰紅門川。邊防考

原霧靈山在密雲縣，每於六月六日現祥光如霧，土人如期候之。上多奇花，又名萬花臺。獅山掌録

〔臣等謹按〕大清一統志，霧靈山本名伏凌山。酈道元水經注，伏凌山甚高峻，巖嶂寒深，陰崕積雪，凝冰夏結，故以名山，後改稱霧靈山。聖祖仁皇帝有御製霧靈山詩，今恭載卷内。

增聖祖御製曉發古北口望霧靈山詩　流吹凌晨發，長旃出塞分。遠峯猶見月，古木半籠

雲。地迴疏人跡，山迴簇馬羣。觀風當夏景，澗草自含薰。

原 霧靈山有雲峯寺，相傳寶誌公曾卓錫於此。長安客話

原 白河發源於霧靈山。漕河考

〔臣等謹按〕白河河神祠御製詩，已恭載密雲縣卷内，兹不綴録。

〔又按〕大清一統志，白河源出宣化府赤城縣，自古北口流入密雲縣西，漕河考乃云發源霧靈山，舛誤殊甚。霧靈山乃潮河所經，與白河無涉。

原 白河源出塞外，經密雲縣霧靈山爲潮河川，而富河、罾口河、七渡河、桑乾河、三里河俱於此會，名曰白河，南流經通州，合通會及榆津諸河，凡三百六十里至直沽，會衛河入海。吴道南河渠志

〔臣等謹按〕吴道南河渠志指潮河川爲白河亦誤，此乃潮河上源，非白河也。今潮、白二河至密雲縣東南始合，其故道則合流於順義之牛欄山，又密雲下游矣。

〔又按〕據大清一統志及永定河圖册，桑乾河發源山西寧武府神池縣，伏流至大同府馬邑縣雷山之陽，七泉並湧，合流爲一，經宣化府保安州界，又經宛平縣西南。自盧溝橋以上尚稱桑乾，自橋以下入千里長堤，今賜名永定河，其上流與白河中間相距百餘里，迴不相及。此條乃云與七渡、桑乾諸河合，名曰白河，舛謬殊甚。又今

永定河下游直至天津之丁字沽，俗所稱三汊河者，始與白河、衛河會，從此入海。三汊河以上皆不與白河合，謹并識以備考。

【原】霧靈山在密雲縣東北二百里，距邊四十里，即水經注孟廣硎山也。（方輿紀要）

【原】孟廣硎水出硎下，硎甚嶒峻，峨峨冠衆山之表。（水經注）

〔臣等謹按〕以上各條叙曹家路之霧靈山一帶，今爲馬蘭鎮所轄。

【原】牆子路關砦二十一，東自魚子山，西至大黄崖口，延袤二百三十一里。鎮魯營下關砦五：魚子山砦、熊兒谷砦、南水谷關、北水谷關、灰谷口砦，（俱洪武年建。）邊城一百四十五里，空心敵臺十座。牆子嶺下關砦六：黄門口關、南谷砦、牆子嶺關、磨刀谷砦、（俱洪武年建。）小黄崖關、大黄崖關，（俱永樂年建。）邊城八十六里，空心敵臺六十九座。（四鎮三關志）

【原】由峨嵋山砦十五里至魚子山砦，桃園墩、南北順墩、大青山、嶺墩、窑墩等處，平漫通騎。又二十里至熊兒峪，正關水口稍通人馬，其餘墩空止通單騎。又二十里至南水谷，正關水口平漫通騎，衝。又八里至北水谷，正關水口并挂弓頂、卧狗嶺，三空通單騎衝，餘通步。又十里至灰谷口、腰子石，墩空通單騎。（三鎮邊務總要）

【原】鎮魯營在牆子嶺南三十里，有新舊兩城，其東有魚子山堡，西北與熊兒谷相接，東入平谷縣境。（方輿紀要）

原弘治七年八月，整飭薊州邊備都御史屠勳奏：故豬圈頭關平漫難守，關之北三里曰北水谷，南八里曰南水谷。成化中各因山增設二關，險要可守，但區畫未備。請於二關内加修城垛增立墩堡。從之。明孝宗實録

原由灰谷口十二里至黄門口關，正關水口平漫可通大舉，又松嶺墩空亦可通騎。又十里至南谷砦，正關河口平漫可通大舉。又防秋墩空亦可通騎。又八里至牆子嶺，關外通大川寬漫，内南高墩并窩舖嶺及正關月城河口俱衝。又一里至磨刀谷，正關水口通牆子嶺大川，并大小尖山墩空平漫通大舉。又三十里至小黄崖關，正關河口可通單騎。又十二里至大黄崖關，正關通單騎，餘通步。三鎮邊務總要

原牆子嶺在密雲縣東北古北口之東南，嘉靖二十四年，諸音二十萬騎潰此而入，大掠通州及順義、三河諸縣。四十二年，諳達復由此入。其東北爲磨刀谷，嘉靖中嘗失守。方輿紀要

原牆子嶺距密雲縣七十五里，城周一里三百一步四尺，三門，參將提調各一人守之。有水關，水東流至石匣南入於潮河。崇禎十一年失守，總督侍郎吴阿衡死焉。昌平山水記

原自牆子嶺而東十六里曰城子谷，又東五里曰響水川，又東有陡子口、李家莊、青羊嶺、三岔口諸處。方輿紀要

〔臣等謹按〕以上各條皆敍牆子路，今隸密雲縣境。

欽定日下舊聞考卷一百五十三

邊障

原古北口路關砦一十八，東自盧家安砦，西抵鼇房谷砦，延袤九十五里。古北口下關砦九：盧家安砦、鴉鶻安砦、司馬臺砦、丫髻山砦、沙嶺兒砦、甎垛子關、龍王谷關、師坡谷關、古北口關。俱洪武年建。邊城五十五里，附牆臺一座，空心敵臺八十四座。潮河川下關砦八：潮河第一砦、第五砦、第六砦、潮河川關、第七砦、弔馬谷砦、陡道谷砦、鼇房谷砦。俱洪武年建。邊城九十二里，空心敵臺二十七座。四鎮三關志

〔臣等謹按〕古北口順治初年設都司一員，康熙三十二年移提督駐劄。

原由將軍臺十里至盧家安砦，又三里至鴉鶻安砦，山俱險，通步。又四里至司馬臺隘口通單騎。又六里至丫髻山，又三里至沙嶺砦，又三里至甎垛子關，又六里至龍王谷，又十里至師坡谷，又十里至古北口，俱外通大川，各墩空俱通騎，極衝。三鎮邊務總要

原後梁乾化三年三月，晉將劉光濬克古北口，燕居庸關使胡令圭等奔晉。通鑑

原遼神册六年十一月，下古北口。遼史太祖紀

原統和四年十二月，以古北、松亭、渝關征稅不法，致阻商旅，遣使鞫之。遼史聖宗紀

原宋太宗謂宰相曰：幽州四面平川，無險固可恃，難於控扼。異時收復燕薊，當於古北口以東據其要害，不過三五處，屯兵設堡，自絕南牧矣。宋琪對曰：范陽是前代屯兵建節之地，古北口及松亭關、野狐門三路並立堡障，至今石壘基堞猶存。將來平定幽朔，止於數處置戍可也。太平治迹統類

原金天輔三年，布希敗宋兵於古北口。金史太祖紀

原太祖入居庸關，遼林牙耶律達什自古北口亡去。金史鈕祜祿罕努傳　按：鈕祜祿舊作粘割，今從八旗姓譜改正。罕努舊作韓奴，今對音譯改。

原遼兵屯古北口，宗翰使博勒和將兵二百擊之，琿楚亦將二百人爲後援。琿楚聞遼兵衆，請益兵，宗翰欲親往，希尹洛索請行。琿楚至古北口，遇遼游兵，逐之入谷中，遼步騎萬餘追戰，死者數人。琿楚據關口，希尹等至，大破遼兵，斬馘甚衆。金史完顏希尹傳　按：琿楚，滿洲語冰牀也，舊作渾黜。洛索義見前，舊作婁室。今俱譯改。

原宗翰在北安州，將會舍音於奚王嶺，遼兵奄至古北口，奮擊大破之。金史巴爾斯傳　按：舍音，滿洲語色白也，舊作斜也，巴爾斯義見前，今俱譯改。

原實古納追蕭妃至古北口。金史博勒和傳

原温特赫阿嚕岱以兵四千屯古北口，薊州石門關等處，各以五百人守之。斡罕收合散卒萬餘人，時時出兵侵蘇嚕克、古淀、古北口、興化之間。金史斡罕傳 按：阿嚕岱，蒙古語山陰也，舊作阿魯帶。斡罕，滿洲語袖頭也，舊作窩斡。蘇嚕克，蒙古語牧羣也，舊作速魯。今俱譯改。

原大定二年六月戊寅，詔居庸關、古北口譏察遼人。己卯，詔守禦古北口及石門關。八月，萬户温特赫阿嚕岱與奚戰於古北口，敗焉。金史世宗紀

原泰和五年八月，築古北口東陘二城。大金國志

原大安三年，總管萬户奎騰屯古北口。金史衛紹王紀 按：奎騰，蒙古語冷也，舊作佤頭。今譯改。

原貞祐二年六月，潮河、白河溢，漂古北口、鐵裹門關至老王谷。金史五行志

原元中統二年十月，詔平章政事塔齊爾率軍士萬人由古北口西便道赴行在所。三年閏月，立古北口驛。四年正月，罷古北口新置驛。元史世宗紀

原天曆元年九月，上都兵入古北口，將士皆潰。其知樞密院事準台以兵掠石槽。雅克特穆爾遣薩敦倍道趨石槽，掩其不備擊之。雅克特穆爾大兵繼至，轉戰四十餘里，至牛頭山，降者萬人，餘兵奔竄，夜遣薩敦出古北口逐之。元史文宗紀

原至正二十四年三月壬寅，圖沁特穆爾兵入居庸關，甲辰，皇太子率侍衛兵出光熙門，東走古北口，趨興松。元史順帝紀

原明洪武二十二年，命燕王出師古北口，襲鼐爾布哈於迤都降下之。明太祖實録　按：鼐爾，蒙古語和也，布哈義見前，舊作乃兒不花。今譯改。

原永樂八年正月，塞古北口小關及大關外門，僅通一人一騎。明成祖實録

原嘉靖二十九年，諳達入侵，官軍禦之於此。諳達別遣精騎走間道，從關左黃榆溝出師後，官軍遂潰。自古北口至京師才七舍，漫衍無衞戍瞭望，諳達長驅而南，京師大震。既而復循諸陵而北，東循潮河川，由古北口出。關口兩厓壁立，中有路僅容一車，下有深澗，巨石磊砢，凡四十五里，乃險絶之道也。方輿紀要

原古北口，水淺則絶潮河，水大則紆迴從山頂行，故石匣至古北口計程爲六十里也。宋沈括言：自金溝館東北行，乍原乍隰，三十餘里，至中頓，過頓屈折北行峽中，濟灤水，通三十餘里，鉤折投山隙以度，所謂古北口也。時道出其西，故云。然其曰灤水，卽今之潮河也。古北口城在山上，周四里三百一十步，三門。洪武十一年立守禦千户所。三十年，改密雲後衞，領左右中前後五千户所，其後以參將一人守之。唐書：檀州燕樂縣有東軍、古北二守捉。北口，長城口也。又北八百里有都古爾濟河，奚王牙帳也。金史：古北口，國言曰瑠和嶺。元史：古北口千户所於檀州北面東口置司。唐莊宗之取幽州也，遣劉光濬克古北口。遼太祖之取山南也，先下古北口。金之滅遼，希尹大破遼兵於

古北口。其取燕京也，布希敗宋兵於古北口。元文宗之立也，唐其勢屯古北口，薩敦追上都兵於古北口。圖沁特穆爾之入也，太子出光熙門，東走古北口。嘉靖中，諳達之犯京師也，入古北口，出古北口。故中居庸、山海而制其阸塞者，古北、喜峯二口焉。城北門外有楊業祠。業以雍熙中爲雲州觀察使，遼陷寰州，遇於雁門北陳家谷，力戰不支，被擒，不食三日死，忠矣。然雁門之北口，非古北口也，祠於斯者，誤也。昌平山水記　按：都古爾濟，蒙古語盈滿也，舊作吐護真。瑠和，滿洲語海白魚也，舊作留斡。今俱譯改。

原自檀州北行八十里，又八十里至虎北口館。使遼行程記

〔朱彝尊原按〕古北口亦名虎北口，而太原汾水之北亦有虎北口。通鑑：石晉天福元年，遼主至晉陽，陳於汾北之虎北口。開運二年，趙延壽部曲降者言遼主還至虎北口，聞晉取秦州，復擁衆南向。是太原之虎北口也。

原古北口兩旁峻崖，中有路僅容車軌。口北有舖，彀弓連繩，本范陽防阸遼之所，最爲隘束。出口度得勝嶺，盤道數層，俗名思鄉嶺。八十里至新館，過雕窠嶺、偏槍嶺，四十里至臥如來館。王文正上遼事

原幽州之地沃野千里，北限大山重巒，中有五關，居庸可以通大車通轉餉。松亭、金坡、古北口止通人馬，不可行車。外有十八路盡兔徑鳥道，止能通人，不可行馬。許奉使行程録

【原】古北口城雄據山頂，蓋徐武寧所經略也。（荊川集）

【原】古北口僧寺刻宋蘇文定轍古北口道中詩云：亂山環合疑無路，小徑縈迴長傍溪。髣髴夢中尋蜀道，興州東谷鳳州西。宋史：元祐間，轍嘗代軾爲翰林學士，尋權吏部尚書，使遼。館客者侍讀學士王師儒，能誦洵、軾之文及轍茯苓賦，此蓋奉使時所題也。（塞北小鈔）

【補】參將魏祥死節於石塘，嘉靖丙申，勅建祠於古北口大石山之陽。（黄圖雜志）

【原】由古北口關五里至潮河第一砦，邊外大川各墩空俱平漫通騎，極衝。又三里至第五砦，邊外大川各墩空俱平漫，極衝，惟柏楂山險。又一里至第六砦，邊外大川惟箭口安高險不通騎，其黄榆墩係嘉靖庚戌諳達入犯處。又一里至潮河川關，邊外大川各墩空俱通騎，極衝。又三里至第七砦，又八里至弔馬谷，又三里至柞子谷，又十里至陡道谷，又八里至蠶房谷，山俱險，通步。（三鎮邊務總要）

【原】潮河川守禦千户所，有關，河自塞外興州發源，入古北口，西南經密雲、懷柔至牛闌山，與白河合，其寬處可一二里。昔人斫大樹倒著川中，狹處僅二三丈，以巨木爲柞，其外縱横布石以限戎馬。此漢郎中侯應所謂木柴僵落谿谷水門者。然水性湍急，大雨則諸崖之水奔騰而下，漂木走石，當歲歲修治。又所云功費久遠，不可勝計也。川之兩旁築垣立臺，東臺下有鐵門關，爲出入道，常扃鑰不開。而臺上有樓，總督大臣以撫賞涖焉。關外爲夾牆，撫夷魚貫而前，受賞於闕下，軍士列兩山上，伐鼓吹角以震讋之。下有小城曰北關營，二門，而川口東南有小城曰潮河川堡，亦二門，守備一人守之。臺之東西因山爲城，參差曲折，千里不絕。其衝處則建空心敵臺，高或三四丈，廣或十四五丈。凡衝處或四五十步一臺，緩處或二百步一臺，每臺百總一人主殺敵，臺頭副二人主輜重。五臺一把總，十臺一千總，皆以南兵充之。每一二里鈴柝相聞爲一墩，每墩軍五人主瞭望。每路傳烽官一人，有警舉烽，左右分傳，數百里皆見，應速而備豫，大抵皆戚少保繼光之遺畫也。昌平山水記

原 潮河在密雲縣東南，自古北口流入縣界，西南流至順義縣，合于白河。方輿紀要

〔臣等謹按〕顧祖禹方輿紀要所稱乃潮白故道，今則於密雲東南合流矣，詳見前。

原 元中統二年十月，指揮使李伯祐率餘兵屯潮河川，十一月，分蒙古軍爲二，克呼木從麥肖出居庸口，駐宣德德興府，諾海從阿固岱出古北口，駐興州。帝親將諸萬户漢軍及武衛軍由檀、順州駐潮河川。元史世祖紀 按：克呼木，蒙古語牆也，舊作怯烈門。諾海，蒙古語犬也，舊作訥懷。阿固岱，蒙古語寬也，舊作阿忽帶。今俱譯改。

原 至和元年八月，薩里從知院托克托穆爾至潮河川，獲鄂勒哲巴圖爾阿達奇等十二人。元史本傳 按：薩里義見前，舊作徹里。巴圖爾，蒙古語勇也，舊作八都兒。阿達奇，滿洲語鄰也，舊作愛的斤。今俱譯改。

原 明弘治八年十月，命兵部右侍郎王宗彝同工部左侍郎徐貫、都御史屠勳詣黃花鎮抵居

庸一帶邊關，看驗地形，平坡隘口應修治處所奏聞。十二月，宗彝等奏：按視潮河川形勢，河口東西寬百七十餘丈，地皆流沙，土脈不堅，城之不便，惟宜增兵戍守。其響水谷以東直抵古北口一帶，墩座稀少，請於内各添設大墩一，每墩闊十二丈，高三丈，上置草屋，下挑濠塹，遣諜者分班瞭望。從之。明孝宗實録

原 巡撫洪鍾議以古北口東三里許二砦三砦間，其山外高内低，約餘二丈，鑿爲兩渠以殺水勢。復於口外砌石堰，使水由川中行，仍於堰内築外關一座，以防寇衝。詔從之。議者謂於柏楂山築牆，則川在牆内，鑿之無益。或又言，潮河川古道門外有蜂窠嶺，增墩濬川，設橋其間，可防衝突。許論則謂潮河川係殘元避暑故道，設橋則浮沙難立，爲塹則漲水易淤，若多建石墩，列川中，錯綜宛轉，令不礙水路，亦備禦之一法也。方輿紀要

原 弘治十三年，和碩自大同深入，乃分遣大臣戍此。同上 按：和碩，滿洲語隅也，舊作火篩。今譯改。

原 弘治十四年七月，都御史洪鍾奏潮河川功成，上勅司禮監太監李璋、工部右侍郎張達閱視。八月，達等勘事回，言鍾所鑿石洞，上寬下狹，僅泄小水，夏秋水溢石墮，仍循古道。其稱得地數百頃，亦近邊牆，地多沙石，耕種非宜。若其修築川内大小石城邊牆墩堡，具有成績，其用心亦可嘉也。上命兵部看詳以聞。於是兵科都給事中屈伸劾鍾欺罔之罪，而六科十三道齊劾奏鍾并及張達。罰鍾俸三月，宥達勿問。明孝宗實録

原弘治十八年六月，設潮河川新營於古北口外關，調古北、潮河二營戍守。明武宗實録

原嘉靖三十二年，經略侍郎楊博上言：潮河川西山野猪嶺墩起，至猪觜砦後崖止，計長四百一十五丈，中間岡勢坦漫，豁峴五處，臣今議於川内創築小石城六座，每城内各築一墩。自北而南，三城儼如棋布；自南而北，三城宛如星羅。分屯勁兵，令其隱現避擊。又議於川西山野猪嶺墩起至猪觜砦河口墩迤北石崖止，剏修横城一道。明世宗實録

補徐武寧王之入燕都也，順帝夜開健德門北奔，太子率侍衛兵出光熙門，東走古北口，趨興松。順帝駐應昌府一年而殂，國人謚曰惠宗。太子嗣立，改元宣光，凡十一年，謚曰昭宗。歴代建元考

〔朱昆田原按〕順帝北走駐應昌，太子阿裕爾錫哩達喇嗣立，徙和林，改元宣光。高麗稱爲北元，辛禑嘗奉其年號。時洪武十年也。明年都塔濟特穆爾立北元，遣使告高麗，繼又以改元天元告高麗，具見鄭麟趾高麗史。則繼順帝而建元者非止宣光矣。按：都塔濟，蒙古語缺欠也，特穆爾義見前，舊作豆叱仇帖木兒。今俱譯改。

補宋初，自雄州東際於海多積水，議者以爲宜度地形高下，建阡陌，濬溝洫，所以實邊廩而限戎馬。今潮河川一帶何不仿此遏水爲陂，則所防止冰堅時爾。谷水談林

增聖祖御製古北口詩　斷山踰古北，石壁開峻遠。形勝固難憑，在德不在險。

增乾隆六年御製古北口閱提標兵士詩　嗚騶出天府，停轡駐雄關。雁避彎弓士，熊羅執戟班。堂堂陣方勁，赳赳技皆嫻。詎弛忘危念，猶思守德艱。

增又御製入古北口詩　羽蓋騤騤度玉關，三秋巡狩薄言還。愛看綠麥鋪平甸，漫憶黄羊遍塞山。

增乾隆十年御製出古北口詩　棲山駕海帶秦邊，拓抱中原迥近霄。此日無煩誇地險，當年見説控天驕。金甌詎恃一丸固，玉燭恒慚六幕調。來往巡農兼閱武，萬年家法仰神堯。

增乾隆二十一年御製出古北口詠古詩　夜雨朝晴候，襟燕帶塞關。邊哉綿萬里，壯矣據千山。豈復藩籬固，誰知肘腋間。鬼工猶覺費，民力信其艱。此日資耕鑿，行秋每往還。不隨今古變，一片嶺雲閒。

增乾隆三十七年御製出古北口卽事詩　東方曉日萬峯明，山路盤旋策馬行。巖堞軸頽半有址，市鄽櫛比永無征。凡關皆有征税，惟古北口不設榷司，遵皇祖遺制也。旅人那慮漸石濘，農父偏欣曬麥晴。讓水卽爲治水策，費財奚事築邊城。古北口邊牆，緣山跨水以築，潮河穿水門入，庚寅夏大雨數日，河漲數丈餘，奔騰突激，繚垣及城闉皆毁於水。以其爲經途觀瞻所繫，發衡緡繕完之。辛卯秋，霖又盛，河漲如前，新繕垣復圮。迨出口臨閲，察其故，蓋邊牆踞河上，正當其衝，河流既移逼城根，非可人力爭禦。若屢陁屢葺，雖無力役勞民之事，而糜金錢，疲工作，非計也。至於遏其勢，致横溢傷民廬，益非計也。且今中外一家，關以外尚隸畿輔，又安藉此防邊爲！北門固屹然壯觀，餘堞本無所輕重。因命視牆峙處結築磩臺，以具規制，闕者委之於河，使其暢流順軌。行水之智，貴乎因勢利導，讓之乃所以治之。然於此正可，若夫内地民稠之處則又不可。

〔臣等謹按〕古北口御製詩，謹繹有關紀述事實者恭載卷内，餘不備録。

原 蘇轍古北口詩 獨卧繩牀已七年，往來殊復少情緣。魂歸故國鳥飛處，身在中原山盡邊。梁市朝回塵滿馬，蜀江春近水浮天。枉將眼界疑心界，誰信逍遥物外篇！欒城集

原 倪敬古北口詩 虎豹森嚴雉堞牢，亂山如戟入雲高。驅車直上西岡頂，沙漠依稀見白旄。月樓稿

原 唐順之古北口作 諸城皆在山之坳，此城冠山如鳥巢。到此令人思猛士，天山萬里鳴弓弰。荆川集

原 董穀塞上曲 洗劍潮河冰滿川，彎弓古北雪封韉。將軍好著燒荒令，莫遣花當輒近邊。豢龍子集

原 湯顯祖送人從軍詩 鵶鶻盤雲秋氣清，長川飲馬暮嘶聲。新穿繡甲花褸子，知是潮河第一營。玉茗堂集

原 李夢陽詩 孤蓬絶塞口，匹馬戍程前。跨迴烟墩直，緣危石棧連。飛雲下獨石，逝水入潮川。舊對張軍帥，題詩醉菊天。空同集

原 許倓塞上曲 古北關前月似霜，石塘嶺下塞雲黄。鳴笳夜半邊聲起，不是征夫也斷腸。西峪集

〔臣等謹按〕以上各條皆叙古北口路，今隸密雲縣境。

原 由潮河川營至石匣營四十里，石匣營至白馬關四十里，白馬關至石塘嶺營四十

里。三鎮邊務總要

原密雲新城東北六十里爲石匣城，城周四里二百六十四步三尺，四門。城西平地有石如匣，深不可劚，故以名。其驛，自會同館東北六十里爲順義驛，七十里爲密雲驛，六十里爲石匣驛。先置在今城南里許，宣德四年，密雲中衛奏爲河水所嚙，徙焉。弘治十七年築城。自石匣城東北行十里爲要亭舖，入山又十里爲新開嶺，又十里爲老王店。金史，貞祐二年，潮河溢，漂古北口鐵裹門關至老王谷者，此也。昌平山水記

原正德十年五月，巡關御史張鰲山陳邊防事宜，謂密雲北去古北口關各百里，西去黄花鎮百五十里，遇警應援不能及。惟石匣營爲適中，請添設副將，駐劄操備。提督侍郎陳玉議以爲不必添設。明武宗實録

原石匣營距密雲縣治六十里，洪武中建土城，嘉靖中增築石城，屹然遂爲一巨鎮矣。長安客話

〔臣等謹按〕以上各條皆叙石匣營。

原石塘路關砦二十三，東自陳家口，西抵亓連口，延袤二百五十里。白馬關下關砦十一：陳家口關、東駝谷關、西駝谷關、左二關、響水谷關、白馬關、划車嶺砦、白崖谷關、馮家谷關、營城嶺關、黄崖口關。俱永樂年建。邊城一百五十五里，空心敵臺三十六座。

石塘嶺下關砦十二：石塘嶺關、東石城關、西石城關、東水谷關、大良谷砦、白道谷關、牛盆谷關、小水谷關、大水谷關、河坊口關、神堂谷關、亓連口關。俱永樂年建。邊城九十二里，附牆臺三座，空心敵臺五十九座。四鎮三關志

原由蠶房谷十里至陳家谷横嶺北平漫，通單騎。又五里至東駝骨關，北平南險，通單騎。又十里至西駝骨關，正關并迤東墩空通騎，衝。又三里至左二關，正關通騎，極衝，餘通步。又十里至響水谷，通步。又十里至白馬關，正關河口通連騎，極衝，紅土谷并莊窠谷通單騎，餘通步。又三里至划車嶺，正關平漫，通單騎，今改修邊堡。又十里至白崖谷通步。又十二里至馮家谷，正關并迤西六墩空俱通單騎，衝。又二十里至營城嶺，山險，止通步。又五里至黄崖口關，正關通單騎，衝。鮎魚石墩空通單騎，餘通步。三鎮邊務總要

原白馬關在石塘嶺東北四十里，東去潮河川九十里，有城，有水關。關北七十里有湯河，又北百里爲滿套兒，要衝也。自湯河上稍正南行，順白河至石塘嶺，可二百里，山惡水深，稱爲天險。方輿紀要

原白馬關相近有高家堡。萬曆中諾音侵石塘嶺，攻白馬關及高家堡，官軍禦卻之。邊防考

原由黄崖口關五里至石塘嶺，正關河口寬敞，通人馬。其關東石門墩夏秋水大河口坳馬

難行，打虎安、老鵶嶺、三空墩亦可通馬，餘山險通步。又三里至東石城，又二里至西石城，正關俱通單騎，餘通步。又四里至東水谷關，正關通單騎，東西南山俱陡。又十五里至大良谷，兩山陡峻，通步。又三里至白道谷，通步不通騎。又五里至牛盆谷，通步。又五里至小水谷，山險，通步。又七里至大水谷，正關口并東山崖通單騎，餘通步。又五里至河防口，通大川，正關河口并東西兩山墩空俱衝。又十五里至神堂谷串條子墩空通連騎，極衝，餘通步。又二十里至亓連口，通大川，正關水口寬漫，通連騎，極衝，黄草窪南山墩東敵臺三空通單騎，迤西各墩空通步。三鎮邊務總要

原 石塘嶺之陰有崖，儼如鳥形，緑羽紅喙，舊呼鸚鵡崖。長安客話

原 大水谷河源出塞外，歷懷柔、順義界至孫家莊東北，合黄花鎮川河。昌平山水記

原 大水谷關在懷柔縣東北三十里，北去密雲縣之石塘嶺四十里，有城，旁地平坦。其北十八里曰段伏嶺，又有安子嶺在口北八十餘里，皆防禦處。方輿紀要

原 河防口關在縣東北亓連口東，第二關口也。口外爲連雲棧，又北爲沙嶺兒，隘窄不容馬，防守較易。同上

原 亓連口關在縣北黄花鎮東，第十一關口也。其東北二十八里有三角城，本名三角村，徐達敗元於此。同上

〔臣等謹按〕以上各條皆叙石塘路，今隸密雲縣境。

原薊昌先本一鎮，嘉靖三十年始分爲二，設提督都督一員，護視陵寢，防守邊關，遂爲昌鎮。長安客話

〔臣等謹按〕薊昌二鎮今俱裁。

原自山海關而西，薊鎮領之。邊城凡一千四百七十四里，城堡七十一座，附牆臺一百四十六座，敵臺一千九十五座，主兵七萬三千五百六十二名，客兵五萬七千五百七十三名。自居庸關而東，昌鎮領之。邊城凡二百八十二里，城堡一十三座，附牆臺三十九座，敵臺二百三十七座，主兵一萬七千七百四十四名，客兵一萬三千一百七十九名。明之邊防固矣。其後李自成取徑居庸，如入無人之境，始信設險之不足恃也。籌記

補昌平設有總兵，東歷東山口迄黄花鎮，西歷南山口迄鎮邊城，若左右翼之衞腹心然。陵後柳溝南控長陵，北鎮獨石，東歷四海冶，西歷岔道，又若左右腋之擎後背然。向設南山兩協，一住柳溝，一住榆林，布置頗密，惟是兩協勢不相下，恐畫地自委。今議改協爲鎮，總兵仍住柳溝，居中調度。改東協爲左翼，住四海冶，以防陵東，與黄花鎮策應。改右協爲右翼，仍住榆林，以防陵西，與鎮邊城策應。有警則宣鎮總兵堵禦外邊，陵後總兵防守内邊，又與陵前總兵聯絡，於東西紅山各口，天壽宛在中央，若泰山而四

維之矣。保邦十策

〔臣等謹按〕以上各條總叙昌平一帶關砦。

【原】黃花路東自慕田峪西至棗園砦，延袤一百八十里，隘口一十七。渤海所下隘口七：慕田峪關、永樂二年建。賈兒嶺口、嘉靖十五年建。田仙峪砦、永樂二年建。擦石口、嘉靖二十三年建。磨石口、驢鞍嶺口、俱永樂三年建。大榛峪口。永樂年建。邊城八十一里半，附牆臺四座，空心敵臺四十四座。黃花鎮下隘口十：南冶口、永樂二年建。大長峪口、小長峪口、俱永樂年建。本鎮口、嘉靖十七年建。鷂子峪口、嘉靖二十三年建。撞道口、永樂二年建。石湖峪口、正德八年建。西水峪口、石城峪口、棗園砦口。俱永樂年建。邊城五十五里半，附牆臺二座，空心敵臺二十九座，戰臺四座，因陵寢重地，有警屯駐，戰兵特設。四鎮三關志

【原】由亓連口十里至慕田峪關，正關并迤西王家坨、燈干嶺、榨子墩、劉家項分界墩、胡思谷至界牌石止，各墩空俱山形平漫，外臨大川，極衝。又五里至賈兒嶺，界牌石迤西安寧臺、大管仲渠至德勝臺止，內險外平，牽馬可上，餘通步。又三里至田仙峪山險，有溝一道，置水關，緩。又十五里至擦石口山險，有溝一道，外通梨樹坨，置有城濠可守。又十里至磨石口，惟二道關并東山墩空及水口衝要，通馬，其大安家坨迤西嵐兒谷各山，險，通步。又五里至驢鞍嶺，內險外平，又五里至大榛峪，正關外通四海冶，東谷、阜箭石、東山墩、雪山墩俱通單騎，餘山險稍緩。又十里至南冶口，通步。又三里至大長峪

堡，山險，通步。又二十里至小長峪堡，山形雖下，外險，止通步。又五里至本鎮口頭道關，其二道關通四海冶來騎，三道關往西南道路寬漫，通衆騎，極衝。又六里至鷂子峪堡，牆外寬平通衆騎，極衝，其南北山墩二空皆山險，通步。又三里至撞道口，内窪外阜，受敵，極衝。其桃園東西墩空，通步，緩。又二里至石湖峪，山險，不通騎。又三里至西水峪，外通永陵南山謊礅兒并韓家川通大舉，極衝。又二十五里至石城峪，卽榆林溝東西平安地方棗園砦二處係禁山，多林木，外通白龍潭，可行單騎。又五里至棗園砦，卽驢兒坨，迤東係禁山，緩。（三鎮邊務總要）

【原】慕田峪，城三門，守備一人守之。自此以東皆單邊，自此以西皆重邊也。渤海守禦千户所，城三門，距黄花鎮城三十里，距昌平州一百里，其西小長峪堡有鑛洞，嘉靖三十六年封閉。（昌平山水記）

【原】慕田峪在州東北百有五里，其西南有城，設官軍戍守。萬曆初移渤海所於慕田峪關。（方輿紀要）

【原】渤海新舊營城二座，嘉靖二十七年建城，有渤海倉。（四鎮三關志）

【原】嘉靖中，許論上言：渤海所當山陵之北，其間有蘇家口，實爲阨塞之地。自此直抵通州張家灣，凡百十里，由張家灣至通州北塞籬村四十里有白河，水深没馬，可據爲守。惟塞籬村至蘇家口七十里地形平漫，每爲敵衝。若密築敵臺，界之以牆，使京師有重關

之險，策之得也。從之。邊庭碩畫

原黃花鎮爲京師北門，東則山海，西則居庸，其北隣四海冶，極爲緊要之區。故弘治中遣總制嚴蘭經略東西諸關。長安客話

原黃花鎮以東，歷密雲、馬蘭、太平、燕河，屬於山海，謂之東關。以西歷居庸、白羊、紫荆、倒馬，屬於龍泉，謂之西關。方輿勝略

原黃花鎮距州北八十里，城三門。元史，黃花鎮千户所於昌平縣東口置司者也。以參將一人、守備一人守之。景泰中，又設内官守備。嘉靖四十年革。鎮城直天壽山之後，當居庸、古北二關之中，而北連四海冶，昔人所謂擁護山陵，勢若肩背者。其水曰黃花鎮川，河出塞外，自二道關入口，逕渤海所、懷柔至順義界，入白河，其流九曲，俗謂之九渡河。城北有碧霞元君廟，其殿西有二松，相去四五尺，而上枝樛曲相穿，遂合爲一，名曰交松。城西有垣一重，曰頭道關，再重曰二道關。昌平山水記

原黃花鎮城一座，景泰四年建城，有黃花倉。四鎮三關志

原章士雅黃花鎮詩　萬里黃雲百二關，九陵烟樹接羣山。王庭遠徙邊塵淨，征馬蕭蕭白日閒。長安客話

補李夢陽黃花鎮詩　往年趨北路，今繞泰陵西。晝黑垂蘿密，山青禁木齊。獨僧攀杪出，怪鳥趁陰啼。寂寞黃花堞，遙臨古塞溪。空同集

〔臣等謹按〕以上各條皆叙黃花鎮路。

欽定日下舊聞考卷一百五十四

邊障

原居庸關，洪武元年大將軍徐達建。城跨兩山，周一十三里，高四丈二尺。關東自西水峪口黄花鎮界九十里，西至鎮邊城堅子谷口紫荆關界一百二十里，南至榆河驛宛平縣界六十里，北至土木驛宣府界一百二十里。四鎮三關志

原何謂九塞？大汾、冥阨、荆阨、方城、殽、井陘、令疵、句注、居庸。吕覽 淮南子同，大作太，冥作澠，殽下有坂字。

補太行首始河内，自河内至幽州凡有八陘。述征記

補八陘：一、軹關陘，二、太行陘，三、白陘，四、滏口陘，五、井陘，六、飛狐陘，七、蒲陰陘，八、軍都陘。同上

原居庸亦謂之冷陘。問次齋稿

補居庸亦曰冷陘，陘又作硎。新唐書，孫佺爲幽州都督，率兵十二萬討奚李大酺，分三

屯，以副將李楷洛、周以悌領之，次冷硎，楷洛與大酺戰不勝，是也。稼堂雜抄

原居庸在上谷沮陽之東，通軍都關。淮南子注

原關在沮陽城東南六十里，居庸界，故關名矣。使者入上谷，耿況迎之於居庸關，卽是關也。其水導源關山南流，歷故關下。谿之東岸有石室三層，其户牖扇扉悉石也，蓋古關之候臺矣。南則絶谷，累石爲關址，崇墉峻壁，非輕功可舉。山岫層深，側道褊狹，林障據嶮，路才容軌。曉禽暮獸，寒鳴相和。羇官遊子，聆之者莫不傷思矣。其水歷山南逕軍都縣界，又謂之軍都關。續漢書曰：尚書盧植隱上谷軍都山也。其水南流出關，謂之下口，水流潛伏十許里，是也。水經注

原漢志有軍都、居庸兩縣，蓋縣各有關。按蘇林注，但言居庸有關而軍都則否，蓋北魏時曾分置兩關爾。通鑑注

原晉咸康六年，慕容皝帥諸軍入蠮螉塞，直抵薊城。永和六年，慕容儁使慕容霸將兵二萬自東道出徒河，慕輿千自西道出蠮螉塞。又太元十年，慕容垂遣慕容農出蠮螉塞。蠮螉卽居庸音轉耳。方輿紀要

原北齊改居庸關爲納款關。通典

原幽州昌平縣西北三十五里有納款關，卽居庸故關，亦謂之軍都關，古夏陽川也。新唐書志

原媯州懷戎縣東南五十里有居庸塞，東連盧龍、碣石，西屬太行、常山，實天下之險。同上

原居庸關亦名薊門關。十道志

原幽州昌平縣北十五里有軍都陘。通鑑注

原會昌五年，詔毀天下佛寺并勅僧尼歸俗。五臺僧多奔幽州。李德裕以責幽州帥張仲武。仲武封二刀付居庸關曰：有遊僧入境，則斬之。通鑑

原太行山南自河陽懷縣迤湟北出直至燕北，無有間斷，此其爲山不同他地，蓋數千百里自麓至脊皆險峻不可登越，獨有八處粗通微徑，名之曰陘。居庸關者，其最北之第八陘也。此陘東西横亘五十里，而中間通行之地才闊五步。北邊備對

原李英上書高琪曰：中都之有居庸，猶秦之崤函，蜀之劍門也。金史本傳

原關在昌平西北四十里，元翰林學士王惲謂始皇築長城，居息庸徒於此，故以名焉。呆齋稿

補居庸關，世傳始皇北築時居庸徒於此，故名。兩山巉絶，中若鐵峽，控扼南北，實爲古今巨防。中堂事記

原居庸關南口有城，南北二門，魏書謂之下口。常景傳：都督元譚據居庸下口。是也。北齊書謂之夏口。文宣紀：天保六年築長城自幽州北夏口至恒州九百餘里。是也。元史謂之南口，亦謂之西關。三國志：田疇乃上西關出塞，傍北山直趨朔方。是也。亦謂之

軍都關。漢立軍都縣於山之南，今州東四十里有軍都村。後漢盧植隱居昌平軍都山中，昭烈修弟子禮事之。晉段匹磾欲擁其衆徙保上谷，阻軍都之險，以拒末波。魏道武伐燕，遣將軍封真等從東道出軍都襲幽州，是也。亦謂之渾都。史記絳侯周勃世家：屠渾都。是也。亦謂之納款關。通典：古居庸關在昌平縣西北，齊改爲納款。是也。自南口而上，兩山之間一水流焉，而道出其上。十五里爲關城，跨水築之。有南北二門，以參將一人、通判一人、掌印指揮一人守之。又設巡關御史一人，往來居庸、紫荆二關按視焉。城之中有過街塔，臨南北大路，累石爲臺如譙樓，而竅其下以通車馬。上有寺名曰泰安，正統十二年賜名。下竅處刻佛像及經，有漢字亦有番字。元泰定三年所鐫也。果囉洛納延詩序言，關北五里有勅建永明寶相寺，宮殿甚壯麗，三塔跨於通衢，車騎皆過其下，今蓋亡其二矣。又八里爲上關，有小城，南北二門。昌平山水記

補 居庸關過街塔城，歐陽元功奉勑撰碑，賜白金五十兩。說學集

增 關門南北相距四十里，今有南口、北口兩千户所。兩山夾峙，下有巨澗，懸崖峭壁，稱爲絶險。地理志：居庸東連盧龍、碣石，西屬太行、常山，實天下之險。方輿紀要

原 南口門堡城一座，上關城一座，俱永樂二年建。四鎮三關志

原 建武十五年，徙雁門、代郡、上谷三郡民置常山、居庸關以東。後漢書光武帝紀

原 安帝元初五年冬，鮮卑入上谷，攻居庸關。建光元年，復侵居庸。後漢書鮮卑傳

原 劉虞與官屬北奔居庸。後漢書本傳

原 公孫瓚攻拔居庸，生擒劉虞。同上

原 田疇自選家客二十騎上西關出塞，傍北山直趨朔方。三國志

原 西關即居庸關。通鑑注

原 晉惠帝元康四年，居庸地裂，廣三十六丈，長八十四丈，水出。晉書五行志

原 常景遣府録事參軍裴智成發范陽三長之兵以守白𨵦，都督元譚據居庸下口。俄而安州石離、冗城、斛鹽三戍兵反，結杜雒周，有衆三萬餘落，自松岍赴敵。譚勑別將崔仲哲等截軍都關以待之，仲哲戰没。雒周又自外應之，腹背受敵，譚遂大敗。魏書

原 則天時，侍御史桓彦範受詔，於河北斷塞、居庸、岳嶺、五迴等路以備突厥。舊唐書

原 張仲武討幽州，遣軍吏吴仲舒奏狀，言幽州糧食皆在嬀州及北邊七鎮，萬一未能入，則據居庸關絶其糧道，幽州自困矣。通鑑

原 乾寧元年二月，河東兵敗燕軍於居庸，李匡籌挈其族遁去。舊唐書

原 符存審從晉王擊李匡籌爲前鋒，破居庸關。五代史

原 幽州西北居庸關，又西北石門關，關路崖狹，一夫可以當百。陷蕃記

【原】遼神册二年三月，太祖攻幽州，節度使周德威以兵拒於居庸關之西。遼史太祖紀

【原】乾亨間，燕京留守司請弛居庸關稅，以通山西羅易。遼史食貨志

【原】保大二年春正月，上出居庸關至鴛鴦濼。十一月，蕭德妃五表於金，求立秦王，不許，以勁兵守居庸。及金兵臨關，崖石自崩，戍卒多壓死，不戰而潰。遼史天祚帝紀

【原】金天輔六年十二月，上伐燕京，次居庸關。遼統軍都監高六等來送款。金史太祖紀

【原】尼雅滿攻居庸關，慮居庸難取，遂分兵由紫荆口金坡關攻易州，及出奇取鳳山沿皇太妃嶺以侵昌平縣，既至昌平，則反顧居庸矣。於是居庸亦潰。金人遂入居庸。大金國志 按：尼雅滿，滿洲語心也，舊作粘罕。今譯改。

【原】金太祖取燕京，博勒和爲左翼，兵出居庸關，大敗遼兵，遂取居庸。蕭妃遁去。金史本傳

【補】居庸關，國名齊喇哈蕃。金史 按：齊喇，滿洲語嚴也，哈蕃，官也，舊作喳喇合攀。今譯改。

【原】穆呼哩攻居庸關，壁堅，不得入。元史本傳

【原】元太祖六年九月，拔德興府，居庸關守將遁去，哲伯遂入關，抵中都。八年，克宣德府，遂攻德興府，拔之。帝進至懷來，及金行省完顏綱、元帥高琪戰，敗之，遂至北口。金兵保居庸，詔奇塔特、博恰守之。遼烏蘭巴爾等獻北口，哲伯遂取居庸，與奇塔特、博恰會。元史太祖紀 按：哲伯，蒙古語梅針箭也，舊作遮別。奇塔特，蒙古語漢人也，博恰，身笨也，舊作可忒薄刹。烏蘭巴爾，蒙古語紅虎也，舊作訛魯不兒。今俱譯改。

原至元十七年五月辛丑朔，命樞密院調兵六百人守居庸南北口。元史世祖紀

原至大四年，樞密院奏：居庸關古道四十有三，軍吏防守之處僅十有三，舊置千户，位輕責重，請置隆鎮萬户府，俾嚴守備。制曰可。元史仁宗紀

原泰定三年五月，遣指揮使元都蠻鐫西番咒語於居庸關崖石。元史泰定帝紀

原致和元年八月乙未，調諸衛兵守居庸關及盧兒嶺。丁未，薩敦守居庸關。九月庚申朔，雅克特穆爾督師居庸關，遣薩敦以兵襲上都兵於榆林，擊敗之，追至懷來而還。今岔道西二十五里有榆林堡。乙亥，上都王禪兵襲破居庸關，將士皆潰，雅克特穆爾軍次三河。丙子，王禪游兵至大口，雅克特穆爾還軍次榆河，今昌平州南二十五里榆河店。帝出齊化門視師。戊寅，雅克特穆爾與王禪前軍戰於榆河，敗之，追奔至紅橋北，又敗之，我師據紅橋。今昌平州西南二十五里紅橋村。辛巳，大戰白浮之野，今昌平州東南八里白浮村。雅克特穆爾手刃七人於陣，敗之。癸未，王禪收集散亡，復來戰，我師列陣白浮之西，至夜，薩敦、托克托穆爾前後夾攻，敗走之，追及於昌平北，斬首數千級。居庸關壘石以爲固。元史文宗紀

原至正十九年，子規啼于居庸關。瓊臺會稿

原三月辛巳，樞密副使多爾濟以賊犯順寧，命雅勒呼由北口出迎敵。二十四年三月壬寅，圖沁特穆爾兵入居庸關。癸卯，知樞密院事伊蘇、僉事布呼齊逆戰於皇后店。七月

丙戌，博囉特穆爾前鋒軍入居庸關，皇太子親率軍禦於清河，伊蘇戰於昌平，軍士皆無鬬志，皇太子馳還都城。元史順帝紀　按：多爾濟義見前，舊作朶兒只。雅勒呼，滿洲語大槽盆也，舊作鴉鶻。布呼齊，蒙古語吹海螺人也，舊作不蘭奚。今俱譯改。

原 北口千户所於上都路龍度州東口置司，南口千户所於大都路昌平縣居庸關置司。元史百官志

原 隆鎮衛，睿宗在潛邸嘗於居庸關立南北口屯軍，徼巡盜賊，各設千户所。至元二十五年，以南北口上千户所總領之。至大四年，改千户所爲萬户府，分欽察、唐古、桂齊、西域、左右阿蘇諸衛軍三千人，并南北口、大和嶺舊隘軍六百九十三人屯駐東西四十三處，立十千户所，置隆鎮上萬户府以統之。皇慶元年，始改爲隆鎮衛親軍都指揮使司。延祐二年，又以哈喇婁軍千户所隸焉。至治元年，置蒙古、漢軍籍。元史兵志　按：桂齊，蒙古語善也，舊作貴赤。阿蘇，滿洲語網也，舊作阿速。哈喇婁，蒙古語黑龍也，舊作哈兒魯。今俱譯改。

原 元睿宗過中都山，出北口，住夏於官山。元史本傳

原 劉正分省上都，會諸王錫里濟叛至居庸關，守者告，前有警急使姑退。正曰：職當進而弗往，後至者益怯矣。馳出關。同上　按：錫里濟，蒙古語選拔也，舊作昔里吉。今譯改。

原 金人恃居庸之塞，冶鐵錮關門，布鐵蒺藜百餘里，守以精鋭。徹伯爾既還報，太祖遂進師，距關百里，不能前。召徹伯爾問計，對曰：從此而北，黑樹林中有間道，騎行可一人，臣向嘗過之；若勒兵銜枚以出，終夕可至。太祖乃令徹伯爾輕騎前導，自暮入谷，

黎明，諸軍已在平地。疾趨南口，金鼓之聲若自天下，金人猶睡未知也。比驚起，已莫能支。關既破，中都大震。元史列傳

補 中統二年冬十有一月，大駕北狩，駐魚兒泊，詔平章塔察公以虎符發兵於燕。既集，取道居庸，合圍於湯山之東，遂飛豹取獸獲焉。秋澗集 按：塔察，蒙古語爆木也，從原文。

補 王惲飛豹行 二年幽陵閱丘甲，詔遣謀臣連夜發。春蒐秋獮是尋常，況復軍容從獵法。一聲畫鼓肅霜威，千騎平岡捲晴雪。長圍漸合湯山東，兩翼閃閃牙旗紅。飛鷹走犬漢人事，以豹取獸何其雄！馬蹄蹴麋欻左興，赤絛散鏇鷲龍騰。錦雲一縱飛塵起，三軍耳後秋風生。豹雖逸才不自惜，雨血風毛摧大敵。風烟慘澹晚歸來，思君更上單于臺。血埋萬甲戰方鋭，爪牙正藉方剛才。古人以鹿喻天下，得失中間係真假。元戎茲獵似開先，我作車攻補周雅。同上

原 金人起遼東，顧西拔大同，由居庸入。遼人起遼左，亦由宣大入於居庸。元人起和林，於開平甚邇，亦不由古北諸路，乃南取宣大，由紫荆入而南攻居庸破之。全邊略記

原 靖難兵起，燕王曰：居庸關路狹而險，北平之襟喉也，百人守之，萬夫莫窺，必據此乃無北顧憂。永樂二年，置衛領千户所五，以爲京師北面之固。方輿紀要

原 宣德三年八月，命行在工部侍郎許廓修居庸關城及水門。明宣宗實録

原 景泰六年六月，修居庸關城畢工，命工部造碑，翰林院撰文，刻置關上。明英宗實録

原 成化七年三月，兵科給事中秦崇上言：居庸等關，朝廷之北門，東抵山海，西抵雁門，山勢雖曰斗峻，而可通行之路亦多。所司因循怠惰，礧木砲石軍器類不具備。夫富家亦高築牆垣以防寇盜，況國都藩籬而可廢弛乎？上勅巡關御史修治。明憲宗實録

補 余瑱爲北平衞指揮使，與謝貴密謀不遂，貴死，瑱走保居庸關。文皇曰：居庸，北平之咽喉，瑱若據此，則拊吾背，宜急取之，緩則增兵繕守，後難圖矣。遂專力擊瑱，瑱且戰且守，援兵不至，棄關走懷來，力盡被執，不屈死。忠節録

原 正德丁丑秋七月，上微行欲度居庸關，幸上谷雲中。御史張欽極言諫阻，疏凡三上。至八月朔，忽報駕至昌平，即欲過關。是日欽令分守指揮孫璽閉關南門。太監李嵩欲赴昌平候駕，欽止之曰：今日之事，有死而已，可擅離職守乎！俄千户閻岳至南門傳旨，欽捧璽書并監察御史印至門，固守，收其扃鑰，手自持之。誓曰：有奪門者，御史當手刃之。岳不得入，還報。上壯其節，回鑾獵昌平而還。名臣應諡録

補 張欽，字敬之，通州右衞人。官貴州道監察御史，奉勅巡視居庸關。時武廟欲出關北狩，乘輿已迫關矣，欽閉關三上疏，堅請回鑾，武廟乃止。分省人物考

增 聖祖御製出居庸關詩 羣峯倚天半，直北峙雄關。古塞烟雲合，清時壁壘閒。軍鋒趨朔漠，馬跡度重山。漸向邊城路，旌旗疊翠間。

增 乾隆十年御製經居庸關詩 雁塞返龍旌，魚關度鳥道。芙蓉紫霧沈，睥睨清秋曉。重巖虎豹猙，萬壑琴筑繞。寄蹤儼壺中，回首驚雲表。棲崖眄埢垣，遜跡資探討。天意實難諶，地險安能保？

〔臣等謹按〕居庸關御製詩，恭載首見之篇，餘不備録。

補王瓊張侍御閉關三疏圖記 閉關三疏者，正德丁丑秋七月，武宗微行欲過居庸關，遊上谷雲中，而監察御史張君欽閉關不納，疏凡三上也。其第一疏曰：臣聞明主不惡切直之言以納忠，烈士不憚死亡之誅以極諫。臣風聞人言，陛下欲過居庸關，遊幸宣大等處。今甘肅有吐魯番之患，江右迫畬賊之擾，淮南有漕運之難，巴蜀有採辦之苦，京畿夏麥少收，秋潦爲沴。陛下不是之憂，而欲長驅居庸，觀兵上谷，臣竊爲陛下危之。其第二疏曰：上有卿輔之臣，下至耳目之官，皆不避誅死，苦諫陛下不可出關，未蒙俞旨。臣愚以爲不可出者有三：人心動摇，供億繁苦，一不可也。遠陟險阻，兩宫掛慮，二不可也。塞俗强梁，輕身挺出，往與之角，三不可也。夫事慎於初則易，悔於終則難。英宗決於過關，竟以北狩，由不聽人言也。後雖痛悔，無及於事。臣奉勅巡關，分當効死，即加斧鉞之誅，亦不敢避。其第三疏曰：八月初一日，忽有人報聖駕已到昌平州，即欲過關。臣聞天子舉動，所繫匪小，或欲親征，必先有詔，下廷臣會議，某日出師，明告中外，羣臣扈從而後啟行。今傳言聖駕過關，名義未正，虚實難信，臣雖萬死，不敢放過。張侍御閉關圖記

〔朱昆田原按〕侍御本姓李，張，其母姓也。正德辛未進士，由行人擢御史，巡視居庸諸關，歷官工部右侍郎，卒葬州城南黄泥溝。曲周王尚一鶚序三疏刊行，稱其無尺寸之業貽子孫，清德尤不易及也。

原郝經居庸關銘、居庸關在幽州之北，最爲深阻，號天下四塞之一。大山中斷，兩崖峽束，石路盤腸，縈帶隙罅。南曰南口，北曰北口。滴瀝濺漫，常爲冰霰，滑濕濡灑，側輪跐足。殆六十里石穴。及出北口，則左轉上谷之右，並長嶺而西，陰烟枯沙，遺鏃朽骨，悽風慘日，自爲一天，中原能守則爲陽國北門，中原失守則爲陰國南門。故自漢唐遼金以來，嘗宿重兵以謹管鑰。中統元年，皇帝即位於開平，則駐蹕之南門，又將定都於燕都，則京師之北門。而屯壁荒圮，恐起狡焉。故作銘畀燕京道宣慰府使勒石關上，且表請置兵以爲設險守國之戒云。銘曰：國宅天都，高寒之區，居庸其樞兮。遼右古北，陰幽沙磧，控帶飛狐兮。山連嶺重，鍵閉深雄，巍巍帝居兮。伊昔掣鎖，金源敗破，遂爲坦途兮。函谷一夫，百萬爲魚，竟執哥舒兮。思啟封疆，備不可忘，禍生不虞兮。寇不可玩，機不可緩，實惟永圖兮。天險地險，莫如人險，兵力相須兮。刻銘巖嵎，用告僕夫，當戒覆車兮。陵川集

原高適奉使入居庸作 匹馬行將夕，征途去轉難。不知邊地别，衹訝客衣單。溪冷泉聲苦，山空木葉乾。莫言關塞極，雨雪尚漫漫。高常侍集

原宇文虚中過居庸關詩 奔峭從天拆，懸流赴壑清。路迴穿石細，崖裂與藤争。花已從南發，人今又北行。節旄都落盡，奔走媿平生。中州集

【原】蔡珪出居庸作　亂石妨車轂，深沙困馬蹄。天分斗南北，人間日東西。側脚柴荆短，平頭土舍低。山花兩三樹，笑殺武陵溪。同上

【原】劉迎南口作　危峯張屏幛，峻壁開户牖。崩騰來陣馬，翔舞下靈鷲。秀色分後前，晴嵐迷左右。重陰忽障翳，虚籟競呼吼。深紆愛風日，高亢捫星斗。帝居望北闕，村落當南口。軍都漢時懸，遺跡奄存否。中郎讀書處，亭構想摧朽。誰云用武地，經訓乃淵藪。我家膠東湄，樸學嘆白首。居隣通德里，況此見師友。慚無書帶草，采采爲盈手。何以醉先生？清溪緑如酒。山林長語

【原】郝經居庸行　驚風吹沙暮天黄，死焰燎日横天狼。巉巉鐵穴六十里，塞口一噴來冰霜。導騎局脊銜尾前，氊車轣轆半側箱。彈筝峽道水復凍，居庸關頭是羊腸。横拉恒岱西太行，倒捲渤海東扶桑。幽都卻在南口南，截斷北陸萬古强。當時金源帝中華，建瓴形勢臨八方。誰知末年亂紀綱，不使崇慶如明昌。陰山火起飛蟄龍，背負斗極開洪荒。且將尺箠定天下，匹馬到處皆吾疆。百年一債老虎走，室怒市色還猖狂。遽令逆血灑玉殿，六官飲泣無天王。清夷門折黑風吼，賊臣一夜掣鎖降。北王淀裏骨成山，官軍城上不敢望。更獻監牧四十萬，舉國南渡尤倉皇。中原無人不足取，高歌曳落歸帝鄉。但留一旅時往來，不過數歲終滅亡。潼關不守國無民，便作龜茲能久長。汴梁無用築子城，試看昌州三道牆。陵川集

【原】馬祖常度居庸關詩　飛鞚陟雲巘，決眥盡圖畫。天氣吹高寒，山雨灑長夏。冥冥白鳥去，寂寂松子下。陸行石當塗，水春泉繞舍。高與蜀道齊，深乃盤谷亞。筍輿約重來，羸馬苦常跨。朋從詠連疊，酬應給閒暇。得見王子喬，吾將驂鶴駕。石田集

【原】陳孚居庸關詩　車稜稜，石确确。車聲彭彭鬭石角。馬蹄蹴石石欲落。不知何年鬼斧鑿。僅與青天通一握。上有藤束萬仞之崖，下有泉歕千丈之壑。太行羊腸蜀劍閣。身熱頭痛縣度索。一夫當關萬夫卻。未必有此奇巘崿。吾皇神聖混地給。烽火不紅停夜柝。但有地險今猶昨。我扶瘦笻立倦脚。欲叩往事雲漠漠。平沙風起鳴凍雀。觀光集

【原】元明善過居庸詩　一山萬里限中原，神鑿居庸百二川。峯勢陡回愁障日，地形高出欲捫天。風沙漠漠龍庭遠，雲物沈沈鳥道穿。眼底興亡誰解寫？石琴秋水學冰絃。清河集

【原】貢奎居庸關詩　居庸關高五十里，壁立兩崖雄對峙。迴風作勢遮欲斷，百曲盤旋如磨蟻。陰風白晝吹颼颼，亂石當溪泉嚙齒。道狹纔通車一輛，貫尾鉤連行不止。我從北來識此險，巫峽鑱天差可擬。但願平生足遊覽，何用藏書巖穴裏！馬鳴關度日未斜，黄鵠遠趁征雲起。安得有酒令我歌，如城之愁今已矣。雲林集

【原】揭傒斯居庸行　昔望居庸南，今出居庸北。巖巒争吞吐，風水清且激。逶迤數千里，曲折殊未息。關門西向當天開，馬如流水車如雷。荒雞一鳴關吏起，列宿慘淡雲徘徊。山盤盤，石囷囷。狀如龍，勢如虎。龍怒欲騰虎欲舞。太

行劍戟猶如許。昔不容單車，今馬列十五。聖人有道關門開，關門開，千萬古。秋宜集

原薩都拉至順癸酉過居庸關詩　居庸關，山蒼蒼。關南暑多關北涼。天門曉開虎豹卧，石鼓晝擊雲雷張。關門鑄鐵半空倚，古來幾度壯士死。草根白骨棄不收，冷雨陰風泣山鬼。道旁老翁八十餘，短衣白髮扶犁鉏。路人立馬問前事，猶能歷歷言丘墟。夜來鋤豆得戈鐵，雨蝕風吹失顔色。鐵腥惟帶土花青，猶是將軍戰時血。前年人復鐵作門，貔貅萬竈如雲屯。生存有功掛玉印，死者誰復招孤魂？居庸關，何峥嶸！上天何不呼六丁，驅之海外休甲兵！男耕女織天下平，千古萬古無戰爭。薩天錫詩集

原黄溍居庸關詩　連山東北趨，中斷忽如鑿。萬古爭一門，天險不可薄。聖人大無外，善閉非楗鑰。車行已方軌，關吏徒擊柝。居民動成市，廬井互聯絡。幽龕白雲聚，石磴清泉落。地雖臨衝要，俗乃近淳朴。政須記桃源，不必銘劍閣。僕夫跽謂我，無爲久淹泊。山川豈不好？但恐風雨惡。黄文獻集

原柳貫度居庸關作　居庸朔方塞，始入兩崖張。行行轉石角，細路縈澗岡。層巒倒天影，半林漏晨光。崎嶔里四十，所歷萬羊腸。千轅絡前後，兩軌通中央。谷開稍夷曠，在險獲康莊。豈惟遂生聚？列廛參雁行。微流或礮磑，架广亦僧坊。我生山水窟，愛此不能忘。是日新雨歇，浮嵐亂沾裳。水聲與石鬬，風飄韻清商。蹋轡不知高，浮雲翼超驤。考牒曩有聞，經途今始詳。緬惟古塞北，八州猶漢疆。控扼識形勢，會同知樂康。屬兹景運開，六服連綏荒。兩京備巡幸，離宫岌相望。守岳特考制，如初匪求祥。式瞻龍德中，足徵王業昌。請繼王會圖，勿賡祈招章。柳文肅集

原周伯琦入居庸關作　出關復入關，五見月上弦。草木雖未霜，寒風已凄然。崖路何縈紆，叠嶂横中天。上有太古石，下有無底泉。幽致良足嘉，萬雷奈喧闐。馴象賫轡鳴，紫駝錦蒙鮮。鐵騎簇雲隊，黄屋循星躔。時巡謐風俗，執法恭後先。達官國同體，拔舍如升仙。細民終歲勞，輸轉日憂煎。苦樂殊雲泥，使我中心悁。偶經巖谷勝，復憶江湖壖。憑高望白雲，楚天浩無邊。王師未休息，敢賦歸來篇。近光集

原吴師道居庸關詩　神京望西北，連山鬱崔嵬。百里達關下，兩崖忽中開。林扉遞掩映，磴道隨縈迴。豈知古燕塞，祇似越與台。夙聞彈琴峽，澗響逾清哀。行行未及遠，秋風漲黄埃。翠華屆榆林，丞相前驅來。疾還憚迫險，顧瞻復徘徊。惟天設限蔽，萬古何雄哉！撫迹思往代，鍵鑰每自摧。皇衢坦蕩蕩，來往無驚猜。氈車正聯絡，怒轍奔春雷。前趨見行殿，遥峙積雪堆。騰凌萬馬騎，暮繞龍虎臺。愚生一何幸，獲忝儒臣陪。憑高未成賦，瑣瑣嗟微才。吴禮部集

原王士熙竹枝詞　居庸山前澗水多，白榆林下石坡陁。後來纔度槍杆嶺，前車昨日到灤河。

宫裝腰裊錦障泥，百輛氈車一字齊。夜宿巖前覓泉水，林中還有子規啼。皇元風雅

【原】薛元卿大駕度居庸關作　居庸雄據萬重山，南北門分作漢關。鼓角動時森虎衛，旌旗行處識龍顔。禪宮路轉風烟合，御苑春深草樹閒。待得長楊圍獵罷，又隨車騎此中還。文翰類選

【原】釋梵琦居庸關詩　天畔浮雲雲外峯，北游奇險見居庸。力排劍戟三千士，門掩山河百二重。渠荅自今收戰馬，兜鈴無復置邊烽。上都避暑頻來往，魚鳥猶能識衮龍。北遊集

【補】袁桷居庸關詩　太行領羣山，萬馬高下拜。平巒轉城隍，隱隱南北界。危坡互交牙，寒溜瀉泙湃。陰風湧元虯，巨石忽崩壞。周遭青松根，下有古木砦。石皮散青銅，云是舊戰鎧。天險不足憑，歷刼有成敗。驅車上林杪，出日浴光怪。肅肅空巖秋，天風迅行邁。清容居士集

【補】又次韻王繼學途中竹枝詞　居庸夾山僧屋多，鑿石化作金彌陀。但看行車度流水，不見擧拂談懸河。同上

【補】又雨中度南口詩　山寒絶禽鳥，獨聞子規啼。石壁飛雨驟，衆木摇凄凄。瘦馬蹴亂石，高下嚙其蹄。陟巘沮洳深，漸覺所歷低。暝色起亭午，土屋流寒泥。須臾過雷聲，倏忽生晴霓。水清亦可度，戒僕踰前谿。同上

【補】又重午日宿南口小店作　寒雨鳴在峽，蕭蕭五月秋。道逢采藥人，不識葵與榴。氣清諧令節，暑溽想南州。涼飇木末來，動色思重裘。猶持一樽酒，慰彼湘纍愁。同上

【補】果囉洛納延居庸關詩　叠嶂緣青冥，峭絶兩崖束。盤盤龍虎踞，岑巘互迴伏。重關設天險，王氣奠坤軸。皇靈廣覆被，四海同軌躅。至今豪俠人，危眺屢驚跼。崎嶇棧閣峻，縈紆岡澗曲。環村列墟市，鑿翠構廬屋。溪舂激巖溜，山田雜稌菽。絶頂得幽勝，人烟稍連屬。浮圖壓廣路，臺殿出層麓。白雲隱疎鐘，落日帶喬木。豈須嘆蜀道？政可誇函谷。居人遠念我，叩馬苦留宿。恐辜殷勤情，解鞍看山瀑。金臺集

【補】王惲九日迎鑾北口和寅甫學士韻　翠華南下拂雲霓，駐蹕軍都漢苑西。龍虎臺高驚峻絶，蓬瀛人老許扶攜。九天日月瞻光近，萬國風烟入望低。佳節迎鑾得清賞，牛山初不羨東齊。秋澗集

【補】又居庸懷古木蘭花慢詞　壯巉巖鐵峽，誰設險，劈蒼岑。擁萬里風烟，一拴横鎖，形勝雄沈。闕憶當年叱馭走騣。半夜郵亭索酒，平明燕市長吟。追思往事不堪尋。山色古猶今。甚三十年來，青雲垂翅，素髮鬅簪。投閒却教應聘，笑委身從事老難任。立遍西風殘照，山光翠滿疏林。同上

【補】孫緒居庸關詩　一徑中開萬嶺横，居民無地問農耕。霜傾落葉晚山緑，雨溜荒苔秋水清。沙鳥遠從天外度，寒蛩也向夜分鳴。峯巒徙倚休回首，何處孤雲是故城？沙溪集

【補】劉秉忠過居庸關詩　車箱來往若流泉，絶壁嶄嵓倚翠烟。限破中州四十里，鑿開大路幾千年。函關不謂平如地，蜀道無如險似天。萬里揮鞭猶咫尺，誰能掌上保幽燕？藏春詩集

【補】周伯琦過居庸關二首　崇關天險控幽燕，萬叠青山百道泉。絶壁雲霞龕佛像，連屬雞黍聚人烟。炎涼頃刻成殊候，華夏於今共一天。我欲登臨窮勝概，西風五月倍凄然。關南關北四十里，玉壘珠閎限兩京。列隊龍旗明輦路，重

屯虎衛肅天兵。桑麻施施村無警，榆柳青青塞有程。卻笑燕然空勒石，萬方今日盡昇平。近光集

【補】朱德潤居庸雪中詩　山前龍虎搆成臺，山後神州斗極開。雪意似憐天設險，高卑鋪作白皚皚。存復齋集

【原】李繼本過居庸作　歲暮候，風淒淒。車中行客胡不歸？一車南，一車北，南來北去何時息？車行欲近關上頭，鞭牛不前吁可愁。須臾推挽在平地，車中兒女歡且謳。裋褐蕭蕭風雪裏，山徑荒寒多虎兕。呼兒取火供曉炊，瓦鐺黍米和沙煮。黃昏露宿官道旁，茅店雞鳴載行李。殷勤起謝車中人，萬嶺千山多苦辛。嚴風吹雪皮欲裂，一身祇有筋骨存。安得筋骨化爲山下土，填却千山萬山無險阻，長使行人免愁苦？昌平舊志

【原】胡儼望居庸詞　望京都兮穹窿，雄關峙兮居庸。蒼翠兮蒙茸，紛冉冉兮淩風。城巍巍兮兩山，臨玉塞兮高寒。車轔轔兮結駟，風蕭蕭兮木葉殷。淙懸巖兮珊珊，悅鳴琴兮清彈。聞仙人兮昔降，遺玉枕兮不刊。皇風暢兮八極，見堠火兮滅熄，歌四海兮寧一。胡祭酒集

【原】王英居庸關詩　千峯高處起層城，空裏岧嶢積翠明。雲静芙蓉開霽色，天晴鼓角散秋聲。北連紫塞烽烟斷，南接金臺驛路平。此地由來稱設險，萬年形勢壯神京。泉坡集

【原】鄭珞居庸關徐將軍席上作　關入居庸險，城臨北斗懸。龍琴調宴樂，虎帳集羣賢。爽氣來山雨，秋聲漱峽泉。醉餘望雙闕，遥倚五雲邊。訥庵集

【原】袁忠徹出居庸關作　居庸之關何壯哉！懸崖峭壁高崔嵬。乃知造化鍾神秀，翠削芙蓉天際開。是時鑾輿北巡狩，百萬貔貅度關口。旌旗翻風曉日寒，千官扈蹕森前後。此關自昔能摧車，十步九折羊腸紆。登危歷險足躑躅，以手撫膺長嘆吁。回首羣峯列其下，怪石嶄嵒如立馬。蒼虬偃蹇老松盤，銀漢硠砰飛瀑瀉。凛然霜氣侵骨毛，五月堅冰猶未消。星辰咫尺疑可摘，耳邊靈籟聞嘈嘈。漫傳天設分南北，四海當今同軌迹。草木均霑雨露恩，環護黃圖永無極。袁尚寶集

【原】張寧居庸感事詩　羽書昨夜報居庸，百萬雄師下九重。天子垂衣臨大漠，羣臣端笏扈元戎。禁中已乏回天策，閫外誰成闢地功。千古澶淵扶日馭，令人常憶寇萊公。方洲集

【原】許天錫居庸關詩　天設居庸險，乾坤此北門。山川通上郡，形勢冠中原。鐵騎連三戍，金城迫九閽。萬方資阨塞，永荷太平恩。許黃門集

【原】邊貢居庸二首　塞口重關愜素聞，蟄烟嵐雨鎮絪緼。雄吞巨海山形斷，秀壓中原地脈分。鎖鑰還思寇丞相，長城不用李將軍。倚窗時送東南目，雙闕蓬萊五色雲。　山雲冉冉石垂垂，公暇焚香晚對宜。窺牖亂峯青似戟，古城孤凋白於絲。人家高下緣蹊見，風氣寒暄入塞知。憑語抱關休偃仰，雲中日夜羽書馳。華泉集

原李夢陽詩　天設居庸百二關，祁連更隔萬重山。不知誰放呼延入，昨日楊河大戰還。空同集

原熊卓居庸館中作　隘地關門擁，山樓鼓角傳。長風吹不歇，塞草自年年。東溪集

原又出居庸關作　沙上望行人，日暮愁心絶。江南四時春，邊地五月雪。同上

原王謳登居庸上關詩　盤石仍高處，微茫鳥道分。花齊春暈日，山遠谷吞雲。草宿除猶蔓，鶯遷去更聞。不能離世事，直欲醉朝曛。彭衙集

原李默居庸關詩　山堂石塹轉嵯岈，鐵障稜稜勢欲叉。細柳半屯三輔甲，材官盡出五侯家。重城月閉邊聲黯，間道林歸獵騎譁。多少雄圖總湮滅，戰場空倚夕陽斜。羣玉樓稿

原周金居庸關和元陳剛中韻　亂石懸崖色如鐵，西風吹裳裳欲裂。側身北望涕沾襟，回首蕭騷鬢成雪。駑駘伏櫪何足道，李廣馮唐一時老。山空木落不見人，惟有中庭月輪小。上谷稿

原王慎中望居庸關詩　設險真誇六郡雄，天山九塞有居庸。陘連白馬懸邊月，塞壓黄花起朔風。未有捷書傳大内，尚聞獵火照雲中。北平飛將今誰是？已見東南杼軸空。遵巖集

原李宗樞度居庸關詩　峻壁含雲迴，飛湍接澗迴。虚聞三峽險，疑是五丁開。荒樹分天宇，驚沙暗戍臺。祗慚持節使，不是棄繻來。明詩統

原蘇祐過居庸關詩　北門天險設居庸，翊翊千旌叠翠中。口轉雙泉猶望闕，嶺盤八達已臨戎。霜清戍逼黄花鎮，日近雲浮紫極宫。聖代車書真混一，寄言諸將漫論功。穀原集

原劉佩居庸晚眺詩　别館岧嶤一注顔，天空木葉繞重關。千峯嵐氣青霄上，九折泉聲翠壁間。瀚海旌旗無日罷，玉門車馬幾人還。皇州咫尺浮雲隔，明發峥嶸何處攀。新陽館集

原應雲鸑入居庸詩　百二真天府，乾坤别一家。雙泉縈鳳闕，叠翠枕龍沙。戍鼓遥空出，人烟兩岸斜。請纓誰氏子，搔首惜年華。明詩統

原徐渭居庸關詩　少年曾負請纓雄，轉眼青袍萬事空。今日獨餘霜鬢在，一肩輿坐度居庸。徐文長集

原公鼐居庸關詩　太行來萬里，天險冷陘西。銀海圍弓劍，金城列鼓鼙。近關烟火盛，絶幕塞塵低。想像犁庭日，憂時意轉迷。問次齋稿

原馮琦詩　五年不出居庸道，今日重來感舊遊。紫氣遥瞻龍虎地，青山近接鳳凰樓。平臨星斗三千丈，下瞰燕雲十六州。但使此關長鎮静，不煩仗策取封侯。北海集

原陳子龍詩　險到居庸地脈分，何須長戍羽林軍！關門夜抱千峯月，陵墓春生五色雲。緗真館稿

補皇甫汸居庸關詩，山城落日照居庸，抗嶺迴巒紫翠重。十月邊陲塵不起，萬年陵寢霧常封。皇甫司勳集

〔臣等謹按〕以上各條專敘居庸關。

原居庸路東自門家谷口，西至糜子谷口，延袤一百五十里。南至關，北至永寧城，隘口二十。灰嶺下隘口十：門家谷口、灰嶺口、賢莊口、錐石口、雁門口、德勝口、虎谷口、雙泉口、養馬谷、西山口。俱嘉靖十五年建。邊城二十六里，附牆臺七座。八達嶺下隘口七：石佛寺口、青龍橋東口、王瓜谷、俱永樂年建。八達嶺口、弘治年建。黑豆谷、化木梁、于家衝。俱永樂年建。邊城二十四里半，附牆臺四座，空心敵臺四十三座。石峽谷下隘口三：花家窰、石峽谷口、糜子谷口，俱永樂年建。邊城一十六里，附牆臺十座，空心敵臺二十五座。四鎮三關志

原由棗園砦至居庸路界分水嶺三里門家谷口，山勢重疊，然通白龍潭路，來騎極衝。又三里至灰嶺口，內外寬漫，極衝。又三里至賢莊口，本口路隘通永寧南山塔兒，來騎次衝。又七里至錐石口，兩山險峻，林木稠密，中有河，外通塔兒谷，衝。又五里至雁門口，外險內平。又五里至德勝口，山勢高險，中有大河，外通大小紅山，衝。又九里至虎谷口，外險內平，不通騎，緩。又五里至養馬谷，在南口門緩，川草花頂山勢內外高險，人馬難行。三里至石佛寺口，正口兩山壁立，中通溝路，難行。又三里至青龍橋東口，山勢內平外險。又三里至黃瓜谷口，亦內平外險。又三里至八達嶺，內外平漫，爲

宣大咽喉，極衝。又三里至黑豆谷，内外平漫，威靖墩至衝谷墩，通衆騎，餘通騎，衝。又三里至化木梁，内險外平，人馬可行。又二里至于家衝正城，迤東一空，通單騎，迤西青石頂墩通于家溝，俱通衆騎，衝，餘通步，緩。青石頂山勢外平内險。三里至花家窰，内外高險。龍芽菜溝通單騎。城東頭至西頭水口平漫，通衆騎，極衝。又三里至石峽口，城東至石崖子口，又西山墩至鎮魯墩俱通單騎，衝。又三里至糜子谷正關水口并鎮西墩至南山墩通陳家墳，俱平漫，通衆騎，極衝，餘通步緩。三鎮邊務總要

原經略邊關右副都御史李瓚，以居庸關西路灰嶺口上常峪地方外接懷來，所轄隘口計一十二處，經敵出没，請添設城堡以控險要。乃築灰嶺口城六百八十丈有奇，上常峪城減十之五，各立樓櫓舖舍，於正德十六年五月訖工。議名灰嶺口曰鎮邊城，上常峪曰常峪城，調別堡軍士屯守，灰嶺口千人，上常峪三百人，改設守禦千户所及倉場官吏。兵部覆奏，從之。明世宗實録

原邊貢入錐石口四首　濯足秋澗水，水寒清見沙。凌兢不可渡，碎石如狼牙。童子欣暮晴，笑指東風霞。穿林復渡河，佳興未能盡。每當路窮處，更著祠官引。山女何處來？石上洗秋菌。西登錐石口，鳥道不盈尺。連山樹如繡，雲中日將夕。不聞樵采音，但見虎行跡。睥睨接崇嶺，白處生浮嵐。上有百尺崖，下有千尺潭。爾非豢龍子，那敢窮幽探！華泉集

原上關七里至彈琴峽，上有佛閣。又七里爲青龍橋，道東有小堡。又三里至八達嶺，有城南北二門，元人所謂北口也，以守備一人守之。自八達嶺下視居庸，若建瓴，若闚

井，故昔人謂居庸之險不在關城而在八達嶺，而岔道又八達嶺之藩籬。元人於北口設兵，洵得地形之便者。昌平山水記

原 八達嶺城一座，弘治十八年建。四鎮三關志

原 昌鎮疆宇幅員不踰五百里，而居庸關突據其中，蓋未有郡邑之先已設險於外户矣。然八達嶺去關北三十里，墉垣漸崇，驅馬而南，勢若建瓴，故先年經略大臣創城置守於此，誠得扼險之要樞哉。同上

原 劉迎過八達嶺詩 山險路已出，彌望盡荒坡。風度日已殊，氣象惟沙陁。我老倦行役，驅車此經過。時節春已夏，土寒地無禾。行路不肯留，奈此居人何！山林長語

原 居庸關有彈琴峽，水流石罅，聲若調琴。獅山掌録

增 聖祖御製彈琴峽詩 琮琤流水意，彷彿似鳴琴。曲度泉歸壑，聲兼峽泛吟。空山傳逸響，終古奏清音。不御金徽久，泠泠會素心。

增 乾隆十年御製彈琴峽詩 在昌平州北居庸關，水流石罅，聲若調琴，故名。 大地作琴聲，迦葉亦如是。叶何待柴桑翁，掛壁始寓意。此峽曰彈琴，誰與標名字？巖谷夐而幽，石泉清且泌。野菊小於錢，十三星點綴。動操四山響，萬籟紛丹翠。鍾期未賞識，成連應走避。一洗箏琶耳，妙契烟霞思。

〔臣等謹按〕彈琴峽御製詩，恭載首見之篇，餘不備録。

原吳擴過彈琴峽詩　懸崖峭壁磴千盤，峽裏天光一綫看。繞澗琴聲聽不盡，月明流水曲中彈。貞素堂集

補袁桷彈琴峽詩　寒泉飛玉峽，誰彈使成聲？下有戰士骨，嗚咽水中鳴。絲石本異調，摩戛生虧成。鑿跡匪神禹，佳兵搆秦嬴。駐馬爲聽之，逝者何不平！虛牝納新雨，急促濁復清。重華初省方，百神靜相迎。爲作薰風絃，散彼巖下情。清容居士集

原居庸關内道旁一大石，其形似枕，俗呼仙人枕。長安客話

補居庸南口關夾澗而城，左右可三四十步，行十五里，峯回路轉，有城翼然而立者，實爲居庸。地勢較廣而險倍之。又十里則居庸北關，再上二十五里至八達嶺，蓋由南口至是凡五十里。巖巒複合，兩崖如削，足下石如馬如象，軌不可方，轡不可合，而八達嶺之城既險且堅。北至驢兒坨，抄陵寢而接灰嶺口，南至靖邊城，歷沿河諸口而接紫荆，所謂一夫當關，萬夫莫前者也。偵宣鎮記

補居庸重鎮，時平爲上谷之襟喉，事亟眞北門之鎖鑰。不惟雄臨朔漠，亦且險類崤函。關西各隘自晏磨峪口起，至紫荆關沿河口止，共二十七處，俱係山前隘口；自火山口起，至合河口止，相兼懷來各隘共九處，俱係山後隘口。前後相距，遠近不同，或七八十里，或四五十里。山川錯雜，路徑紆迴，向以林密地險，敵不得騁。近年樵采，林木漸疏，往來無所阻矣。東田集

補居庸關外抵宣府，驛遞官皆百户爲之，以其地無府州縣故也。菽園雜記

【補】自北口小店踰灰嶺，試桃花峪温湯，山間殊有奇觀。石爲盤渦，如碧玉盆者非一。壽藤灌木，交蔭左右。其水泉蓋潞河之上源也。（中堂事紀）

〔臣等謹按〕以上各條皆敍居庸路。

【原】橫嶺路東自軟棗頂，西至挂枝庵，延袤一百三十里。南至居庸關，北至懷來城，隘口三十有九。白羊口下隘口八：軟棗頂、（永樂年建。）石板衝、牛臘溝、（俱嘉靖二十三年建。）西山安、（永樂年建。）桑木頂、（嘉靖二十三年建。）東黄鹿院、秋樹窪、西黄鹿院。（俱嘉靖四十四年建。）邊城一十一里，附牆臺三座，空心敵臺一十九座。長谷城下隘口七：茶芽坨、沙兒嶺、窟窿山、鏡兒谷、分水嶺、銀洞梁、（俱永樂年建。）轎子頂。（嘉靖二十五年建。）邊城一十五里，附牆臺一座，空心敵臺二十三座。橫嶺下隘口一十四：黄石崖、東涼水泉、西涼水泉、火石嶺、寺兒梁、東核桃衝、西核桃衝、大石溝、陡嶺口、鶯窩坨、小山口、姜家梁、倒翻衝、廟兒梁。邊城三十一里，附牆臺三座，空心敵臺二十八座。鎮邊城下隘口十：柳樹窪、（永樂年建。）黑衝谷、車頭溝、尖山頂、北唐兒庵、南唐兒庵、水門、松樹頂、秋樹窪、（俱嘉靖三十年建。）挂枝庵。（嘉靖三十八年建。）邊城二十一里，附牆臺五座，空心敵臺三十二座。（四鎮三關志）

【原】由檿子谷口六里至軟棗頂，正關東北山勢險峻，止通單騎。口外平，溝内薄梁，極衝。又三里至牛臘溝，内外山峻，牽馬可上。又二里至桑木頂，外梁平，内山險，可通單騎。又一里至黄鹿院，山梁高險，牽馬可上。又四里至茶芽坨西界，内外山峻，牽馬可上。又二里至沙兒嶺，可通人馬，次衝。又二里半至窟窿山，正關外平溝有山梁可通大舉。又二里至鏡兒谷，山峻牽馬可上。又二里至分水嶺，内外平漫，可通大舉，極衝。又六里至銀洞梁，内險外平，次衝。又二里至轎子頂、西黄石崖，通單騎，衝。又一里半至東涼水泉，山梁平漫，通騎，次衝。又一里至西涼水泉，山薄梁平，可行人馬，極衝。又一里半至火石嶺，門外溝平闊，通大舉，極衝。又二里至寺兒梁，山稍峻，通單騎。又一里至東核桃衝，山梁可通步騎，次衝。又一里至西核桃衝，山勢平漫，通騎，次衝。又二里至大石溝，水口内平外漫，通大舉，極衝。又一里半至陡嶺口，外險内漫，通步。又二里至鶯窩坨，外懸崖，内山高峻，緩。又一里半至小山口，山險牽馬可上。又二里至姜家梁，山險通單騎，次衝。又二里至倒翻衝，有水口，内外平漫，通大舉，極衝。又五里至廟兒梁，西柳樹窪界，内外平漫，極衝。又六里至黑衝谷，平漫，通騎，極衝。又三里至車頭溝，外平内險，通單騎，次衝。又二里至北唐兒庵，有水口，内外平漫，可通大舉。又二里至南唐兒庵，外險内平，牽馬可行。又四里至松樹頂，山險僅通步，緩。又四里至挂枝庵迤西係邊尾，俱重山叠障，不通步騎。三鎮邊務總要

原白羊口距州西四十里，距居庸南口二十里，有水伏流。元史，白羊口千户所於昌平縣

東口置司。景泰元年，調涿鹿中衛後千户所官軍守禦，後以守備一人守之。其西南有小城曰白羊新城。昌平山水記

【原】白羊口堡一座，景泰元年建城，有白羊口倉。四鎮三關志

【原】橫嶺之東有口曰白羊，其直南則沿河口，外通懷來城，其直西則馬水口，北通舊保安，烟麓陀庵是馬水口勝處。長安客話

【原】白羊城，正統元年，額森由此入侵。弘治十一年，和碩自大同深入，分遣大臣守居庸、白羊諸關隘。正德十一年，敵入白羊口。嘉靖二十九年，敵侵京師，欲奪白羊口北出，不果。蓋南北衝要處也。方輿紀要

【原】白羊北四十里爲長谷城，二門，其西有小城曰長谷新城。昌平山水記

【原】長谷城一座，正德十五年建。四鎮三關志

【原】嘉靖二年正月，詔募兵三百人守居庸關長谷城，從御史李儼請也。明世宗實録

【原】長谷北二十里爲橫嶺城，二門，守備一人守之。昌平山水記

【原】橫嶺城一座，弘治十八年建城，有橫嶺倉。四鎮三關志

【原】橫嶺城與長谷城逼近，然橫嶺尤孤懸外界，山高泉涸，軍士苦之。長安客話

【原】橫嶺口亦名龍嶺口，守禦要地也。嘉靖中，諳達自古北口入侵，從橫嶺逸出。方輿紀要

原曹代蕭詩 軍馳戰壘巖前馬，僧撞招提嶺上鐘。白水清泉三百尺，皂旗赤羽四千重。長安客話

原長谷西北二十里爲鎮邊城，三門，正德中建，設守禦千户所，後以參將一人守之。昌平山水記

原城有鎮邊倉。四鎮三關志

原鎮邊城居人僅可百數，地寒不能種穀，五畜勞羸不甘，兵雜其間，狡猾難治。西十里有堠曰唐耳，背據大山，下視懷來，足爲天險。薊邱集

〔臣等謹按〕以上各條皆敍横嶺路。

原京城口九十里昌平州，州東北九十里黄花鎮，自鎮歷白馬、陳家、弔馬等峪關口四十八而古北口，又一十四關口至峨嵋塞，中歷黄松峪、將軍石凡五口而薊州東岸峪，自關以東歷寬峪等關凡十口而遵化縣之馬蘭峪，乃歷沙皮、羅文、松青、龍井兒、潘家口、團亭寨關口三十一而喜峯口，又七十里而遷安縣之青山口，又十二口而冷口，又三口而劉家口，又四口而盧龍縣之桃林口，又四口而昌黎縣之界嶺、箭桿等六口，而撫寧縣之義院口，又石門等五口而董家口，歷大毛山、小青山等十四而山海關。圖書編

〔臣等謹按〕此條總敍薊昌各路關砦。

欽定日下舊聞考卷一百五十五

存疑

〔臣等謹按〕朱彝尊原書於城市門之末附存疑一卷，凡舊蹟所傳，或存其名而莫指其地，或紀其事而他無可徵者，皆別爲編出以俟考。今按卷中如元楊惟中之建太極書院，其地在今内城南，應移入内城南城卷内。又廉希憲之萬柳堂，栗氏之玩芳亭，其地在今郊南，應移入郊南卷。此外各條則概仍其舊。其散見諸書有足資互證者，謹爲增輯於後。

【原】舜廟頌，唐韋稔撰，顔頵正書，并篆額，貞元十二年閏八月。金石録

〔臣等謹按〕析津志亦稱燕京金故宮西有舜廟，第其遺址所在不可復辨矣。

【原】唐復舜廟頌在幽州。寶刻叢編

【原】幽州有虞舜廟，久湮，至唐貞元間始復。金石古文

【原】廟據金故苑西北隅，兵後，廢不治，獨唐貞元間顔魯公子頵書幽州節度使韋稔重修廟

碑尚存。書畫端莊，殊有父風。秋澗集

【原】虞帝廟顔書，元時尚在，見王惲文集，有大都復虞帝廟碑記，謂此碑人屢欲易去，礱以他用，主者心惝恍若有儆動，乃已。後有道士陳志元起長春别院，復購之，約不犯原刻，止用石背。及來徙，碑趺坼矣，而身挺植，重不克舉，道士惕息不敢徙，仍安原處。其著異如此。春明夢餘録

【原】鐵牛廟在舊燕城東南。有土埋鐵牛露背，不知起於何時。元混一方輿勝覽

〔臣等謹按〕析津志，鐵牛大力神廟在南城施仁門内東南，有小廟，無碑。又坊市條下有鐵牛坊，注云：有鐵牛廟，因其廟而名其坊。市人亦祀之。施仁門乃金之東門，元時門内鐵牛廟及坊尚存，明圖經志書不載，則明初已廢矣。

【增】鐵牛廟在舊城東南近東城路北，土埋鐵牛露脊，都人因而祠之。元一統志

【原】果囉洛納延鐵牛廟懷古詩 燕人重東作，鎔鐵象牛形。角斷苔華碧，蹄穿土繡腥。遺蹤傳野老，古廟託山靈。一酹壺中酒，穰穰黍麥青。金臺集

【原】葛元哲鐵牛廟詩 昔聞刀買犢，今見鐵爲牛。但保成功在，無勞掘地求。山川千古意，禾黍大田秋。邊鄙猶徵斂，愁同木馬流。文翰類選

【原】唐遊擊將軍薛彦碑在幽州。寶刻叢編

〔臣等謹按〕薛彦碑今無考。

【原】碑，趙含撰并書，開元十八年正月立。金石録

原唐故幽州都督河北節度使燕國文貞張公説遺愛頌，孫逖撰。其略曰：渤碣之北，有山戎焉。乍臣乍驕，或息或縱。鎮之以大府，府有都督，威之以大軍，軍有節度。二者之任，萬邦之屏。公受命處此，聲振殊俗，於是塹山澤，起亭障，塞鷄鳴之阨，守阜陵之衝，遮大廈之路，距盧龍之口。延袤千里，横絶一方。修塞之後，人到於今賴焉。辨其譜系，范陽之大族也。敍其封略，燕國之名都也。徵其政理，幽州之良牧也。薊縣父老感之所致，久而益思，遠愬不才，追書盛德。辭曰：聖出賢覯，爲師爲輔。大國宗文，殊方畏武。帝謂幽朔，人思鎮撫。受命載瞻，聿來茲土。謀猷既壯，闕漏咸補。守固邦寧，財豐人聚。四牡既駕，三邊無侮。何以予之，元衮及黼。范陽宗邑，燕垂守宇。德被塞翁，恩深召父。琢彼遺愛，傳於終古。貞石不騫，薊邱之下。文苑英華

〔臣等謹按〕張説遺愛頌碑今無考。

原金國子學碑二，在舊燕城南，上刻春秋禮記文，今磨滅不完。明一統志

〔臣等謹按〕金時石經文碑，據明圖經志書，在白紙坊，是此碑明時尚存，今已佚。

原元王惲修理大都南京石經事狀云：竊見大都南京廟學所有九經石刻，刊琢極精。近年以來，舊制既廢，舉皆散亂於荒煙草棘間，日就摧圮，甚可惋惜。且經之遺制，自漢唐至今，歷代聖王無不尊崇修理，蓋重夫經世大法故也。今海宇混一，方息馬論道之時，據上項石經，理合修立，以彰國容。按：九經石刻舊在汴梁學宮，金人移置於燕，今不復存矣。春明夢餘録

增石經文碑，碑在舊南城白紙坊，乃金舊國子學，殿堂門廡皆燬，惟餘石碑二通，上刻春秋經傳及禮記，文多磨滅不完。圖經志書

〔臣等謹按〕金國子學圖經志書，稱在白紙坊，則其故址當在今都城之西南隅，但白

紙坊自明嘉靖中築外城後坊地劃而爲兩，其在城内、城外，已無可考。

原 四賢祠者，燕賢臣郭隗、樂毅、劇辛、鄒衍也。四像皆南面列坐，一王者拱其側，則昭王也。國工劉鑾所塑，技極精巧。陵川集

原 宣和二年，既得燕山，趙良嗣言：頃在北國，與燕中豪士劉範、李奭及族兄柔吉三人結義同心，欲拔幽薊歸朝，瀝酒於北極祠下，祈天爲約。宋史本傳

〔朱彝尊原按〕幽州舊有醫無閭祠、北極祠，又有舜廟及燕四賢祠，樂毅、劉靖、霍原均有專祠，多山川神祇聖賢之祀，其後寖廢而莫之舉矣。

原 武成王立廟於樞密院公堂之西，以孫武、張良、管仲、樂毅、諸葛亮以下十人從祀。每歲春秋仲月上戊，樞密院遣官行禮。元史祭祀志

〔臣等謹按〕武成王廟祀齊太公。唐書禮樂志：開元十九年始置太公尚父廟，以留侯張良配，中春中秋上戊祭之，仍以古名將爲十哲像坐侍，後罷中祀，遂不祭。金泰和六年，詔建昭烈武成王廟，其制如唐舊禮。至明洪武二十年，令武成王從祀帝王廟，罷其舊廟，仍去王號，自是廟祀遂廢。

增 武成王廟在保大坊都指揮使司之西。圖經志書

原 杜康廟在舊城北。元混一方輿勝覽

〔臣等謹按〕杜康廟，明圖經志書不載，蓋廢自明代者。

增 杜康廟在舊城光禄寺内居西偏，内有天師宫，奉禮部標撥道士一人在内提點看經，專一焚修香火，蓋爲醖造御酒，每日於上位玉押槽内支酒一瓶以供杜康，提點者自行收貯。析津志

〔臣等謹按〕元至元間，建崇真萬壽宫以處道流張留孫，俗名天師庵，亦曰天師宫。明圖經志書云，在蓬萊坊，相傳今顯佑宫及步軍統領衙門卽其地。此條所稱光禄寺内之杜康廟天師宫，以析津志所載北城道里計之，一云：樞密院西爲玉山館，玉山館西北爲蓬萊坊天師宫。又云：樞密院南轉西爲宣徽院，院南轉西爲光禄寺酒坊橋。其方位似亦有相證合者，謹附識以備考。

原 幽燕思先驛後有五樹檜，忽生藥丸，試摘服之，往往療疾有驗。幽燕紀異

〔臣等謹按〕思先驛並五檜已久廢，無考。

原 大悲閣榜，虞世南所書。金臺集

〔臣等謹按〕析津志云，聖恩寺卽大悲閣，在南城舊市之中，建自唐，至遼開泰重修，聖宗遇雨，飛駕來臨，改寺聖恩，而閣隸焉。金皇統九載，卽其地而新之。元至元壬午春重修，中奉大夫總判翰林國史集賢院領會同館道教事安藏撰記，二十四

年四月立石，寺外閣祠大悲觀音菩薩。據此，則大悲閣元時尚存也。今無可考。

原 遼太祖援石晉，自潞州迴入幽州，幸大悲閣，指白衣觀音像曰：我夢神人令送石郎爲中國帝。即此也。因移木葉山建興王寺，春秋告賽，尊爲家神。遼史

原 金大安二年十一月，大悲閣幡竿下石隙中火出，高二三尺，人近之即滅，凡十餘日，自是都城連夜燔爇二三十處。三月，大悲閣災，延燒萬餘家，火五日不絶。金史五行志

原 元至正十八年，京師大疫，宦者保布哈於大悲寺修水陸大會三晝夜，凡居民病者予之藥，不能喪者給之棺。翰林學士承旨張翥爲文頌其事，曰善惠之碑。元史

原 張甫者，本金元帥，封高陽公。金亡河北，甫據雄、霸。元將里齋努屢欲滅甫以取雄、霸，驍將鄂囉呼者歸甫，甫納之。其後鄂囉呼遁去，且竊甫千里馬以獻里齋努，里齋努喜，待遇益厚。嘗會飲燕京之大悲閣，鄂囉呼醉里齋努而推使投閣，幾斃焉。鄂囉呼乃佯醉下樓，復乘所獻馬以歸甫，追者莫及，人始服甫之用間焉。宋史 按：里齋努舊作俚呰奴，今對音譯改。鄂囉呼，蒙古語進也，舊作窩羅虎。今俱譯改。

原 果囉洛納延大悲閣詩 閣道連天起，丹青飾井幹。如何千手眼，共著一衣冠？金榜交龍狹，琱甍吻獸攢。憑高天萬里，白苧不勝寒。金臺集

原 唐處士富麟翁從縣令芮通源游蘭居寺，通源給以緑牝鞍。幽燕紀異

〔臣等謹按〕蘭居寺係唐刹，久廢。

原 開泰寺，魏王耶律漢寧造。王文正上遼事

〔臣等謹按〕開泰寺始建於遼，金元以來屢加修治，見元一統志，至明遂廢，天順時志已不載。

原 開泰八年十二月，幸開泰寺宴飲。遼史游幸表

原 重熙二十三年冬十月，以開泰寺鑄銀佛像，曲赦在京囚。遼史本紀

補燕舊有開泰寺，王沂公謂是遼魏王漢寧所建。元王惲秋澗集中載重修開泰寺功德疏，亦曰：迺眷燕山，昔爲遼府。開泰禪寺者，爰因鄴第，建自樞臣。然遼史宗室初無魏王漢寧傳也。鴻雪録

增大開泰寺在昊天寺之西北，寺之故基，遼統軍鄴王宅也。始於樞密使魏王所置，賜名聖壽，作十方大道。聖宗開泰六年，改名開泰，殿宇樓觀，雄壯冠於全燕。至金國又增之，厥後毁於兵，獨存大殿。壬子春，海雲諸大老請雲山珍公開堂演法，遂爲此寺之五代祖。憲宗彌加崇重，賜以金帛。元一統志

補永祐陵諱聞，洪皓北鄉泣血，旦夕臨，後遇諱日卽燕山開泰寺爲文以薦。其略曰：故宫爲禾黍，改館徒饋於秦牢；新廟渀衣冠，招魂但歌於楚些。雖置河東之賦，莫止江南之哀。遺民失望而痛心，孤臣久縶而嘔血。又云：盛德之祀，傳百世以無窮；在天之靈，繼三后而不朽。故臣讀之無不掩涕。洪忠宣行狀

補遼主鴻基以白金數百兩鑄兩佛像，銘其背曰：願後世生中國。嵩山集

〔朱昆田原按〕遼於開泰寺鑄銀佛像，在重熙二十三年，當卽晁以道集中所云也。

〔臣等謹按〕開泰寺鑄銀佛像今無考。

補王惲同長老金燈義方暨馮君用聶文超劉敬臣王仲通馬才卿石壽之座主賈君叔良會飲開泰丈室詩 陊殿秋烟老檜蒼，春風合坐捲吟觴。争傾底裏心能見，不恡歌呼興更長。風調總輸韋曲杜，新詩驚絶碧雲湯。人生無似新知樂，安得車輪一夜方。秋澗集

原聖宗統和六年三月，幸延洪寺。遼史游幸表

〔朱彝尊原按〕延洪、開泰二寺，元混一方輿勝覽中猶載之。至明修一統志及寰宇通志無有，寺未必盡廢也，大約易其名，故迹遂不可考矣。

〔臣等謹按〕析津志云，延洪寺在崇智門内，有閣，起自中唐，至本朝那摩國師重修之，寺西别有洞房尤爲深邃。按：崇智乃金之北門，寺在崇智門内，則地當金之北城矣，今無可考。

增延洪禪寺在舊城，寺有唐故幽州延洪寺禪伯遵公遺行碑，守薊州録事參軍攝幽州安次令試大理評事閻栻撰。又按重修記，寺在遼乾統間稱爲甲刹，至元朝統御之初，金人南奔，兵燼之餘，此寺殿閣巋然獨存。壬子歲賜白金爲香資，至元二十五年中元日住持僧戒海立石紀其事。圖經志書

增閻栻幽州延洪寺禪伯遵公遺行碑略　咸通初，禪師自襄陽來延洪，開廢殿而創尊容，闢虚堂而興法席。貞元中，故相國彭城郡王劉公請凝寂大師弘法之初地也。時號其所爲天城院。大中末，故忠烈清河張公又奏置爲延洪寺。中和四年倒廢，光啟三年興復，乾寧三年四月建碑。同上

原重熙十一年十二月，以宣獻皇后忌日，上與皇太后素服飯僧於三學寺。遼史

〔臣等謹按〕三學寺後改曰圓明寺，明一統志内已無此刹。

原三學寺改名圓明，請予爲功德主，因作疏曰：粵三學之巨刹，冠四海之名藍。今改僧而舍尼，遂從禪而革律。邀印公爲粥飯頭，請湛然作功德主。湛然居士集

【增】圓明寺，舊都三學寺也，在康樂坊。肇始於遼金，未及百年而荒廢，後復興建，革律爲禪，改今名。至元二十年十月望，資德大夫領大都留守司大興府都總管行工部尚書知少府監段貞立石。圖經志書

【原】張翥游城南三學寺詩 南城多佛剎，結搆自遼金。旁舍遺民在，殘碑好事尋。雨苔塵壁暗，風葉石幢深。一飯蒲團了，蕭蕭鐘磬音。蛻庵集

【原】少帝自金天眷五年十月至燕京，居安普寺，前後三四年。天眷十年，金主令帝出寺，賜宅燕京之北，其實有人監守之。十二年九月，燕京大火，旬日不息，焚死者千人。金主勒兵出城北門，避之於寶蓋寺，去帝居所止數十步。竊憤續録

【原】少帝到燕京居安普寺，後徙居城東玉田觀。南燼紀聞

〔朱彝尊原按〕竊憤録、南燼紀聞，皆僞書也，其紀欽宗留燕事蹟與北狩行録、燕雲録不同，蓋未足深信者。

〔臣等謹按〕宋、金二史皆載宋二帝以金太宗天會五年四月至燕。若天眷乃金熙宗年號，在天會之後十年，且天眷三年後卽改稱皇統，並無五年。竊憤續録謂少帝自金天眷五年十月至燕，謬舛滋甚，益徵其書之不足信也。

【原】金承安間勑選僧祖朗爲香林禪寺開山提點。湛然居士集

〔臣等謹按〕香林禪寺今無考。

原崇壽禪院者，燕京大聖安寺圓通國師退老之舊居也。圓通大師祖朗示寂於此。先七日作頌萬松老人贊曰：訥於言而敏於行，璞其貌而玉其心。寒蟬將蜕，尚嫋餘音。其弟子瘞骨於國師靈塔之左，去京城之南可二里許。湛然居士集

〔臣等謹按〕崇壽禪院今無考。大聖安寺，據析津志云在舊城，金皇統初賜名大延聖寺。大定三年新堂成，崇五仞，廣十筵，輪奐之美爲都城冠。七年，詔改寺之額爲大聖安。殆金元以來名刹也。至明遂廢。

原秘書省今在燕弘法寺。金國文具録

〔臣等謹按〕析津志，弘法寺在舊城。金大定十八年，潞州崔進之女法珍印經一藏進於朝，命聖安寺設壇爲法珍受戒爲比邱尼。二十三年，賜紫衣弘教大師。明昌四年立碑石，秘書丞兼翰林修撰趙渢記，翰林侍講學士党懷英篆額。蓋此刹元時尚存廢於明代。

原至元二十一年九月，以江南總攝嘉木揚喇勒智發宋陵冢，所收金銀寶器修天衣寺。元史世祖紀 按：嘉木揚，唐古特語文殊菩薩也，喇勒智，智慧劍也，舊作楊璉真伽。今譯改。

〔臣等謹按〕天衣寺久廢無考。

原至治元年三月，寶集寺金書西番般若經成。元史武宗紀

〔臣等謹按〕析津志云，寺建於唐。大概見於宗原堂記，其詞曰：宗原堂者，大寶集寺之丈室也。佛殿前石幢刻曰大唐幽州寶集寺。唐碑亦有寶集之名。寺創於唐世，可考見矣。遼統和間，沙門彥珪、彥瓊、宗景，重熙間慧鑑，金天會時思愿、智偏，大定間重暉，承安間志元，皆統領教門。元時一傳爲行秀，再傳爲圓明、知棟。至正三年，儀公被詔主寺，嘗承詔校金書藏典，爲撰續釋氏通鑑，進諸嘉禧殿，上嘉歎之。據此，則兹寺自唐至遼金元皆爲巨剎，明初遂廢。

原張翥宿寶集寺詩 來借禪房宿，悠然空客心。殘僧幾人在，古殿一燈深。簷鐸能番語，齋居發海音。重陽看已近，聊復此登臨。蛻庵集

原大德五年二月，賜興教寺地百頃。元史成宗紀

〔臣等謹按〕元大都圖册云：興教寺在順承門内街西，佛會甲於京師。明一統志無此寺，殆久廢矣。

原延祐五年十月，建帝師帕克斯巴殿於大興教寺。六年三月，賜大興教寺僧齋食鈔二萬錠。元史仁宗紀

原帕克斯巴帝師法號曰皇天之下一人之上開教宣文輔治大聖至德普覺真知佑國如意大寶法王西天佛子大元帝師班迪達帕克斯巴巴克什。輟耕録

原至治二年十月，建太祖神御殿於興教寺。元史英宗紀

原特們德爾取興教寺後壖園地三十畝。元史本傳 按：特們德爾卽特穆爾，蒙古語鐵也，舊作鐵木迭兒。今譯改。

增興教寺在阜財坊。圖經志書

原延祐六年六月，賜大乾元寺鈔萬錠，俾營子錢，供繕修之費。元史仁宗紀

〔朱彝尊原按〕上都亦有大乾元寺。

〔臣等謹按〕大乾元寺及後條所稱五方佛銅像俱無考。

原泰定二年七月，修大乾元寺。三年七月，幸大乾元寺，勅鑄五方佛銅像。元史泰定帝紀

原延祐三年，以起建新寺始置營繕提點所。天曆三年，改永福營繕司。元史百官志

〔臣等謹按〕析津志，永福寺有青琉璃塔，未詳其處。

原延祐五年十一月，勅大永福寺創殿。七年二月，罷造永福寺。戊午，建御容殿於永福寺。至治元年二月，大永福寺成。元史仁宗紀

原泰定二年正月，奉安顯宗像於永福寺，給祭田百頃。元史泰定帝紀

原泰定三年十月，中書省臣言：養給軍民，必藉地利，世祖建大宣文弘教寺，賜永業，當時已號虛費，而成宗復搆天壽萬寧寺，較之世祖，用增倍半。若武宗之崇恩福元寺、仁宗之承華普慶寺，租榷所入，益又甚焉。英宗鑿山開寺，損兵傷農，而卒無益。夫土地，祖宗所有，子孫當共惜之，恐兹後藉爲口實，妄興工役，邀福利以逞私欲，惟陛下察之。帝嘉納焉。同上

〔臣等謹按〕大宣文弘教寺，今静宜園之萬安山法海、法華二寺相傳卽其遺址。詳郊坰西十五卷。天壽萬寧寺在今鼓樓東偏，詳内城北城卷中。承華普慶寺卽寶禪寺，在今寶禪寺衚衕，詳内城西城卷中。崇恩福元寺，據元人輿地要覽，有大德十一年碑學士歐陽元撰，今莫詳其處。

原國史院進先朝實録儀，中書命左三部、太常寺、少府監於興禪寺置局。元史禮樂志

〔臣等謹按〕析津志，興禪寺在燕聖安寺之東，憫忠閣之西，今莫詳其舊址。

增興禪寺舊剎一行禪師建，後廢，辛丑冬再興建，一紀復完，賜額曰萬安禪寺。癸丑火，是年三月重建大殿方丈客位僧舍。中統三年六月，立傳法正宗之殿，提舉學校王萬慶撰書題額。圖經志書

原至治元年十二月，車駕幸西僧灌頂寺。元史英宗紀

〔臣等謹按〕灌頂寺今無考。

原後至元三年，以雅克特穆爾居第賜灌頂國師納木喀桑結，號大覺海寺，塑千佛於其内。元史順帝紀 按：納木喀，唐古特語天也，桑結，佛也，舊作曩哥星吉。今俱譯改。

原至正元年正月，命永明寺寫金字經一藏。同上

〔臣等謹按〕永明寺今無考。

【原】皇帝在春宮時，嘗幸勝因寺，棟宇華潔，像設嚴穆，顧昭文館大學士頭陀教宗師溥光而美之。溥光對曰：都民姚長者之力也。因歷道長者平生。勝因之剏也，致幣五萬餘緡，大藏經一藏。〔雪樓集〕

〔臣等謹按〕析津志載，元翰林學士閻復勝因寺碑述僧溥光事頗詳，今節録於後，寺在明時已廢。

【增】元閻復勝因寺碑略：大頭陀教勝因寺，圓通玄悟大禪師溥光所造也。始祖曰紙衣和尚，十有一傳而至溥光大禪師。至元辛巳，賜大禪師之號，爲頭陀教宗師。請於有司，得地八畝，規建精藍。前儀真三務使姚仲實賙急尚義，實爲檀施首，燕人高翔亞之，自餘不祈而薦貨、不命而獻力者非一。師姓李氏，字元暉，雲中人，自號雪庵。〔析津志〕

【原】度宗全皇后，宋亡，從瀛國公入燕京，後爲尼正智寺而終。〔宋史后妃傳〕

〔臣等謹按〕正智寺今無考。

【原】元初，京師禪學分萬松、延洪二門。比邱尼智公，參萬松者也，耶律楚材因請其開堂，住報先寺。〔析津日記〕

〔臣等謹按〕報先寺有遼偈，見析津志，而明志不載，寺與偈殆久毀矣。

【增】報先寺有遼聖文神武全功大略聰仁睿孝天祐皇帝御書華嚴經覺林菩薩偈。〔析津志〕

〔朱彝尊原按〕元混一方輿勝覽所載，尚有崇聖、崇仁、資福、薦福、濟衆、崇孝、洪法、奉聖、法寶諸寺。

增崇聖寺在咸寧坊，至元五年建。析津志

增崇仁寺在舊城玉田坊。元一統志

增資福寺在舊城，金大定辛卯三月，僧法成建。圖經志書

增薦福寺在舊城歸厚坊，建於遼，後以兵革廢。元朝辛亥歲，謙公長老興修，戊午落成，己未立碑。上同

增崇孝寺，遼乾統二年沙門了銖作碑銘，謂析津府都總管之公署左有佛寺，厥號崇孝。按幽州土地記，則有唐初年置，里俗相沿，則謂德宗貞元五年幽帥彭城太師劉公濟捨宅爲寺，傳説各異。以前殿梁板及後殿左幢文考之，則劉莊武公濟貞元五年捨宅作寺爲是。元一統志

增法寶寺在舊城，遼統和二十二載，秘書省校書郎仇正己撰幢記，杜永祚舍地基建寺。上同

〔臣等謹按〕崇聖、崇仁、資福、薦福、崇孝、法寶六寺皆朱彝尊原按所引者，今據析津志元一統志及圖經志書所載增録，亦祇僅存其名，餘皆無考。

原祝參政顥初爲給事中，奉旨查在京寺觀無賜額者。有青龍寺極閎麗，僧言巨璫奉密旨所建。顥不聽，立請毀之。西園聞見録

補元方輿勝覽，大興府載，佛寺三十八區，中有海雲寺，元時寺有千葉杏二株，名芙蓉杏。傅巖起在京師築清晏堂，以此花置瓶中。錢唐張叔夏見之，稱其奇麗可觀，江南所

無。巖起索叔夏賦之，叔夏爲填三姝媚詞。今失其處，故老蔑有知之者矣。人海記

〔臣等謹按〕海雲寺，據元一統志亦金元古刹，至明始廢。

補鄆王拜珠蔑，晉王入繼，逆臣誅命，奉王像祠於海雲寺。黄文獻集

增海雲禪寺佛曰圓明大宗師海雲，年十九開堂於慶壽祖庭之興國，厥後三住慶壽，徧歷諸刹。歲次辛丑，燕京普濟院僧衆舉寺以施於師曰：此刹始立於金天會七年，至大定二年賜是名，其地爽塏幽僻，非師居之不可。元朝壬子春，師罄衣鉢，命庵主覺文等勠力興修。殿宇雄麗，金碧輝映，爲諸刹冠，以師之道號曰海雲，賜爲寺額。元一統志

補張炎題海雲寺杏花三姝媚詞　芙蓉城畔侶。乍卸却單衣，茜羅重護。傍水開時，細看來渾似，阮郎前度。記得小樓，聽一夜江南春雨。夢醒簫聲，流水青蘋，舊遊何許？誰翦層芳深貯。便洗盡長安，半面塵土。絶似桃根，帶笑痕來伴，柳枝嬌舞。莫是孤村，試與問酒家何處？曾醉梢頭，雙果園林未暑。山中白雲詞

補普安禪師至温於大都作資聖寺。道園學古録

〔臣等謹按〕資聖寺今無考。

補至正二十七年，宮牆外長慶寺所掌成宗鄂爾多内大槐樹，有龍纏其上，良久飛去，樹皮皆剥。元史五行志

補金天眷四年十一月，廢劉豫爲河南道行臺，傳送燕京，囚於柏王寺。竊憤續録

〔臣等謹按〕柏王寺，元一統志、析津志俱不載，或元時已無此寺矣。

欽定日下舊聞考卷一百五十六

存疑

原 龍頭觀，龍頭懸三牙籤，刻曰建隆元年。金臺集

〔臣等謹按〕龍頭觀，元果囉洛納延有詩，則此觀元時尚存。但考元一統志及析津志俱不載，蓋其後已就圮廢耳。

原 果囉洛納延龍頭觀詩　仙館紅塵外，龍頭得借看。開函雲氣濕，近席雨聲寒。碧血凝螺黛，香涎逼麝檀。牙籤認題字，猶是建隆刊。金臺集

原 至元十一年十二月，賜太一真人李居壽第一區，仍賜額曰太一廣福萬壽宮。元史世祖紀

〔臣等謹按〕太一廣福萬壽宮今無考。

原 至元十一年，建太一宮於兩京，命李居壽居之，領祠事，且禋祀六丁以繼太保劉秉忠之術。元史釋老傳

補 真常真人李居壽召赴闕下，特旨於奉先坊創太一廣福萬壽宮，中建齋壇，繼太保劉秉忠禋六丁神將，歲給道衆粟帛有差。秋澗集

原 王士熙留題太一宮作　石徑松花静掩扉，芙蓉秋早蝶雙飛。主人何處採芝去，待到日斜猶未歸。皇元風雅

補 王惲太一宮絶句　庭樹蕭蕭緑滿廊，日長深鎖碧窗涼。隔牆遥見秋來處，一葉輕黄墮井牀。露濕庭松偃蓋青，一聲幽磬隔疏櫺。多應金簡朝元罷，自炷鑪香讀道經。秋澗集

原 天曆二年十一月，命道士建醮於玉虛、天寶、太一、萬壽四宮。元史文宗紀

〔臣等謹按〕玉虛、天寶、太一、萬壽四宮皆建自元時，至明已廢。惟元一統志載天寶宮原委甚悉，仍録於後。

原 果囉洛納延玉虛宮詩　樓觀迴深巷，松枝夾路低。拾薪供早爨，抱甕灌春畦。經向琅函讀，詩從古鼎題。白鬚張道士，送客過桃溪。金臺集

原 李褒玉虛宮詩　金水河邊蓮欲花，菖蒲菱芡漾迴沙。醉來風弄浮萍影，照見青天五色霞。李太史集

原 酈希誠居燕城天寶宮。元史釋老傳

補 國朝之制，凡爲元教師者得在禁近，號曰真人，給以印章，得行文書，視官府。而真大道教者，則制封無憂普濟開徹洞明真君劉德化之所立也，以弟子嗣守其業，治大都南城天寶宮。道園學古録

增 天寶宮在舊城春臺坊，有制贈大道正宗四世稱號碑，元貞元年翰林學士李謙撰，御史中丞崔彧書。又創建天寶宮碑，翰林直學士王之綱撰，本宮提點陳德元等刻石。元一統志

增 李謙制贈大道正宗四世稱號碑略　大道之教，行於世久矣。清修寡欲，謙卑自守，力作而食，無求於人，得老氏立教之旨爲多。今嗣教宗主，其傳蓋第八代。自第五代入元朝，皆賜號真人，其四代宜追賜稱號，如全真氏故事。制可。贈其始祖曰無憂普濟真人，第二代曰大通演教真人，第三代曰沖虛静照真人，第四代曰體元妙行真人。同上

增 王之綱創建天寶宮碑略　聖天子踐阼之初，詔贈大道四代祖師雅號。元貞改元，其嗣教崇元廣化真人岳德文請於翰林學士李謙，文諸翠琰。而天寶興建之由未有紀述。二年夏，德文復請記於予。按大道之教，發源於無憂普濟真人劉君，而大通演教陳君繼之。大通傳之沖虛静照張君，静照傳之體元妙行毛君。無憂之厭世也，謂門弟子曰：後五十年，吾復來此。及期而太元酈君方嗣體元法，識者謂無憂後身也。自是其教日盛。憲宗卽位之四年，特降璽書，賜名真大道，中宮賜之冠服。主教三紀，傳之通元孫君，通元傳之頤真李君，崇元接武於頤真，其爲代凡八。初，太元之主法席也，歲在丁亥，沖虛高弟劉希祥等市燕故都開陽里廢宇爲焚修之所。爲殿爲門，像設儼然。至元八年，

通元於琳宅之左創立殿五楹，而又建層壇於中央，敞三門於離位。十年，勑賜宮額曰天寶。同上

補 馬祖常祠星天寶宮作 教命司諸席，元辰集醮筵。星君符介壽，歲紀輯安躔。炬焰天無夜，熏焚樹有烟。音如緱嶺上，拜似竹宮前。藥笈祥延世，飆輪儼御仙。日餘青煒接，宿耀罽壇連。象緯昭重潤，齊明祝大年。步虛垂珮響，奠幣織文鮮。誠感將馨祀，神娛樂鼓淵。蕃釐歸帝冑，孚佑播農田。石田集

補 袁桷次韻馬伯庸過天寶宮作 松暝碧雲深，鶴歸人倦尋。朝回香滿室，祠罷月生襟。白鳥分山影，黃鸝囀樹陰。小溪流不歇，嗚咽似鳴琴。清容居士集

原 都城南有道者居松鶴堂，暇日同東平王繼學爲避暑之遊，因作聯句。石田集

原 馬祖常王繼學松鶴堂聯句 偃雲聳層霄，驚露落古雪。虬枝喜垂潤，鷺羽陋鳴垤。蟠石千歲苓，頂朱百齡血。胎禽哺春巢，乳脂凝沍節。舞蓋竽籟喧，啄粒苔蘚齧。元玉薰麝煤，碧脛隘雞桀。陟岳秦爵崇，授甲衞軒劣。沐髮豹霧深，引吭鳳竹裂。風馭八極小，河舟三翼拙。魯縞曳襹褷，夏社挺巀嶭。任重明堂材，言歸華表別。拳縮包胥立，堅剛伯夷烈。延世餌芳液，顧步炫高潔。作室擅兹美，觀物入獨閲。誓將束囊書，從爾解佩玦。同上

增 玉清觀在黄土坡南盡頭。元一統志

〔臣等謹按〕黄土坡無考。後條朱彝尊原書載趙復玉清觀碑略稱觀在甘泉坊。按析津志有東甘泉坊、西甘泉坊，亦未詳爲何地也。

原 趙復燕京玉清觀碑略 甘泉坊有東嶽行祠。燕有隱君子馬天麟斥地數畝，薙草除穢，售材陶甓，創建玉清觀正殿四楹，立元始像，齋堂、寢室、庖湢、蔬井，經理備具，罔有闕遺。甘水仙源録

〔朱彝尊原按〕元混一方輿勝覽所載，尚有崇天、壽聖、壽陽、高真、延祥、長生、神保、元禧、丹陽、太清、洞神、時暘、清微、東華十四道觀。

增 長生觀，長春邱仙翁門弟崇德宋真人所創建，在舊都豐宜關。有崇德祠堂記，長春宮元學講經宣義大師史志經撰。元一統志

增長春宮之南有觀曰元禧，昔開遠坊李忠道者嘗建長春真人堂於此以奉香火。甲午夏，忠道以地歸之真常李公。乙未秋，道衆雲集，觀始創建。真常公名以元禧，北平王粹記其本末云。上同

增丹陽觀，全真道士通元子劉君所建也。通元子年二十餘，辟王府參謀，委任近密。一日，散財棄妻子，修全真教。所交遊達官貴人競施財物助之買地致材，以建此觀。至元十六年冬，翰林學士王磐撰記。上同

增洞神觀在舊城，有虛舟老人太原李鼎所撰記，葆光大師谷神子所創建也。葆光先就雲中拜長春爲師，傳法於圓明普照崇德宋真人，其道行皆見於記。至元十二年提點洞神觀事王志謙立石。上同

增清微觀在甄樂院東。上同

〔臣等謹按〕朱彝尊原按所引十四道觀，惟長生、元禧、丹陽、洞神、清微五觀見元一統志，餘俱不載，更無可考矣。

原正德四年二月，以朝陽關外猫竹廠地給付大德元明宮。初，劉瑾奏，請於朝陽關外作宮奉北極元帝，祝延聖壽。上既賜之額，而瑾復請猫竹廠空地以贍香火。上復許之，命工部爲之履畝定界。所謂猫竹廠者，工部亦無册藉可考，軍民廬於其内，因而開種，遂

爲己業，或從便營葬，無慮千家，皆責令改遷。力能遷者無幾，餘皆發毁暴露，寃號之聲沸於郊外。（明武宗實録）

〔朱彝尊原按〕元明宮在朝陽關外。新城築後，其在城內、城外，父老無能言之者，故附於此。

原 劉瑾既誅，工部請以所占猫竹廠地并吞併民間房屋墳墓查還給主，廠仍還本部堆放竹木。（明武宗實録）

原 正德十六年八月，工部左侍郎趙璜言：劉瑾營造元明宮，侵發居民田冢甚多。瑾既伏誅，當遂還主。乃爲姦臣獻皇莊之邪説以蠱惑先帝。及陛下登極之初，有詔改正。未幾，又内傳仍舊。臣等謂聖明在上，豈有此事？必太監王竚、賈友仍持皇莊之邪説以誤陛下耳。夫一莊之利甚微，而皇言所係甚大。今開詔未數月而遽更，恐非示天下以信也。宜以其地爲户部房屋，歸本部改正拆毁。其有原被侵占而願贖者聽。得旨：悉依擬行。（明世宗實録）

原 李夢陽元明宮行 今冬有人自京至，向我道説元明宮。木土侈麗誰辦此，乃今遺臭京城東。割奪面勢創巘業，出入日月開栟幪。矯託敢與天子競，立觀忍將雙闕同？前屹石柱雙蟠龍，飛梁逶迤三彩虹。實構合沓殿其後，儼如山岳翔天中。金銀爲堂玉布地，千門萬户森相通。光景閃爍倏忽異，雲烟鬼怪恍杳濛。以東金榜祠更侈，樹之松檟雙梧桐。溟池島嶼鰋鯉躍，孔雀翡翠兼羆熊。那知勢極有消歇，前日虎豹今沙蟲。窗扉自開衞不守，人時游玩摇玲瓏。陛隅龍獸折其角，近有盜換香鑪銅。青苔生泥鏡面鎖，野鴿哺子雕花櫳。憶昔此閹握乾柄，帝推赤心閹罔忠。威刑霹靂縉紳毒，自尊奴僕侯與公。變更累朝意叵測，掊克四海真困窮。長安奪第塞巷陌，心復艷此閹何蒙。搆結擬絶天下巧，搜剔遂盡輸倕工。神廠擇木内苑竭，官坑選石西山空。夷墳伐屋白日黑，揮汗如雨斤成風。轉身唾罵閹詎知，退朝督勞何匆匆！人心嗟怨入骨髓，鬼也孰復安高崇？峩碑照耀頌何事，或有送男充道童。聞言愴惻黯無答，私痛聖祖開疆功。渠干威福開者誰？法典雖嚴奈怙終。錦衣玉食已叨竊，琳宮寶宇將安雄？何宮不鐫護勅碑，來者但看元明宮。空同集

原何景明元明宮行　君不見元明宮中滿荆棘，昔日富貴今寂寞？祠園復爲中貴取，遺構空傳孽臣作。雄模壯麗臨朝廷，遠勢連袤跨城郭。憶昨己巳年來事，秉權自倚熏天勢。朝求天子苑，暮奪功臣第。江艘海舶送花石，戚里侯門擁金幣。千人力盡萬牛死，土木功成悲此地。碧水穿池象溟渤，黄金作宮開日月。虹霓屈曲垂三梁，蛟龍盤拏抱雙闕。城中甲第更崔嵬，親戚兄弟皆閥閱。戚里歌鍾賓客游，排門冠劍公卿謁。生前千門與萬户，死時不得一丘土。石家游魂泣金谷，董相燃臍嘆郿塢。宮前守衛無訶呼，真人道士三四徒。石户蒼苔生鐵鎖，玉階碧草摇金鋪。星宮晝開見行鼠，月殿夜禱聞啼狐。遊客潛窺翠羽帳，市子屢竊金香鑪。桑田須臾變滄海，桃樹不復栽元都。我朝中官誰最貴？前有王振後曹氏。正統以前不得聞，成化之間未有此。聖明雖能斷誅罰，作新未見持綱紀。天下衣冠難即振，中原寇盜時復起。古來禍亂非偶然，國有威靈豈常恃？元明之宮今已矣，京師土木何時止？南海猶催花石綱，西山又起金銀寺。君不見金書追奪鐵券革，長安日日迎護勅？大復山人集

原韓邦靖元明宮行　長安送客城東道，柳葉楊花春正早。元明宮前下馬時，一片烟花長萋草。宮中道士邀我入，素果清茶日未昃。白河東下禁城西，指點湖山三嘆息。正德三年與四年，劉瑾專權斧扆前。可憐帝主推心腹，縱有邱張豈比肩？帷幄空多戚里恩，論思無復侍臣尊。千官盡走東河下，庶政全歸左順門。震主領朝不自知，回天轉日更誰疑？金貂滿座銜恩日，朱紱升堂頌德時。翻嫌仇李光榮薄，卻笑曹侯意氣卑。謀生意拙還謀死，更起元明作蒿里。甲第侯王已莫論，陰山將士那堪比！土石西山半欲摧，棟梁南國萬牛回。虛閣平臨金闕杪，假山下指鳳城隈。琪花瑶草尋常得，萬户千門次第開。萬户千門誰甲乙，元明之宮推第一。金盌常思埋甲盾，銅駝不解生荆棘。自古威權不到頭，九重一怒罪人收。幾人烈焰俱焚滅，一旦冰山作水流。冰山烈焰事俱非，座上門前客盡稀。須臾蔓草縈枯骨，宛轉佳城屬羽衣。門掩官河十里長，山藏隴樹一千行。今古誰存三尺土，姦雄空作百年忙。春風有燕時雙入，寒食何人奠一觴！卧牛不得歸岡勢，怨鶴空聞繞夕陽。夕陽漠漠歸鶴遲，卻意元明全盛時。千人舉杵萬人和，九仞爲臺十仞池。雨露霜霾歸喜怒，層青丹碧豈珍奇。萬民累足臣屏息，四海離心主不知。從來偏重多憂患，自古末流難障捍。東京政事三公缺，閹宦專權禍尤烈。正統王振擅權時，先朝李廣亦恣睢。只今不獨劉瑾盛，帝主傍前安可知？倚社難熏古如此，操刀必割誰能已？三穴那能窮帝旁，萬幾況復歸司禮。救枉扶偏本不同，更張琴瑟始成功。還期聖主思前事，莫遣元明有別宮。韓汝慶集

原鄭善夫元明宮行　君不見元明宮中聚金碧，云是權璫結真宅？貝闕憑陵上帝居，彤臺照耀長安陌。雕龍鑄虎欻飛動，至今赤日風雲黑。崖壑天開朔漠摇，鯨鯢日吼滄溟仄。採奇只見靈怪集，矯首翻詫星辰迫。西域祇園應渺茫，

六朝蕭寺空千百。白龍胡爲作魚泣，想爾當年勢烜赫。土木經營動四方，珍奇聯絡來重譯。分明造化出其手，左揮右霍何不得？欲將燕市作蓬山，便有仙人爲驅石。姦雄到死竟不悟，驕奢之末無終極。氣數相乘可自由，李貓趙鹿空回頭。君不見大市街頭權倖骼，古來虀粉誰曾收？少谷集

原 薛蕙元明宮後圃石山詩 出郭仙城近，探幽福地遥。珠林行窈窕，錦石上岧嶤。雲裏仙人酒，山中玉女簫。蓬萊去何許？東望海邊潮。西原集

原 劉節元明宮詩 弱草芊芊卧斷碑，殘陽脈脈柳條衰。瑶函寶籙今安在？華屋修廊更屬誰？狐兔衹看啼故穴，風雲那復動靈旗。行人下馬談遺事，惟有蒼涼野老知。梅國集

原 南大吉九日遊元明宮詩 城東三四里，鬱有元明宮。九日經行近，千門窈窕通。瑶軒含紫霧，琳殿挂丹虹。側想當時意，經營亦太工。瑞泉集

原 顧夢圭詩 崔嵬元明宮，宛在城東隅。萬夫執畚鍤，玉棟金爲闆。天子爲我兄，公卿爲我奴。傾朝盡側目，睥睞天下無。誰知原上鷹，竟爲釜中魚。元明今何處，白露滋庭蕪。疣贅録

原 披雲樓在京城南，舊有題額，是金章宗手書。上有遠樹影，雖風雨晦冥皆見。春明夢餘録

〔臣等謹按〕析津志，披雲樓在舊城之大悲閣東南，今無考。

原 耶律楚材和韻題披雲樓詩 閒上披雲第一重，離離禾黍漢家宮。窗開青瑣招晴色，簾捲銀鈎挹曉風。好景安排詩句裏，閒愁分付酒杯中。静思二十年間事，聚散悲歡一夢同。湛然居士集

增路鐸披雲樓詩 步上雲端曉碧空，恍然身似出樊籠。斜陽飛鳥陶邱外，淡月耕牛禹迹中。聊混古今千榼酒，不分賓主一襟風。挽鬚笑語真難得，明日泥沙印爪鴻。四朝詩

原 南野亭在府南，前臨澗水。明一統志

〔臣等謹按〕南野亭今無考。

原 宋褧賦苑主事南野亭詩 女牆不隔鳳城春，柳色危亭枕水濱。夜墄松風吹几杖，曉闌花露濕衣巾。西隣池館存碑石，清勝園。東里園林換主人。萬柳園。得似夫君能曠達，百壺清酒日娱賓。燕石集

原 虞集詩 門外烟塵接帝扃，坐中春色自幽亭。雲横北極知天近，日轉東華覺地靈。前磵魚游留客釣，上林鶯囀把杯聽。莫嗟韋曲花無賴，留擅終南雨後青。道園學古録

原 遂初堂在府南，元僉事張九思别業。繞堂花竹水石之勝甲於都城。九思常以休沐與公

卿賢大夫觴咏於此，從容論説古今以達于政理，非直爲遊樂也。明一統志

〔臣等謹按〕元史宰輔傳，九思以至元十九年爲詹事院丞，大德二年拜中書平章事，故或稱平章，或稱詹事。按虞集作墓誌云，九思以家政屬其弟九儀，而治園於南門外，作堂曰遂初，花木水石之勝甲於京師，嘗以休沐與賢士大夫觴詠而樂之，然未嘗自佚。如集所稱，則當時地屬名勝。元析津志載其方位頗詳，今莫可考矣。

補 平章張侯遂初亭館，每歲春，例一讌諸公。秋澗集

增 遂初亭在施仁門北，崇恩福元寺西門西街北，舊隆禧院正廳後，乃張子有平章別墅也。元一統志

〔臣等謹按〕施仁門、崇恩福元寺俱詳見前卷。隆禧院無考。

原 趙孟頫詩：青山繞神京，佳氣溢芳甸。林亭去天咫，萬象争自獻。年多佳木合，春晚餘花殿。雕闌留戲蜂，藻井語嬌燕。退食鳴玉珂，友于此中宴。松雪齋集

補 王惲遂初亭詩：山林長往懷高致，富貴逼人將奈何！閒向遂初亭上去，一尊高詠紫芝歌。秋澗集

補 又宴張右丞遂初園水調歌頭詞：園林足佳勝，鐘鼓樂時康。去天尺五韋杜，此日漢金張。誰似主人好客？暫趁金華少暇，樽俎共徜徉。三館儘英雋，簪履玉生光。眺東臺，登北榭，讌南堂。露涼玉簪零亂，竹静有深香。醉聽新聲金縷，愛仰東山雅量，清賞興何長！高詠遂初賦，松柏鬱蒼蒼。同上

原 垂綸亭，元學士宋本故居，在都城西南。春明夢餘録

〔臣等謹按〕垂綸亭今無考。

原 袁桷垂綸亭辭 漢滔流兮日傾，東滄浪兮泠泠。蹇一士兮沉冥，垂芒鍼兮不屑以罾。明玕兮貝宮，朱柯蔚兮青葱。魚戢鱗以爲衞兮，龍騰章以屏氣。謝娟嬛之嘗巧兮，口垂沫以縱恣。吾寧養之以歲年兮，寶秘鬱而不宣。豈直鈎以違衆兮，守釣道之自然。時至而迅舉兮，匪荒幻之詭誘。保真志以遂初兮，考銘言於耆叟。時俗眇其莫同兮，永願訖依夫前聖之所究。清容居士集

〔朱彝尊原按〕宋顯夫爲其兄作行狀，稱學士生於大都爲美坊，今五城坊巷無此名。

〔臣等謹按〕析津志云，本世爲燕人，住爲美坊，此元時坊名也。明張爵五城坊巷集係明代制度，是以不載耳。

原 元有甄氏訪山亭在城西，今莫詳其處矣。淥水亭雜識

〔臣等謹按〕元文類及成德淥水亭雜識所稱甄氏，亦未詳所指爲誰也。

原 陳觀題甄氏訪山亭詩 雨後西山翡翠堆，結亭直欲近巖隈。從今記取溪頭路，一日須來一百回。元文類

〔朱彝尊原按〕元之園亭在城北者，曲太保之賢樂堂，在城東者，董氏杏花園，其餘多在城西南，自萬柳堂、遂初堂、飲山亭、婆娑亭、匏瓜亭、玩芳亭、南野亭、垂綸亭而外，尚有清勝園在萬柳之西，見宋顯夫南野亭詩注，意新城未築時或在今城內地亦有之，不盡在門外也。

原 東郭草亭在府東南，興濟伯楊善别業也。每朝士休暇燕游及餞迎賓友咸憩於此。明一統志

〔朱彝尊原按〕新城未築時，草亭在東郭之外，楊文貞記稱亭在文明門東二里，則新城築後，亭址在城内矣。

原文明門東二里，曠地百畝，環以葦樊，樊之内皆蔬畦麥隴，溝塍秩秩如畫，中置井，作轆轤引泉灌注，凡種藝具有條理。鴻臚卿楊君思敬别業也。有亭覆以茅，幽邃而闓爽，亭之外雜植名卉異果，周垣以護之，垣外樹桃李杏，花時盛開，翛然有塵外之趣。東里集

原王英遊楊鴻臚東郭草亭作　曉下鑾坡直，春游近郭園。柳陰嘶過馬，花塢駐行軒。樹密巢多鳥，池清水有源。泛盃傾玉液，展席坐雲根。自有山林趣，多無市井喧。頻年遂幽賞，感激荷天恩。泉坡集

原楊士奇詩　帝城南畔尋韋曲，浩蕩風光三月中。衢路塵埃過雨淨，園林花木競春紅。主人置酒興非淺，衆客題詩歡不窮。一杯一曲日西下，更待銀蟾生海中。東里集

補忠肅王燾，元年元命上王留京師，上王構萬卷堂於燕邸，召李齊賢充府中，迎致文儒閻復、姚燧、趙孟頫、虞集等，與之從遊，以考究書史自娱。東國史略

〔臣等謹按〕萬卷堂今無考。

原劉秉忠雖居左右而猶不改舊服，時人稱之爲聰書記。至元元年，翰林學士承旨王鶚言：秉忠久侍藩邸，參帷幄之密謀，定社稷之大計，乃猶仍其野服散號，深所未安。宜正其衣冠，崇以顯秩。帝覽奏，卽日拜光禄大夫，位太保，參預中書省事，詔以翰林侍讀學士竇默之女妻之，賜第奉先坊。元史本傳

〔臣等謹按〕元一統志載金舊城坊名，内有奉先坊，今莫詳其處矣。

原三休道人稅居燕城之市，榜其庵曰貧樂。湛然居士集

〔臣等謹按〕貧樂庵今無考。

原戾陵燕剌王旦之陵，故以戾陵名。水經注

〔臣等謹按〕水經注所載燕王陵，據後條金史紀傳，是金時陵址尚存，自大定九年改葬後，其遺蹟遂莫可辨矣。

原 燕王陵有伏道，西北出薊城中。景明中造浮圖建刹窮泉，掘得此道，王府所禁，莫有尋者。通城西北大陵，而是二墳基址盤固，猶自高壯，竟不知何王陵。水經注

原 大定九年二月，詔改葬漢二燕王於城東。金史世宗紀

原 初，兩燕王墓舊在中都東城外，海陵廣京城，圍墓在東城內，前嘗有盜發其墓。大定九年，詔改葬於城外。俗傳六國時燕王及太子丹之葬，及啓壙，其東墓之柩題其端曰燕靈王舊。舊，古柩字通用。乃西漢高祖子劉建葬也。其西墓蓋燕康王劉嘉之葬也。蔡珪作兩燕王墓辨，據葬制名物款刻甚詳。金史本傳

原 幽都縣舊即薊縣地，今邑理薊西界。太平寰宇記

〔臣等謹按〕幽都縣遺址今無考。

原 幽都縣，建中二年於羅城内廢燕州廨置，在府北一里。郡國縣道紀

原 薊州爲朱滔所破，州尋廢，立幽都縣於故城。太平寰宇記

原 迴城在大興縣。元混一方輿勝覽

〔朱彝尊原按〕迴城或以爲在薊之北，或以爲在薊之東，或以爲在薊之南，或以爲近薊邱旁，或以爲在盧溝橋東，究未知孰是。

〔臣等謹按〕孫承澤春明夢餘録云，迴城在盧溝東南，按今南苑迴城外有迴城村，村

東有土城基，約長一里，高二丈餘，凡五段，雖去盧溝稍遠，而方向則合，或即其遺址未可知也。

原 迴城在薊縣東，唐遷營州於薊，爲築此城近薊邱旁。名勝志

原 征北小城在府東，或曰即後漢末公孫瓚所築。初平四年，瓚與幽州牧劉虞積不相能，瓚築小城於薊城東南居之。虞發兵討瓚，反爲所敗。晉置征北將軍，嘗治此。因名征北小城。建興三年，劉琨自太原奔段匹磾，時匹磾治薊，琨別屯征北小城，是也。方輿紀要

〔臣等謹按〕征北小城無可考。

原 元初設警巡院三，至元四年省其一，止設左右二院，分領坊市民事。元史地理志

〔臣等謹按〕元一統志，元初設大都警巡院及左右二院，右院領舊城之西南、西北二隅，四十二坊；左院領舊城之東南、東北二隅，二十坊。大都警巡院領京師坊事。建置於至元十二年。至二十四年省併，止設左右二院，分領京師城市民事。元史地理志作四年，殆明時作史者脱去二十字耳。

原 至正十八年，於大都在城四隅，各立警巡分院官吏。元史百官志

原 危素興學頌　至正元年四月，大都路都達嚕噶齊康里公伯嘉努請作左右南三警巡院，大興、宛平二縣孔子廟，并建學舍。都府亟達諸禮部，部上之中書省，中書從其言，各以屋廬之在官者爲之。三院之所轄，五方之人聚焉，必待教而後明。況二縣在於畿内，教之尤不可闕也。國朝建邦設都，百年於此，國學京學規制已備，顧於五廟學未遑有作，而作於公尹京之日，則公之於政可謂知本矣。頌曰：維昔大帝，即燕設都。山高川迴，神明相扶。乃作廟學，

於京於國。以祀先師，以講道德。人才勃興，邦家之光。小爲宋桷，大爲棟梁。三院警巡，以及畿縣。置師無學，有弗聞見。繄康里公，實莅神京。治政以平，豪猾震驚。曰茲教化，爲予之責。請於宰臣，報可甚亟。爰奏琴瑟，升歌雅南。籩豆在筵，有赫其臨。匪公言行，際時之盛。化被國都，風俗以正。肅肅冠裾，誦詩讀書。凡百多士，毋昧厥初。說學集 按：伯嘉努舊作伯嘉奴，今對音譯改。

原 安濟橋瀕危，俗呼舍命橋是也。燕石集

〔臣等謹按〕析津志，橋在鐵平章宅後。考元時宰輔，名有以鐵字始者三人：曰特爾格，曰特們德爾，曰特穆爾達什。此三者，特們德爾非賢相，特穆爾達什當元末文宗、惠宗時，其事蹟皆不相類。惟特爾格傳載：世祖至元十七年賜第大明宮，左留守段珪以逼近木局爲言。帝曰：俾居禁近，以便宣召，木局稍隘，何害？據此，則鐵平章宅或卽特爾格所居。又析津志載，高梁河由鐵平章橋流入元武池，則此橋在都城之西，今莫可辨矣。按：特穆爾達什義俱見前，舊作鐵木兒塔識。今俱譯改。

原 宋褧度安濟橋入史局詩 街樹葱蘢曉雨收，官河相近御溝流。帝城不是多塵土，直住詩人到白頭。燕石集

原 柳河館、牛山館、通天館，自燕京至中京北門徑路。武經總要

〔臣等謹按〕柳河館、牛山館、通天館今俱無考。

補 韓琦紫濛遇風詩 草白岡長暮驛賒，朔風終日起平沙。寒鞭易促障泥躍，冷袖難勝便面遮。迴嶺卷回雲族破，遠天吹入雁行斜。土囊微乞緘餘怒，留送歸程任擺花。安陽集

〔臣等謹按〕宋王珪詩：雷急紫濛催玉勒，日長青瑣聽薰絃。明夏樹芳云，紫濛遼時館名。此詩首句草白岡長暮驛賒，與夏説合。蓋紫濛乃途中館驛，距京城似猶稍

遠，其地今莫可考矣。

欽定日下舊聞考卷一百五十七

雜綴

〔臣等謹按〕朱彝尊原書雜綴門，採諸書所載朝野細事，兼及於列代流品，乃志乘家識小之遺法。今略爲詮次時代先後，其原書内有别門應移入者，亦按次附編於後。

原 文王得大秦貝，徑半尋，穆王得其殼懸於觀，秦穆公以遺燕。相貝經

原 燕昭王好道，仙人甘需臣事之，爲王述昆臺登真之事，去嗜欲，徹聲色，無思無爲，可以致道。王行之既久，谷將子乘虚而集，告於王曰：西王母將降觀爾之所修，示爾以靈元之要。後一年，王母果至，與王游燧林之下，説炎皇鑽火之術，然緑桂膏以照夜。忽有飛蛾銜火集王之宫，得圓邱珠砂，結而爲佩，王登握日之臺，得神鳥所銜洞光之珠以消煩暑。自是王母三降於燕宫，而昭王徇於攻取，不能遵甘需澄静之旨，王母亦不復至。仙傳拾遺

原 燕昭王坐通雲堂，亦曰通霞臺，以龍膏爲燈，光耀百里。臺左右種恒春之樹，葉如蓮花。拾遺記

原 燕昭王坐祇明之室，升於泉昭之館。此館常有白鳳白鸞繞集其間。同上

原 朔人獻燕昭王以大豚，年百二十矣，人謂豕仙。王命豕宰養六十五年，大如沙墳，足如不勝其體。王異之，令衡官橋而量之，折十橋，豕不量。又命水官舟而量之，其重千鈞，其巨無用。燕相謂王曰：奚不饗之！王乃令膳夫烹之。夕見夢於燕相曰：造化勞我以豕形，食我以人穢，吾患其生久矣。仗君之靈，得化吾生，爲魯之津伯。燕相游乎魯津，有赤龜奉璧而獻。符子

原 鄒衍事燕惠王，盡忠。左右譖之王。王繫之獄。仰天哭，夏五月，天爲之下霜。淮南子

原燕人長於楚，老而還，過晉，同行者紿晉之城，指曰：此燕國之城。其人愀然變容。紿指社曰：此若里之社。乃喟然而嘆。指舍曰：此若先人之廬。乃泫然而泣。指壠曰：若先人墓。其哭不自禁。同行者啞然大笑曰：余等紿若，乃晉國耳。其人慚，及至燕國之城社，真見先人之廬冢，悲心更微。列子依太平御覽節本

原衛人能以棘刺之端爲母猴。燕王説之，養之以五乘之奉。王曰：吾試觀客爲棘刺之母猴。客曰：人主欲觀之，必半歲不入宮，不飲酒食肉，雨霽日出，視之晏陰之間，而棘刺之母猴乃可見也。燕王因養衛人，不能觀其母猴。鄭有臺下之冶者謂燕王曰：臣削者也。諸微物必以削削之，而所削必大於削。今棘刺之端不容削鋒，難以治棘刺之端，王試觀客之削，能與不能可知也。韓非子

原燕人李季好遠出。其妻私有通於士。季突至，士在內中，妻患之。其室婦曰：令公子裸而解髮，直出門，吾屬佯不見也。於是公子從其計，疾走出門。季曰：是何人也？家室皆曰無有。季曰：吾見鬼乎！婦人曰：然。爲之奈何？曰：取五牲之矢浴之。季曰：諾。乃浴以矢。一曰浴以蘭湯。同上

原郢人有遺燕相國書者，夜書火不明，因謂持燭者曰舉燭云，而過書舉燭。舉燭，非書意也。燕相受書而説之，曰：舉燭者，尚明也。尚明也者，舉賢而任之。燕相白王，大説，國以治。同上

原荆軻至燕，爱燕之狗屠及善擊筑者高漸離。荆軻嗜酒，日與狗屠及高漸離飲於燕市。

酒酣以往，高漸離擊筑，荊軻和而歌於市中，相樂也，已而相泣，旁若無人者。史記

原秦舞陽者，燕國人，年十二以勇氣聞，人犯必殺之，莫有敢近視。幼童傳

原田光答太子曰：竊觀太子客皆無可用者。夏扶，血勇之人，怒而面赤；宋意，脈勇之人，怒而面青；武陽，骨勇之人，怒而面白；惟荊軻者，神勇也，怒而色不變。燕丹子

〔臣等謹按〕幼童傳秦舞陽，燕丹子作武陽。

增自齊威宣時，騶子之徒，論著終始五德之運，及秦帝始皇采用之，而宋毋忌、正伯僑、充尚、羨門子高最後皆燕人，爲方仙道形解銷化依於鬼神之事。史記

補燕之遊士泯子午，南見晏子於齊，言有文三百篇，睹晏子恐懼而不能言。客退，晏子直席而坐，廢朝移時。在側者曰：嚮者燕客侍夫子，胡爲憂也？晏子曰：燕萬乘之國也，齊千里之途也。泯子午以萬乘之國爲不足説，以千里之途爲不足遠，則是千萬人之上也，且猶不能殫其言於我，況乎齊人之懷善而死者乎！吾所以不得睹者，豈不多矣。晏子春秋

補昔人言有知不死之道者，燕君使人受之不捷而言者死，燕君甚怒其使者，將加誅焉。幸臣諫曰：人所憂者莫急乎死，己所重者莫過乎生，彼自喪其生，安能令君不死也？乃不誅。列子

補 燕簡公殺其臣莊子儀而不辜。莊子儀曰：吾君王殺我而不辜，死人無知亦已，死人有知，不出三年必使吾君知之。期年，燕將馳祖。燕之有祖，當齊之社稷，宋之有桑林，楚之有雲夢也。此男女之所屬而觀也。日中，燕簡公方將馳於祖塗，莊子儀殪之車。當是時，燕人從者莫不見，遠者莫不聞，著在燕之春秋。墨子

補 齊之田單、楚之莊蹻、秦之衛鞅、燕之繆蟣，是皆世俗之所謂善用兵者。荀子

補 蘇秦相燕，人惡之於燕王，燕王按劍而怒，食以駃騠。文選

補 燕昭使人入海，求蓬萊、方丈、瀛洲。漢書

補 曹唐詩 九天天路入雲長，燕使何由到上方？玉女暗來花下立，手挼裙帶問昭王。小游仙詩

補 自魯商瞿子木受易孔子，以授魯橋庇子庸。子庸授江東馯臂子弓。子弓授燕周醜子家。漢書儒林傳

補 論語有燕傳説三卷，陰陽家者流鄒子四十九篇，鄒子終始五十六篇，公孫渾邪十五篇，法家者流燕十事十篇，縱横家者流龐煖二篇，兵權謀有龐煖三篇。漢書藝文志

〔朱昆田原按〕燕之人物若韓嬰、周醜之傳經，龐煖、繆蟣之用兵，著於載記，而譜地志者止及嬰一人，何也？

補 班孟堅古今人表，於燕昭王諸臣，樂毅居三等，郭隗四等，鄒衍五等；於太子丹賓

客，高漸離居四等，荆軻、鞠武、樊於期皆五等，秦舞陽六等。其位置必有定見。但燕王喜以亡國抑之九等，而王噲子之法堯禪舜可謂下愚，反列之七等，何哉？（函山旅話）

補蘇秦事鬼谷子，學終辭歸，道乏困，行以燕人蠡卜傳食自給，各解臧獲之裘。（春秋後語）

補公行子之之燕，遇曾元於塗，曰：燕君何如？曾元曰：志卑。志卑者輕物，輕物者不求助，苟不求助，何能舉？（荀子）

補昔者燕相得罪於君，將出亡，召門下諸大夫曰：有能從我出者乎？三問，諸大夫莫對。燕相曰：嘻！亦有士之不足養也。大夫有進者曰：亦有君之不能養士，安有士之不足養者？凶年饑歲，士糟粕不厭，而君之犬馬有餘穀粟；隆冬烈寒，士短褐不完，四體不蔽，而君之臺觀帷幭錦繡隨風飄飄而弊。財者君之所輕，死者士之所重也。君不能施君之所輕而求得士之所重，不亦難乎！燕相遂慚，遁逃不復敢見。（新序）

補燕莊侯佗左帶玉具劍，右帶環珮，左光照右，右光照左。（亢倉子）

補劇辛爲燕相，與趙戰，軍敗，劇辛自剄，燕以失五城。（鶡冠子）

補燕昭王七年，沐胥之國來朝。有道術人名尸羅，問其年，云百三十歲，發其國五年，乃至燕都，善衒惑之術。於其指端出浮屠十層，高三尺，諸天神人皆長五六分，列幢蓋鼓舞繞塔。而又吹指上，浮屠漸入雲裏，又於左耳出青龍，右耳出白虎。（拾遺記）

補薊，氏邑名，在燕地，神仙傳有薊子訓。（通志氏族略）

補 曹植詩：子丹西至秦，烏白馬角生。鄒羨囚燕市，繁霜爲夏零。樂府詩集

〔臣等謹按〕以上各條皆敍周時燕地雜事。

原 韓福者，涿人，以行義修潔著名。昭帝時，霍光秉政，表顯義士，郡國條奏行狀。天子謂福等五人行誼最高，徵至京兆，病不得進。元鳳元年，詔策曰：朕愍勞福以官職之事，賜帛五十匹遣歸，其務修孝悌以教鄉里。福歸終身不仕，卒於家。高士傳

原 蓋延，漁陽要陽人，長八尺，彎弓三百斤。東觀漢記

原 鄧訓將黎陽營兵屯漁陽，遷護烏桓校尉。黎陽營故吏皆戀慕，知訓好以青泥封書，從黎陽步推鹿車，載青泥至上谷遺訓。同上

原 鳳綱者，漁陽人也。常采百草花，以水漬封泥之，自正月始，盡九月末止，埋之百日，煎九火。卒死者以藥内口中，皆立活。綱常服此藥，至數百歲不老。神仙傳

原 劉虞爲幽州刺史，常著氈裘。謝承後漢書

原 劉虞在幽州，清靜儉約，以禮義化民。靈帝時南宮災，吏遷補州郡者皆責助治宮錢，或一千萬，或二千萬，富者以私財辦，或發民錢以備之。貧而清慎者無以充調，或至自殺。靈帝以虞清貧，特不使出錢。王沈魏書

原 幽州歲不登，人以棗椹爲糧，穀一石十萬錢。公孫伯圭開置屯田，稍稍得給。漢末

英雄記

原陽球爲幽州從事，部分邊塞，職事修理。續漢書

原田疇，北平人也。劉虞爲公孫瓚所害，疇追慕無已，往虞墓設雞酒哭之，音動林野，翔鳥爲之悽鳴，走獸爲之悲吟。疇卧於草間，忽有人通云：劉幽州來，欲與田子泰言。疇神悟遠識，知是虞之魂，既進而拜。疇泣不自止。因相與進雞酒，疇醉。虞曰：公孫瓚購子甚急，宜竄伏避害。疇對曰：君臣之道，生則盡其義，今見君之靈，願得同歸九泉，骨且不朽，安可逃乎？虞曰：子萬古之高士也，深愼爾儀。奄然不見，而疇醉亦醒。拾遺記

原陶潛擬古詩 辭家夙嚴駕，當往至無終。問君今何行？非商復非戎。聞有田子春，節義爲士雄。斯人久已死，鄉里習其風。生有高世名，既没傳無窮。不學狂馳子，直在百年中。陶徵士集

〔朱彝尊原按〕魏志，田疇字子泰，而淵明集本皆作子春。

原方孝孺田疇贊 古之觀人，不於用舍。考其所存，以第高下。譬諸龍駒，垂首糞車。豈以其賤，斥之爲駑。齊侯千駟，如南面王。仲尼之歎，夷齊有光。漢季分爭，得國者操。吾獨何爲，田疇是悼。操雖據國，犬鼠之雄。殺后無君，天下不容。奚若田疇，忠義蓋世。委質劉虞，身死靡貳。使受之命，爲漢大臣。殺操復漢，必不顧身。嗚呼鄙夫，惟利是就。誰能爲疇，我與爲友！遜志齋集

原劉虞見殺，故常山相孫瑾，掾張逸、張瓚等，忠義奮發，相與就虞，罵公孫瓚極口，然後同死。漢末英雄記

補韓嬰，燕人，孝文時爲博士。景帝時，常山太傅。嬰推詩人之意而作内外傳數萬言。

燕趙間言詩者由韓生。韓生亦以易授人。燕趙間好詩，故其易微，惟韓氏自傳之。孝宣時，涿郡韓生，其後也，以易徵待詔，殿中司隸校尉。蓋寬饒本受易於孟喜，見涿韓生説易而好之，即更從受焉。漢書儒林傳

【補】易韓氏二篇，詩韓故三十六卷，内傳四卷，外傳六卷，説四十一卷。漢書藝文志

【補】漢幽州刺史朱君之碑，君名龜，石碎落，不能詳其官閥。其可考者，嘗以御史中丞督捕益州蠻，又爲幽州刺史，禦鮮卑爾。靈帝光和二年卒。水經注云：故吏別駕從事史右北平無終牟化中平二年造，碑陰故吏姓名悉薊涿及上谷北平人。隸釋

【補】漁陽氏，燕大夫受封漁陽，因以爲氏，漢有少府漁陽鴻，北平人。通志氏族略

【原】城有萬載宮、光明殿。水經注

〔朱彝尊原按〕漢書作明光，此云光明，疑誤。

【原】始元中，流星下燕萬載宮，極東去。漢書天文志

【原】燕王旦在明光宮，欲入所卧，户三間盡閉。使侍者二十人開户，户不開。論衡

【原】元鳳元年九月，燕有黄鼠銜其尾舞王宮端門中。王往視之，鼠舞如故。王使吏以酒脯祠，鼠舞不休，一日一夜死。燕剌王旦謀反將死之兆也。漢書五行志

【原】燕剌王旦謀事不成，憂懣，置酒萬載宮，會賓客羣臣妃妾坐飲。有赦令到，因迎后妃諸夫人之明光殿。漢書

【補】昭帝元鳳元年，燕王宮永巷中豕出圂，壞都竈，銜其鬴六七枚置殿前。劉向以爲近豕禍也。時燕王旦謀逆。竈者生養之本，豕而敗竈，陳鬴於庭，鬴竈將不用，宮室將廢辱也。燕王不改，卒伏其辜。漢書五行志

補是時天大雨，虹下屬燕王宮，宮中井水皆竭。有黃鼠舞燕王殿前端門中，視之不去，一日一夜死者數千。殿上户自閉，不可開。厠中豕羣出壞竈，銜釜六七枚置殿門前。烏鵲自鬭宮中，烏死。天火燒燕南城門。大風壞宮城樓板樹木。流星墜地。漢紀 以上七條原在世紀門，今移改。

〔臣等謹按〕以上各條皆敍漢時雜事。

原先主與劉璋會涪，時張裕爲璋從事侍坐。其人饒鬚。先主嘲之曰：昔吾居涿縣，特多毛姓，東西南北皆諸毛也。涿令稱曰：諸毛繞涿居乎！裕卽答曰：昔有作上黨潞長遷爲涿令者，去官還家，時人與書，欲署潞則失涿，欲署涿則失潞，乃署曰潞涿君。先主無鬚，故裕以此及之。三國志

原簡雍，涿郡人。雍本姓耿，幽州人語謂耿爲簡，遂隨音變之。三國志注

〔臣等謹按〕以上二條敍三國雜事。

原高原，漁陽雍奴人，晉安北將軍、上谷太守、關中侯，有碑在薊中。北史

原石勒既克薊城，問棗嵩曰：幽州人士誰最可者？嵩曰：燕國劉翰德素長者，北平無終陽裕幹事之才。勒方欲任之，裕乃微服潛遁。晉書載記

原晉武帝太康九年，幽州塞北有死牛頭語，近牛禍也。晉書

原太康九年，幽州有犬鼻行地三百餘步。宋書五行志

原李產，字子僑，范陽人。仕於石氏，爲本郡太守。及慕容儁南征，前鋒達郡界，鄉人皆勸產降，衆潰，始詣軍請降。儁嘲之曰：卿受石氏寵任，衣錦本鄉，何故不立功於時而反委質乎？產泣曰：犬馬爲主，豈忘自効？但以勢蹙歸死，實非誠款。儁嘉其慷慨，

乃擢用之。晉書載記

【原】佛圖澄嘗與石虎共升中臺。澄忽驚曰：幽州當火災。乃取酒噀之。久而笑曰：救已得矣。虎遣驗幽州，云爾日火從四門起，西南有黑雲來，驟雨滅之，雨亦頗有酒氣。神僧傳

【原】高商，渤海人，爲范陽太守。聞兄開戰殁，悲哭歐血，病不能起，扶杖乃行。慕容儁召見，謂左右曰：自古友于之篤未有如商者也。十六國春秋

【原】李陽，大俠，士庶無不傾心，爲幽州刺史，當之職，盛暑，一日詣數百家別。裴氏語林

【原】羅騰，字叔龍。工圍棊，獨步當時。俄而北平樂初少擕出與齊焉。燕書

【原】郭四朝者，燕人。苻秦時得道，爲玉臺執蓋郎。洞仙傳

【原】燕人龐世爲光禄勳，奏案豪强，苛刻人物，咸懼疾之。及卒，門無弔客。時人爲之謡曰：龐家巷，車轔轔，泥丸之日無弔賓。弔賓不來何所因？繇性苛刻寡所親。十六國春秋

【原】周存，字道名，漁陽人。王彭祖叛，母遇寇離失。時所在分崩，州郡隔異，存冒難相求，自河以北無不周偏。復傳母在昌黎，燕之所統，存投高祖，客之。爲置酒於坐，問存失母來幾年，相見當識否？言未止，存涕泗覆面，尋聲而對，辭甚悲酸。高祖爲之動容，由是意遇倍加。停朞，不得母問，將辭歸。高祖意欲留之而未顯也。存謝曰：老母未審存亡，小弟無所依倚，寢食不敢廢於心。昔徐庶指方寸以求辭，今存披肝以表情，願明公恕之。高祖矜之，聽去。燕書

〔臣等謹按〕以上各條敍晉時十六國雜事。

原盧廣，范陽涿人。晉司空從事中郎諶之後。天監中歸梁，位步兵校尉，兼國子博士，偏講五經。時北來人儒學者有崔靈恩、孫詳、蔣顯，並聚徒講說，而音辭鄙拙。惟廣言論清雅，不類北人。南史

原盧昌衡，字子均，小字龍子。沉靖有才識，風神淡雅，容止可法。博涉經史，工草行書。從弟思道，小字釋奴，宗中稱英妙。昌衡與之俱被推重。故幽州語曰：盧家千里，釋奴龍子。北史

原崔景真爲平昌太守，有惠政，嘗懸一蒲鞭而未嘗用。齊春秋

原東魏張亮與薛琡善。琡夢亮於山上持絲，寤而告亮，且占之曰：山上絲是幽字，君必爲幽州牧乎！後果如之。三國典略

原崔悅與范陽盧諶並以博藝著名，諶法鍾繇，悅法衞瓘，而俱習索靖。諶傳子偃，偃傳子邈，悅傳子潛，潛傳元伯，故魏初特重崔、盧之書。後魏書

原范陽祖瑩，八歲能誦詩書，十二爲中書學生，聲譽甚盛。內外親屬呼爲聖小兒。孝文聞之，召入，令誦五經章句，并陳大義。帝戲盧昶曰：昔流共工於幽州，北裔之地，那得忽有此子？昶對：當是才爲世生。北史

原平恒，字繼叔，燕郡薊人。安貧樂道，不以屢空改操，徵爲中書博士。久之，出爲幽州別駕，廉貞寡欲，不營資産，衣食常至不足。三子並不率父業，好酒自棄。恒常忿其世衰，植杖巡舍側岡而哭。別搆精廬，置經籍於中，一奴自給，妻子莫得而往，酒食亦不與同。時有珍美，呼鄰老東安公一雍等共飲噉之，家人無得嘗焉。同上

原天平中，范陽盧景裕同從兄仲禮於本郡起逆，齊神武免其罪，置之賓館，以經教授。太原公以下大蒙恩遇。北史儒林傳

補魏承明元年九月，幽州民齊淵家社樹結實既成，一朝盡落，茂葉復生，七日之中，蔚如春秋。鬢剔譙奇

〔臣等謹按〕以上各條敍南北朝雜事。

原隋京兆杜公瞻，嘗邀陽玠過宅，酒酣嘲謔。公瞻謂：兄既姓陽，陽貨實辱孔子。玠曰：弟既姓杜，杜伯嘗射宣王。殿内將軍牛子充，衆推其機辯，嘗謂玠曰：君陽有玠，恐不任廚。玠曰：君牛既充，正可烹宰。又見玠食芥葅，曰：君身名玠，何得復啖芥葅？對曰：君既姓牛，何得不斷牛肉？太倉令張策在雲龍門，與玠議理屈，謂玠曰：卿本無德量，忽共叔寶同名。玠抗聲曰：爾既非英雄，敢與伯符連諱！太子洗馬蘭陵蕭詡有才辯，嘗謂玠曰：流共工於幽州，易北恐非樂土。玠曰：放驩兜於崇山，江南豈是勝

地？録尚書晉昌王唐邕問諸省官曰：卿等宜道本州寶物，定州人以綾綺爲寶，徐州人以魚鹽爲寶。及至玠，邕曰：卿幽州人，以何物爲寶？答曰：刺史嚴明，文武奉法，此幽州之寶也。邕有媿色。談藪

原突厥與中國交市，有明珠一篋，價直八百萬。幽州總管陰壽白文獻獨孤皇后市之。后曰：非我所須也。當今戎狄屢寇，將士罷勞，未若以八百萬分賞有功者。隋書

原燕榮爲幽州總管，性嚴酷。范陽盧氏代爲著姓，榮皆署爲吏卒以屈辱之。嘗按部，道次見叢荆堪爲笞捶，命取之，輒以試人，人或自陳無咎。榮曰：後若有罪當免爾。及後犯細故將撾之。人曰：前日被杖，使君許有罪宥之。榮曰：無過尚爾，況有過耶？榜捶如舊。同上

原元務光母者，范陽盧氏女也。少好讀書，造次以禮。盛年寡居。諸子幼弱，家貧不能就學，盧氏每親自教授，世以此稱之。仁壽末，漢王諒舉兵反，遣將綦良往山東略地，良以務光爲記室。及良敗，慈州刺史上官政簿籍務光之家，見盧氏，悦而逼之。盧氏以死自誓。政爲人凶悍，怒甚，以燭燒其身。盧氏執志彌固，竟不屈節。同上

原開皇八年四月，幽州人家以白楊木懸竈上，積十餘年，忽生三條，皆長三尺餘，甚鮮茂。隋書五行志

補隋東川釋慧雲，范陽人。十二出家，年至十八，乘驢至於叔家，叔見其驢快，將規害之，適持刀往，見東牆下有黄衣人揚拳逆叱曰：此道人方爲通法大士，何忍欲害？叔懼告婦，婦曰：君無剛心，眼花所致耳。聞已復往，又見西

牆下黄衣人云：勿殺道人，若殺，大禍交及。叔怖乃止。明旦辭往姊家，叔又持刀送之，告雲曰：此路幽險，故送師度難。雲在前行，正在深阻，叔在其後，揮刀欲砍，忽見姊夫在旁，遂得免害。雲都不知。雲後學問名德高遠，至開皇中，領徒五百來過叔家。叔見闡化，深慚昔釁，乃奉絹十疋，夫妻發露，雲始知之。冥報記

〔臣等謹按〕以上各條敍隋時雜事。

欽定日下舊聞考卷一百五十八

雜綴

原盧充，范陽人。家西三十里有崔少府墓。充年二十，於冬至一日出宅西獵，射麞中之，麞倒而起，充逐之，不覺忽見道北高門，瓦屋四周，有如府舍，不復見麞。門中一鈴下唱客前，有一人投一襆新衣曰：府君以遺郎。充著訖進見。少府語充曰：尊府君不以僕門鄙陋，近得書爲君索小女爲婚，故相迎耳。便以書示充。父亡時充雖小，然已識父手跡，即歔欷不復辭。便勅内：盧郎已來，可使女裝嚴既，就東廊。至黄昏，内白女郎裝嚴畢，崔語充可至東廊。既至，女已下車立席頭，却共拜。時爲三日給食。三日畢，崔謂充曰：君可歸，女生男當以相還，無相疑，生女當留養。勅内嚴車送客。充便辭出。崔送至中門，執手涕零。出門，見一犢車駕青衣，又見本所著衣及弓箭故在門外，尋遣傳教將一人捉襆衣與充，相問曰：姻授始爾援，始別甚悵恨，今故致衣一襲，被褥自副。充上車去如電逝，須臾至家。母見問故，充悉以狀對。別後四年，三月，充臨水戲，忽見旁有犢車，乍沈乍浮，既而上岸，同坐皆見。而充往開其車後户，見崔氏女與三歲男共載。女抱兒以還充，又與金椀，并贈詩曰：煌煌靈芝質，光麗何猗猗！華豔當世顯，嘉異表神奇。含英未及秀，中夏罹霜萎。榮耀長幽滅，世路永無施。不悟陰陽運，哲人忽來儀。今時一別後，何得重會時？充取兒椀及詩，忽不見。充後乘車入市賣椀，冀有識者。有一婢識此，還白大家曰：市中見一人乘車賣崔氏女郎棺中椀。大家卽崔氏親姨母也，遣兒視之，果如婢言。乃上車敍姓名，語充曰：昔我姨嫁少府女，夫出而亡，家親痛之，贈以金椀著棺中，可說得椀本末。充以事對，此兒亦爲悲咽，賫還白母。母卽令詣充家迎兒還，諸親悉集，兒有崔氏之狀，又復似充貌，兒椀俱驗。姨母曰：我外甥也。卽字温休。温休者，是幽婚也。遂成令器，歷郡守，子孫冠蓋相承至今。其後植字子幹，有名天下。搜神記

補范陽盧充，家西三十里有崔少府墓。充獵見麞，舉弓射中之，麞倒而復起，充逐之不覺遠。忽見一里門如府舍，門中一鈴下有唱客前，充問：此何府也？答曰：少府府也。充曰：我衣惡，那得見貴人？卽有人提襆新衣迎之。充著盡可體，便入見少府，展姓名。酒炙數行，崔曰：近得尊府君書，爲君索小女婚，故相延耳。卽舉書示充。充見父手迹，便歔欷無辭。崔卽勅內令女郎莊嚴，使充就東廊。充至，婦已下車，立席頭共拜。三日畢，還見崔。崔曰：君可歸矣。女有娠相，生男當以相還，生女當留自養。勅外嚴車送客，復致衣一襲，被褥一副。充便上車，去如電逝，須臾至家。家人相見，悲喜推問，知崔是亡人，而入其墓，追以懊惋。居四年，三月三日臨水戲，忽見一犢車，乍浮乍隱，既上岸，充往開車後户，見崔氏女與三歲男兒共載。充見之忻然，欲捉其手。女舉手指後車曰：府君見人。卽見少府。充往問訊。女抱兒還充，又與金椀別，并贈以詩。充取兒椀及詩，忽不見二車處，將兒還。四坐謂鬼魅，僉遥唾之，形如故。問兒：誰是汝父？兒逕就充懷。衆初怪惡，傳省其詩，慨然嘆死生之元通也。充詣市賣椀，高舉其價，不欲速售，冀有識者。歘有一老婢問充得椀之由，還報其大家，卽女姨也。道視之果是，謂充曰：我

姨姐崔少府女，未嫁而亡，家親痛之，贈一金椀著棺中，今視卿椀甚似，得椀本末可得聞否？充以事對。卽詣充家迎兒。兒有崔氏狀，又似充貌。姨曰：我舅甥三月末間產。父曰：春煖温也，願休强也，卽字温休。温休蓋幽婚也。孔氏志怪録

〔朱昆田原按〕孔氏所載與搜神記詳略微有不同，故補録之。

【原】高開道作亂幽州，矢陷其頰，召醫使出之。對以鏃深不可出，則斬之。又召一人，如前對，則又斬之。又召一人，曰：可出，然王須忍痛。因鈹面鑿骨，置楔於其間，骨裂開寸餘，抽出箭鏃。開道奏技進膳不輟。隋唐嘉話

【原】河間邢文宗家接幽燕客，禀性麤險。貞觀中，忽遇惡風疾，旬日之間，眉鬢落盡，於後就寺歸懺。自云，近向幽州路，逢一客將絹十餘疋，迥澤無人，因卽劫殺。猝遇一老僧，文宗懼事發覺，揮刃擬僧，僧叩頭曰：乞存性命，誓願終身不言。文宗殺之，棄之草間。經二十餘日，行還過僧處，時當暑月，視之若生。文宗因下馬以策築僧之口，口出一蠅，直入文宗鼻，久悶，因得火病，歲餘而死。冥報拾遺

【原】高宗朝以太原王氏，范陽盧氏，滎陽鄭氏，清河、博陵二崔氏，趙郡、隴西二李氏七姓，其族望恥與諸姓爲婚，乃禁其自相姻娶。於是不敢復行婚禮，密裝飾其女以送夫家。國史纂異

【原】盧承慶，字子餘，幽州涿人。典選校百官考。有坐漕舟溺者，承慶以失所載，考中下，以示其人，無慍色。更曰：非力所及，考中中。亦不喜。承慶嘉之曰：寵辱不驚，考中上。其能著人善類此。唐書

【原】天授中，則天好改新字，又多忌諱。有幽州人尋如意上封云：國字中或，或亂天象，請口中安武以鎮之。則天大喜，下制卽依。月餘有上封者云：武退在口中，與因字無異，不祥之甚。則天愕然，遽追制，改令中爲八方字。後孝和卽位，果幽則天于上陽宮。朝野僉載

【增】狄仁傑初令昌平，境多虎。邑有老嫗子入山樵，虎噬焉。嫗待子爲命，痛子噬於虎，

乃控之公。公爲檄山神，約日驅虎訊。至期，羣虎交集。公曰：若不皆噬媪子也，惟噬者留，否則去。一虎獨留。公曰：食人子，罪無赦。對衆殺之。昌平白羊城有神能幻禍福，居民祠之，不祠且災。歲必祭，祭必以童男，弗敢恤也。狄仁傑爲令，廉知其事，獨往詣，則一白羊耳，拔所佩劍斬之，輒化爲龍氣飛去，因毀其祠，民不復祭，終亦不復有災。昌平舊志

〔原〕李遐周者有道術，唐開元中，嘗召入禁中，後求出住玄都觀。天寶末，禄山跋扈，遠近憂之，而上未悟。一旦遐周隱去，不知所之，但於所居壁上題詩數章。其末篇云：燕市人皆去，函關馬不歸。若逢山下鬼，環上繫羅衣。燕市人皆去者，禄山悉幽薊之衆而起也。函關馬不歸者，哥舒翰潼關之敗，匹馬不還也。若逢山下鬼者，馬嵬驛名也。環上繫羅衣者，貴妃小字玉環，馬嵬時高力士以羅巾縊之也。其先見皆類此。明皇雜録

〔原〕開元中，有幽州衙將姓張者，妻孔氏，生五子而卒。後娶妻李氏，悍戾虐遇五子，日鞭捶之。五子不堪其苦，哭於母墓前。母忽於塚中出，撫其子，悲慟久之，因以白布巾題詩贈張曰：不忿成故人，掩涕每盈巾。死生今有隔，相見永無因。匣裏殘粧粉，留將與後人。黄泉無用處，恨作塚中塵。有意懷男女，無情亦任君。欲知腸斷處，明月照孤墳。五子得詩，以呈其父。其父慟哭訴於連帥。帥上聞，勑李氏決一百，流嶺南；張停所職。本事詩

〔原〕唐明皇時童謡曰：燕燕飛上天，上天女兒鋪白氊，氊上有千錢。時幽州又有謡曰：舊來誇載竿，今日不堪看。但看五月裏，清水河邊見契丹。其後禄山反。集異志

〔原〕唐師夜光，薊門人。少聰敏，雅尚浮屠氏，遂爲僧。居本郡僅十年，盡通内典。又有沙門惠達者，家甚富，貪夜光之學，因與爲友。是時明皇好神仙釋氏，窮索名僧方士，而夜光迫於貧，不得西去，心常怏怏。惠達知之，因以錢七十萬資其行，且謂夜光曰：師之學藝材用，必爲明天子首拔，沐浴恩渥，可翹足而待。然當是時必有擁篲於門，幸無忘半面之舊。夜光謝曰：幸師厚貺，得遂西上，倘爲君之五品，則以報師之惠矣。夜光至長安，因賂九仙公主左右，得以温泉命内臣選碩學僧十輩與方士議論。夜光在選，演暢元奥，發揮疑義，羣僧無敢比者。上奇其辨，詔賜銀印朱綬，拜四門博士，日侍左右，賜甲第金錢繒綵以千數，時號幸臣。惠達遂自薊門入長安訪之。夜光聞以爲收債于己，甚不懌。惠達悟其旨，因告去。既已北歸月餘，夜光恐其再來，卽密書與薊門帥張廷珪：近者惠達師至輦下，誣公繕完兵革，將爲逆謀，人亦頗有知者。以公之忠，天下莫不聞，積毁銷金，不可不戒。廷珪驚怒，卽召惠達鞭殺之。後數日，夜光忽見惠達來庭中謂曰：我以七十萬資汝西上，奈何誣謗使我寃死？何負我之深也！言訖遂躍而上，捽拽夜光，久之乃亡所見，師氏家僮咸見之。後數日，夜光卒。宣室志

原范陽盧獻卿，大中中舉進士。詞藻爲同流所推，作愍征賦數千言，時人以爲庾子山哀江南之亞。諫議大夫司空圖爲之注。本事詩

原盧景亮，字長晦，幽州范陽人。爲右補闕。朱泚反，景亮勸德宗曰：陛下罪己不至，則感人不深。帝然之。嘗劉治道之要，著書上下篇，號三足記。唐書

補盧景亮言：足食、足兵而人才足用，則天下不難理矣。著論曰三足記。鶴林玉露

原張藏英，涿州范陽人。自言唐相嘉貞之後。唐末之亂也，藏英舉族數十口悉爲賊孫居道所害。時藏英年十六，僅以身免。後逢孫居道於幽州市，因佩刀刺之，不死，爲吏所執。節帥趙德鈞壯之，捨而不問，以備牙職。藏英後聞居道避地關南，乃求爲關南都巡檢使。使至則微服攜鐵檛匿孫居道舍側，伺其出，擊之仆於地，齧其耳噉之，遂擒歸，設父母位，陳酒肴，縛孫居道於前，數其罪，號泣以鞭之，臠其肉，經三日，剖取其心肝以祭。詣官首服，官爲上請而釋之。燕薊間目爲報讐張孝子。悅生隨抄

原劉濉拔涿州兵數千歸朝，法令齊整，雖雞犬無遺。時人以爲姦雄。國史補

原李叔詹識一范陽山人，語休咎必中，兼善推步禁咒。止半年，忽謂李曰：某有一藝，將去，欲以爲別，所謂水畫也。乃請後廳上掘地爲池，方丈，深尺餘，泥以麻灰，日汲水滿之，後水不耗。具丹青墨硯，先援筆叩齒良久，乃縱筆毫水上。就視，但見水色渾渾爾。經三日，搨以[illegible]絹四幅。食頃，舉出觀之，古松、怪石、人物、屋木無不備也。李驚異，苦詰之。惟言善能禁采色不令沈散而已。酉陽雜俎

原益州刺史張全養一駿馬，甚保惜之，惟自乘跨。每令二人曉夕以專飼飲。一日，馬忽化爲婦人，立於廐中。左右遽白張公。公親至察視。婦人前拜而言曰：妾本是燕中婦人，因癖好馬，每覩之必歎美其駿逸。後數年，忽自醉倒，俄化成馬，遂奔躍南走，近將千里，被一人收之，以至君廐中，幸君保惜。今偶自追恨，淚下入地。神奏於帝，遂命還復爲人。思往事如夢覺。公大驚異，安存於家。經十餘載，婦人忽爾求還鄉，張公不允。婦人仰天號叫自撲，忽

復化爲馬，突而出，不知所之。瀟湘記

補張亮爲幽州都督，於智泉寺禮拜，見一大像，相好圓滿，遂別供養。亮遇霹靂，其堂柱迸，木擊亮額角而不甚傷。及就事禮像額見有破處。事在冥報記。又貞觀中，其像忽然繞頸有痕迹大如綫焉，時人咸以爲不祥。未幾，亮果以罪被誅，其痕於今見在。冥報拾遺

補范陽盧元禮，貞觀末爲泗州漣水縣尉。曾因重病悶絶，經一日而蘇。云有人引至府舍，見一官人過，無侍衛。元禮遂止此官人座上，踞牀而坐。官人目侍者，令一手提頭，一手提脚，擲元禮於階下。良久乃起，行至一別院，更進向南，入一大堂中，見竈數十百口。其竈上有氣轟然如雲霧直上，沸聲喧雜，有同數千萬人。元禮仰視，似籠盛人懸之此氣之上，云是蒸罪人處。元禮遂發願大語云：願代一切衆生受罪。遂解衣赤體，自投於釜中。因即昏然，不覺有痛。須臾，有一沙門挽元禮出，云：知汝至心。乃送其歸。忽如睡覺，遂斷酒肉。三四歲後卒於洛。同上

補幽州人劉交，戴長竿高七十尺，自擎上下，有女十二，甚端正，於竿上置足跨盤獨立。觀者不忍，女無懼色。朝野僉載

補張守珪以功加游擊將軍，再轉幽州良社府果毅。時盧齊卿爲幽州刺史，深禮遇之。嘗共榻而坐，謂曰：足下數年外必節度幽涼，爲國之良將；方以子孫相託，豈得以寮屬常禮相期耶！舊唐書本傳

補幽州石老者，賣藥爲業，年八十，忽腹大，十餘日不食，惟飲水而已。其疾猶扶持而行。比明，其子號泣，呼四隣云：適來有病，白鶴入吾父室中，吾父亦化爲白鶴同飛去矣。遂指雲中白鶴，擗地號呼。人異而觀之，皆焚香禮拜。節度使李懷仙差兵馬使朱希來驗，見室中有穿紙格出入處。遍問邑人四隣，皆言石老化爲白鶴飛去，翔翥雲間移時。節度使賜絹一百匹，米一百石，與石老子家，遠近傳石老得仙。太乙宮道士段常著

續仙傳，備載石老升仙事。月餘，其子與隣人争鬬，官中訊鞫，乃爲分絹不平。云石老病久，其夕奄忽將終，其子以木貫大石，縛父屍沉於桑乾河水，妄指雲中白鶴是父。州縣復差人檢驗，於所説沉水處滂漉得屍。懷仙遂杖殺其子。 辨疑志

補朱滔括兵，不擇士族，悉令赴軍，自閲於毬場。有士子容止可觀，進趨閑雅。滔召問之曰：所業者何？曰：學爲詩。問：有妻否？曰：有。即令作寄内詩，援筆立成。辭曰：握筆題詩易，荷戈征戍難。慣從鴛被暖，怯向雁門寒。瘦盡寬衣帶，啼多漬枕檀。試留青黛著，回日畫眉看。又令代妻作答。曰：蓬鬢荆釵世所稀，布裙猶是嫁時衣。胡麻好種無人種，合是歸時底不歸？滔遺以束帛放歸。 唐詩紀事

〔朱昆田原按〕計有功紀事，標曰河北人，而洪景盧萬首唐人絶句作幽州士子詩。

補鄭義宗妻盧氏，幽州范陽人，盧彦衡之女也。事舅姑甚得婦道。嘗夜有强盜數十人持杖鼓譟，踰垣而入。家人悉奔竄，惟姑獨在室。盧冒白刃往至姑側，爲賊捶擊之，幾至於死。賊去，家人問曰：羣兇横擾，人盡奔逃，何獨不懼？答曰：人之所以異於禽獸者，以其仁義也。昔宋伯姬守義赴火，流稱至今，吾雖不敏，安敢忘義？且隣里有急尚相赴救，況在於姑，而可委棄？萬一危禍，豈宜獨生？其姑云：古人稱歲寒然後知松柏之後凋也，吾今乃知盧新婦之心矣。 舊唐書烈女傳

補韋雍妻蕭氏，雍故太子賓客。張宏靖鎮幽州日，奏授觀察判官攝監察御史。時屬朝廷制置未備，幽州俗本兇悍，尤不樂文儒爲主帥。賓佐習於常態，忿其變通，議論不密，卒然起亂。雍時家亦從劫，蕭氏聞難號呼，專執夫袂，左右格去，以死不從。及雍臨刃，蕭氏涕而告曰：妾不幸年少，義不苟活。今日之事，願先就死。執刃者斷其臂而殺雍，蕭氏辭氣不撓，雖兇悍圜視，無不嗟歎。其夕，蕭氏亦卒。太和六年，節度使楊志誠表明其事，因降勅追封蘭陵縣君。同上

補唐德宗朝有將尉遲青素善觱篥。時幽州有王麻奴，河北推爲第一手。後訪尉遲，令於高般涉調中吹勒部羝曲。曲終，尉遲頷頤而已。謂麻奴曰：何必高般涉也？卽自取銀字管，於般涉調中吹之。麻奴拱聽，愧謝曰：自此不復言音律矣。樂書

補沙門道昭，出家住太行山四十年，戒行精苦，往往言人將來之事。初若隱晦，後皆明驗。嘗有客張氏不記名，僧謂曰：君慎不可食禄范陽。四月八日得疾，當不可救。其年張赴選，授虢州盧氏縣令，到任兩日而卒，果四月八日也。人方悟范陽卽盧氏望云。前定録

補清河崔廣宗，開元中爲薊縣令，犯法，張守珪梟其首。形體不死，舁歸，飢卽畫地作飢字，家人進食於頸孔中；飽卽書止字。家人等有過犯，書令決之。如是三四歲，世情不替，更生一男。一日，書地云：後日當死。如其言。廣異記

補天寶中，安禄山自范陽入覲，貢白玉簫管數百，陳於梨園。樂書 此條原物產門，今移改。

補孫佺爲幽州都督，五月北征。李處郁諫曰：五月南方火，北方水，火入水必滅，且飱，若入燕，百無一全。佺不從，果没八萬人。山東謂温飯爲飱，幽州以北並爲燕地故云。朝野僉載 此條原在世紀門，今移改。

〔臣等謹按〕孫佺舊唐書作孫儉。

補佺之入賊也，薛訥與之書曰：季月不可入賊，大凶也。佺曰：六月宣王北伐，訥何所知！出軍日，有白虹垂頭於軍門。其夜，大星落於營内，兵將無敢言者。軍行後，幽州界内烏鵶鴟鳶並失，皆隨軍去。經二旬而軍没，烏鳶食其肉焉。朝野僉載 此條原在世紀門，今移改。

〔臣等謹按〕以上各條皆敍唐時雜事。

原劉仁恭微時，曾夢佛旛於手指飛出。占者曰：君年四十九，必有旌幢之貴。後如其説，果爲幽帥焉。北夢瑣言 此條原在世紀門，今移改。

補李匡威，少年好勇，不拘小節，以飲博爲事。一日與諸遊俠輩釣於桑乾河赤欄橋之側，自以酒酹地曰：吾若有幽州節制分，則獲大魚。果釣得魚長三尺。北夢瑣言

原幽州從事温璉，燕人也，以儒學稱。與瀛王馮道幼相善。曾經兵亂，有賣漆燈椀於市者，璉以爲鐵也，遂數錢買之。累日，家人用然膏燭，因拂拭，乃知銀也。大小觀之皆歡喜。璉閔然曰：非義之物，安可寶？遂訪賣主還之。彼曰：某自不識，鬻於市，郎中厚加酬直，非强買也，不敢復收。璉固還之，乃拜受而去。别賣四五萬，將其半謝之。璉終不納，遂施於僧寺，冀祝璉之壽也。當時罔不推服。後官至尚書侍郎卒。劉氏耳目記

原晉天福三年，與遼和，欲遣輔相。趙瑩、桑維翰咸懼將命，馮道與諸公中書食訖，索

紙一幅書云：道去。卽遣人語妻子，不復歸家，舍都亭驛，不數日卽行。北路寒甚，遼賜道錦襖、羊狐貂衾各一。每入謁，悉服四襖。夜宿館中，並覆三衾。賦詩云：朝披四襖專藏手，夜覆三衾怕露頭。叢苑

補胡瓌，范陽人。工畫蕃馬，雖繁富細巧，而用筆清勁。至於穹廬什物射獵生死物，靡不精奇。凡畫駝馬騣尾、人衣毛毳，以狼毫縛筆疏渲之，取其纖健也。有陰山七騎、下程控馬、射雕等圖傳於世，子虔有父風。圖畫見聞志

補劉守光之僭號也，莊宗遣太原少尹李承勳往使，伺其釁端。承勳至幽州，見守光如藩方交聘之禮。謁者曰：燕王爲帝矣，可行朝禮。承勳曰：吾大國使人，太原亞尹，唐帝所授，燕主自可臣其部人，安可臣我哉！守光聞之不悦，拘留於獄，數日而訊之曰：臣我乎？承勳曰：燕君能臣我王，則吾臣之，吾有死而已，安敢辱命！會王師討守光，承勳竟歿於燕中。舊五代史

補周世宗末年，大舉以取幽州。遼聞其親征，君臣恐懼。沿邊城壘皆望風而下，凡蕃部之在幽州者亦連宵遁去。車駕至瓦橋關，探邏得實，甚喜，以爲大勳必集，因登高阜以觀六師。頃之，有父老百餘輩持牛酒以獻。世宗問曰：此地何名？對曰：歷世相傳謂之病龍臺。世宗默然，遽上馬馳去，是夜聖體不豫，卽詔回戈，未到關而晏駕。初，幽州聞車駕將至，父老竊議曰：天子姓柴，幽州爲燕，燕者亦烟火之謂也，柴入火，不利之兆，安得成功？卒如其言。五代史補　此條原在世紀門，今移改。

〔臣等謹按〕以上各條皆敘五代雜事。

原盧文進，幽州人。至江南，李氏封范陽王。嘗云：陷遼中屢入絶塞，正晝方獵，忽天色晦黑，衆星粲然。問蕃人云，所謂笪却日也，以此爲常。頃之乃明，方午也。南部新書

〔臣等謹按〕此條敍南唐雜事。

欽定日下舊聞考卷一百五十九

雜綴

原漢雲臺功臣二十八人，寇恂子翼，上谷昌平人；蓋延巨卿，漁陽要陽人；王梁君嚴，漁陽安陽人；幽州居其三。魏高允作徵士頌，合三十四人，中書侍郎固安侯范陽盧元子真，河内太守丁樂侯廣甯燕崇元略，上黨太守高邑侯廣甯常陟公山，輔國大將軍從事中郎范陽祖邁，征東大將軍從事中郎范陽祖侃士倫，中書郎燕郡劉遐彦鑒，中書郎上谷張誕叔術，大司馬從事中郎上谷侯辯。幽州居其八。至於宋初，五竇、二宋、二扈而外，文則趙普、吕餘慶、吕端、邊歸讜、趙上交、劉載、劇可久，武則趙贊、劉廷讓、高彦暉、李懷忠、田重進、劉重進、李瓊、張暉、馬全義、劉審瓊、張藏英、董遵誨，燕之人才亦可謂盛矣。函山旅話

原潘佑，幽州人。其母方娠，夢古衣冠人告曰：我顔延之也，與夫人爲子。及生七歲，始能語，曰：兒誤傷白龍，爲上帝所罰也。因吟詩云：朝遊滄海東，暮歸何太速？衹因騎折白龍腰，謫向人間三十六。後果以三十六歲死。南唐書

【原】太宗親征遼，御製詩有鑾輿臨紫塞，朔野凍雲飛之句，遂命何蒙進鑾輿臨塞賦，朔雲飛詩。蒙得句云：塞日穿痕斷，邊雲背影飛。又云：縹緲隨黃屋，陰沉護御衣。召對嘉賞，授贊善。玉壺清話

【原】先公在燕山，赴北人張總侍御家集，出侍兒佐酒，中有一人意狀摧抑可憐。叩其故，乃宣和殿小宫姬也。坐客翰林直學士吳激作詞云：南朝千古傷心地，還唱後庭花。舊時王謝，堂前燕子，飛入人家。恍然在遇，天姿勝雪，宫鬢堆鴉。江州司馬，青衫淚濕，同是天涯。詞名人月圓。聞者揮涕。容齋隨筆

【原】汴梁宋時宫殿，凡樓觀棟宇窗户往往題燕用二字，意必當時人匠姓名耳。及金海陵修治燕都，擇汴宫窗户刻鏤工巧以往。始知興廢皆定數，此即先兆也。癸辛雜識

【補】高益，涿郡人。工畫佛道鬼神番漢人馬；太祖朝，潛歸京師，始貨藥以自給。每售藥必畫鬼神或犬馬於紙上藉藥與之，由是稍稍知名。時太宗在潛邸，外戚孫氏喜畫，因厚遇益，請爲圖畫。未幾，太宗龍飛，孫氏以益所畫搜山圖進上，遂授翰林待詔。後被旨畫大相國寺行廊阿育王等變相暨熾盛光九曜等，有位置小本藏於内府。後寺廊兩經廢置，皆飭後輩名手依樣臨倣。又畫崇夏寺大殿善神，筆力絶人。有南國鬭象、衞士騎射、番漢出獵等圖傳於世。圖畫見聞志

補涿郡高益工畫道釋鬼神番漢人馬，用墨重，傅色輕。變通應手，不拘一態。圖繪寶鑑

補吴九州，燕人，善畫鹿，窮盡番鹿之態。牛鹿、馬鹿、養茸、退角、老嫩之別，無不曲盡其似。畫繼

補燕京布衣常思言善畫山水林木，求之者甚衆，然必樂與即爲之，既不可以利誘，復不可以勢動。此其所以難得也。圖畫見聞志

補董遵誨世居幽州，其母在遼。太祖令人賂邊民使迎其母送於遵誨。遵誨遣外弟劉綜貢馬以謝。上解所服真珠盤龍衣命賫賜之。綜曰：遵誨人臣，豈敢當此！上曰：吾委以方面，不此嫌也。隆平集

補宣和中，師復幽燕，獲耶律德光所取古寶玉尊，形製與黄目等，瑩然無少玷缺。在廷莫知所用。帝獨識爲周之灌尊，乃詔禮官，圜丘祭天之器仿古，盡用吉玉。籀史

補燕氏有二：有姬姓之燕，有姞姓之燕。南燕、北燕皆爲燕氏，此異姓而同氏者。漢有功臣宜城侯燕倉，後漢中郎將燕瑗，北齊有右僕射燕子獻，唐有補闕燕欽融，宋朝有龍圖閣學士燕肅，望出上谷范陽。通志氏族略

原太宗征幽州，曹翰爲東路豪寨總管，善風角。一夕，角聲送風至帳。翰促令環帶曰：寇至之兆也。未幾果然，大敗寇兵於城下。玉壺清話

原太平興國四年六月庚申，車駕北征。丁卯，次岐溝關。戊辰，上次涿州。己巳，次鹽溝。庚午，至幽州城南，駐蹕寶光寺。癸未，幸城西隅，督諸將攻城，命曹翰、米信率兵屯東南隅。軍士掘蟹以獻。翰謂諸將曰：水物而陸居，失

其所也，且多足，慮救將至。且蟹者解也，其班師乎！甲申，上以幽州城踰旬不下，遂詔班師。　太平治迹統類

原　六年四月戊申，知燕山府王安中奏：府西香山寺、在府天寧壽觀、昊天延壽寺甘露降。奉旨許拜表稱賀。　北盟會編　以上二條原在世紀門，今移改。

原　錢塘汪元量，字大有，以善琴受知宋主。國亡，奉三宮留燕甚久。世祖皇帝嘗命奏琴，因賜爲黃冠師。南歸時，幼主瀛國公，福王平原郡公趙與芮，駙馬右丞楊鎮，故相吴堅、留夢炎，參政家鉉翁、文及翁，提刑陳杰，貴陽夢炎與宮人王昭儀清惠以下二十有九人，分韻賦詩以餞其行。　金臺集

原　水雲留金臺一紀，琴書相與無虚日。秋風天際，束書告行，此懷愴然，定知夜夢先過黃河也。一時同人以勸君更盡一杯酒，西出陽關無故人分韻賦詩爲贈。王清惠詩云：朔風獵獵割人面，萬里歸人淚如霰。江南江北路茫茫，粟酒千鍾爲君勸。陳真淑詩云：天中雪子落紛紛，坐擁貂裘坐夜分。明日馬頭南地去，琴邊應是有文君。黃慧真詩云：萬疊燕山冰雪勁，萬里長城風雨横。君衣雲錦勒花驄，此酒一杯何日更？何鳳儀詩云：十年燕客身如病，一曲剡溪心不競。憑君寄語愛梅仙，天理見時人事盡。周静真詩云：燕山雪花大如席，馬上吟詩無紙筆。他年若遇隴頭人，折寄梅枝須一一。葉静慧詩云：塞上砧聲響似雷，憐君騎馬望南回。今宵且向穹廬醉，後夜相思無此杯。孔清真詩云：瘦馬長吟塞驢吼，坐聽三軍擊刁斗。歸人鞍馬不須忙，爲我更釂葡萄酒。鄭惠真詩云：琵琶撥盡昭君泣，蘆葉吹殘蔡琰啼。歸見林逋煩説似，唐僧三藏入天西。方妙静詩云：萬里長城風淅淅，一望薊州雲羃羃。君今得志歸故鄉，反鎖衡門勿輕出。翁懿淑詩云：金門夜醉紫霞觴，乞得黃冠歸故鄉。一似陳摶歸華嶽，又如李泌過衡陽。章妙懿詩云：一從騎馬逐鈴鑾，過了千山又萬山。君已歸裝向南去，不堪腸斷唱陽關。蔣懿順詩云：十年牢落醉穹廬，不用歸榮駟馬車。他日倘思人在北，音書還寄雁來無？林順德詩云：歸舟夜泊西興渡，坐看潮來又潮去。江草江花春復春，山青水緑元如故。袁正淑詩云：抱琴歸去海東濱，莫逐成連覓子春。十里西湖明月在，孤山尋訪種梅人。又章麗貞長相思云：吴山秋，越山秋，吴越兩山相對愁。長江不盡流。風颼颼，雨颼颼，萬里歸人空白頭。南冠泣楚囚。袁正真詞云：南高峰，北高峰，南北高峰雲淡濃。湖山圖畫中。采芙蓉，賞芙蓉。小小江船西復東。相思無路通。金德淑望江南詞云：春睡起，積雪滿燕山。萬里長城横縞帶，六街燈火已闌珊。人在玉樓間。元量既歸杭，作懷舊一剪。梅云：十年愁眼淚交加。今日思家，明日思家。一團燕月照窗紗。樓上蘆笳，塞上蘆笳。玉人勸我酌流霞。急撚琵琶，緩撚琵琶。一從别後各天涯。欲寄梅花，難寄梅花。　湖山類稿　以上二條原在存疑門，今移改。

〔朱彝尊原按〕宋少帝三宮入燕，元世祖命宰相出通州迎接，黃羅張幔，先燕三宮於會同館，然後十次開筵，月支糧萬石，日支羊肉六千斤，俱見於汪水雲詩集。其待

亡國君臣有禮矣。水雲南歸，少主平原公以下及宮嬪一十七人咸賦詩詞祖道，更見當日文網之疏。水雲歸後，少帝有詩云：寄語林和靖，梅花幾度開？黃金臺下客，應是不歸來。其辭淒斷，蓋即懷水雲作也。

〔臣等謹按〕以上各條皆敘宋時雜事。

原 吴王遣使遺太祖以猛火油，曰：攻城以油然火焚樓櫓，敵以水沃之，火愈熾。太祖大喜，即選騎二萬，欲攻幽州。后哂之曰：豈有試油而攻一國乎？因指帳前樹謂太祖曰：此樹無皮可以生乎？太祖曰：不可。后曰：幽州城亦猶是耳，吾但以三千騎伏其傍，掠其四野，使城中無食，不過數旬，城自困矣。何必如此躁動輕舉！萬一不勝爲中國笑，吾部落亦解體矣。太祖乃止。遼志

補 幽州僧行均，集佛書中字爲切韻訓詁，凡十六萬字，分四卷，號龍龕手鏡，燕僧智光爲之序，遼重熙二年集。夢溪筆談

補 龍龕手鏡三卷，遼僧行均撰，凡二萬六千四百三十字，注十六萬三千一百餘字，僧智光爲之序，後題云統和十五年丁酉。晁氏讀書志

原 遼待南使，樂列三百餘人，舞者更無囘旋，止於頓挫伸縮手足而已。畫墁録

原 遼曲宴宋使，酒一行，觱篥起歌。酒三行，手伎入。酒四行，琵琶獨彈。然後食入。雜劇進。繼以吹笙彈箏歌擊架樂角觝。王介甫詩：涿州沙上飲盤桓，看舞春風小契丹，蓋記其事也。至范致能北使，有鷓鴣天詞，亦云：休舞銀

貂小契丹，滿堂賓客盡關山。則金元燕賓或襲爲故事，未可定耳。渌水亭雜識

原章頻使遼，至紫濛館卒，遼遣内使就館奠祭，命接伴副使護其喪，以錦車駕橐駝載至中京，又具鼓吹羽葆吏士持甲兵衛送至白溝。宋史 以上三條原在宫室門，今移改。

〔朱彝尊原按〕韓魏公安陽集有奉使過紫濛遇風詩，元混一方輿勝覽載入大興府，今莫詳其處矣。

〔臣等謹按〕以上各條皆叙遼代雜事。

原范陽趙元，天會間同知薊州事。有賊殺人横道，官吏圜視，莫知所爲。路人耕夫聚觀甚衆。元指田中釋耒而來者曰：此賊也。叱左右縛之，遂伏。僚吏問其故，元曰：偶得於眉睫間耳。金史

原王啓，字希畢，大興人，正隆二年進士。章宗即位，遷工部侍郎，即以河南北路提刑使拜吏部尚書使宋。使還，出爲絳陽軍節度使，致仕還鄉里。與左丞董公、參政馬公、宣徽盧公、尚書郭公爲九老會。中州集

原趙質，字景道，遼相思温之裔。大定末舉進士不第，隱居燕城南，教授爲業。明昌間，章宗游春水過焉，聞絃誦聲，幸其齋舍，見壁所題詩，諷詠久之。召至行殿，命之官，固辭。曰：臣僻性野逸，志在長林豐草；金鑣玉絡，非所願也。上益奇之，賜田畝

千，復之終身。金史隱逸傳

原武清張潛，幼有志節，慕荆軻、聶政爲人，年三十始折節讀書。時人高其行誼，目曰張古人。金史孝友傳

原宛平張孝善，有子曰合得，大定十二年三月旦以疾死，至暮復活，云本是良鄉人王建子喜兒，而喜兒前三年已死。建驗以家事，能具道之。尚書省奏，此蓋假尸還魂，擬付建爲子。上曰：若是則姦倖小人競生詐僞，黷亂人倫。止付孝善。金史五行志

補遼季年，常勝軍校龐太保妻耶律氏詣燕山樂先生卜肆問命。卦成，樂驚曰：平生所閲人，無如夫人之貴，非后妃不足以當之。今服飾若此，何也？耶律笑曰：吾夫一營卒耳，近以微功方遷隊首，猶未免飢寒，安望王侯？樂曰：夫人不大貴，吾當焚五行之書。既而金人滅遼，首領烏珠至燕，見耶律氏美，納之而殺其夫。後封越國王妃。妃方頤修頷，明眸華髮，權略過男子。烏珠驚畏之。先公在燕時，熟識其狀。予奉使日，接伴使曰工部侍郎龐顯忠，蓋耶律在龐氏時所生也。夷堅志

補張維，字正綸，燕山三河人。家君初出使至太原，維以陽曲主簿館伴。嘗言，宣和乙巳，同邑有村民頗知書，以耕爲業，年六十餘，一夕驚魘而覺，戰栗不自持。謂其妻曰：吾命止此矣。妻驚詰其故，曰：適夢行田間，見道上有七騎，内一白衣乘白馬怒謂我曰：汝前身爲唐蔡州卒，吴元濟叛，我以王民治塹，爲汝所殺，我銜恨久矣。今方得見，雖隔世猶當償我命。引弓射我心，因顛仆而寤。吾必不免。明日當遠竄以避此患。妻云：夢耳，安足信！汝妄思所致。民益恐，未旦而起。其家甚貧，止令小孫攜被欲往六十里外一親故家避之。行草徑三十餘里，方出官道，有二十里許，遇數人同行，忽有騎馳至，連叱衆往，行者皆止。此民回視，正見七騎内一白衣人騎馬，宛如夢中所

見，因大駭，絶道奔走。騎厲聲呵止之，不聽，白衣大怒曰：此煞可惡人！遂鞭馬逐之，引弓射心，應弦而斃。同上

原 大安三年二月，大風從西北來，發屋拔木，吹清夷門關折。金史五行志 此條原在世紀門，今移改。

補 持嘉君實，女真人，居燕城，畫竹學劉自然，頗有意趣。圖繪寶鑑 按：持嘉，姓也，舊作赤盞。今從八旗姓譜改正。

補 澤州李俊民用章，舉承安五年進士第一。金亡後，其同年三十三人惟高平趙楠僅存。又挈家之燕京。俊民感舊游，以詩題登科記後云：試將小録問同年，風采依稀墮目前。三十一人今鬼録，與君雖在各華顛。又云：君還攜幼去幽燕，我向荒山學種田。千里暮鴻行斷處，碧雲容易作愁天。録中張孺卿介甫、晁李中寶臣、伯德維公理、孔天昭、文安王毅知剛、趙銖敬之，皆中都大興府人。函山旅話

補 元裕之寄書耶律中書，薦當時士大夫在河朔者固安李天翼、漁陽趙鑄、燕人張舜俞、曹居一、王鑄，且曰：凡此諸人，雖其學業操行參差不齊，要皆天民之秀，有用於世者也。按虞文靖學古録，有田氏先友翰墨序，稱彰德田師孟緝，其先友手翰中有劉伯熙字善甫，曹居一字通甫，趙著字光祖，俱燕人。其稱著曰大俠。按元集作鑄者字才卿，別是一人也。同上

〔臣等謹按〕以上各條皆叙金代雜事。

原 檇李顧淵白入京獻燕都賦，翰長元公復初不喜，曰：今大朝四海一統，六合一家，燕

蓋昔時戰國名，何燕之稱？慚恨而歸。輟耕錄

原燕人王鐸，字振之，嗜古成癖，慕米元章爲人，以賂求爲襄陽令，後果得之，號王襄陽。研北雜志

原房山高克恭彦敬有二琴，其一後題金儒鳴玉，唐大中五年，處士金儒斲此琴，其名鳴玉，下刻高士談家寶藏六字，已爲人削去，尚存書跡。琴乃宣和御府故物，後歸於金。高士談者，金人，以與宋通被殺，故或者惡而去之。其色赤如新栗殼，斷文隱起如蛇蚖，奇物也。其一三足鼎峙，皆美玉。咸通中，張鉞斲，款用小篆精妙，又有銘文，漶不可識。雲烟過眼錄

原李仲賓在燕爲太常令史。太常官廨向爲大興獄，聞有物怪，往往能殺人。時年少氣壯勇，方秋初，一夕守宿官舍。一僕自隨，亦以暑甚出外舍。遂獨據炕酣寢，至夜半，忽房門軋然有聲而開，驚覺，則胸間憤悶若壓氣不甦醒。極力微開目，見一人黑色，乘微月率率有聲而前，既進復退。於是恐甚，極力瞠目起坐，則房門未嘗啟也。頃之，其人復來。思有以禦之，適無他物，僅有皮靴一雙於其前，俟其稍近，以靴擲之，劃然有聲如雉鳴，用手斜拉窗眼而去。至曉觀之，其手拉窗處每窗眼皆圓竅，數十破處皆如一，紙雖破而不脫，竟不知爲何怪也。癸辛雜識

原聖朝建都燕山，民物日富。八九十歲翁，朝廷優之，歲時得升殿上，上皇帝壽。每大朝會，百官衣朝服鞠躬以進，視班次惟謹，毋敢越尺寸。而諸耆老高幘博褐，從容暇豫，以齒後先，門者不加誰何。俟百官退，乃陟峻陛，承清光，歸而娛嬉井陌。大駕出宮，則龐眉黄髮序勾陳環衛間，見者咸曰：樂哉太平之民也。張進中居京師有年，耆老

之一。進中字子正，善爲筆，管以堅竹，毫以鼬鼠，極精鋭宜書，人争售之。淇上王仲謀、上黨宋齊彦、吴興趙子昂皆與之善。尚方時有所需，非進中所爲者不用也。進中自持筆以入，必賜以酒。年益高，被璽書蠲其徭役，至八十以終。延祐七年，葬宛平縣岡村。文翰類選

原燕山項氏，其夫江南人，行賈燕薊間，聘項與居。未幾夫死，項時年二十，奉柩回江南，誓以夫餘資養姑以自終。比至，姑已改適，勵志孑居，以守夫祀。盱江李宗列閔其事而賦之詩曰：少無依倚老何堪？白髮婆娑亂不簪。夢裏尚思江北好，悔將夫骨葬江南。輟耕録

原姚文公爲承旨，一曰玉堂燕集，聲伎畢奏，有真真者操南音，公疑而問之。泣對曰：妾建寧人，西山之苗裔也。父司筦庫於濟寧，坐盗用官財，賣妾以償，遂流落娼家。公憫之，遣使白丞相三寶努，爲落籍，且謂翰林屬官王棣曰：汝無妻，以此女配汝，吾卽其父也。貲裝皆出於公。棣字棣華，後官至翰林待制。賓谷筆談　按：三寶努舊作三寶奴，今對音譯改。

原樊事真，京師名妓也，周仲宏參議嬖之。周歸江南，樊飲餞於齊化門外。周曰：别後善自保持。樊以酒酹地曰：妾若負君，當刳一目謝君子。亡何，有權豪子來，爲母所逼。後周來京師，樊曰：非不保持，卒爲豪勢所逼，昔日之誓，豈徒設哉！乃抽金篦刺左目，流血遍地。好事者編雜劇曰樊事真金篦刺目。青樓集

原宛平李通，知音善歌，其音屬羽，如玉笙之吹瓊館，清而且潤，名貫薊北。又有王善甫、俞允中、俞景中、靳士名，梅景初，皆宛平人，劉彦達、李時敬通州人，王均佐遵化人。嘯餘譜

原燕京昔有一雄象甚大，凡傷死數人，官吏欲殺之，不得已乃明其罪。象遂弭帖就殺。凡得象油四十八大甕。癸辛雜識

原昌平紅崖谷有茅庵，修道者持行甚嚴。深夜有美婦人叩門求宿，時天寒，道人憐而納

焉。婦動以言，道人不爲亂。移時婦腹痛，産嬰兒於盆；詰旦，婦抱兒去。道人惡盆中污，覆諸澗，誤染左手，及視之，五指皆金，復視澗際沙，沙亦盡金色。昌平州志

原至元三年夏，大都桑果葉皆有黄色龍文。元史五行志

原至元五年，京師童謡云：白雁望南飛，馬札望北跳。至正十五年，京師童謡云：一陣黄風一陣沙，千里萬里無人家。此皆詩妖也。同上

原元貞丙申秋，大都南城武仲祥家，有乳犬懷胎在脇下，忽腫成瘡，六七日後於瘡生五子，色皆青蒼，每當脊梁自項至尾生逆毛一道，又數日瘡亦平復。輟耕録

原至正十一年，京師齊化門東街一婦人生髭鬚，長一尺餘。草木子

原漁陽鮮于樞伯機，於廢圃中得怪松一株，移植所居旁，名之曰支離叟。名其齋曰困學，又作霜鶴堂。落成之日，會者凡十有二人：楊子構、趙明叔、郭右之、燕公楠、高彦敬、李仲賓、趙子昂、子俊、張師道、石民瞻、吴和之、薩天錫。研北雜志

原梁有，字九思，平章梁文節公之孫，世居幽州之南城。不求聞達，教授生徒百餘人，奉母至孝。天曆間，奉勑河南北録金石刻，於濟州得漢刻九通於泗水之中，共録金石刻三萬餘通上進，其副類爲二百卷，曰文海英瀾。又修續列仙傳二十卷。金臺集

〔朱彝尊原按〕今濟寧州學宫尚存漢碑五通，當即九思得於泗水者也。

補僧智海居燕中，善畫墨竹，學海雲禪師。圖繪寶鑑

補元之平宋也，降表僉謝后名。汪元量詩，侍臣已寫歸降表，臣妾簽名謝道清，是也。

元量別字水雲，宋末以善琴供奉，國亡，隨三宮入燕，久之請爲黄冠南歸。藏有賜硯，背刻天賜永寶四字，八分書，右刻水雲二篆字，左刻楷書絶句云：斧柯片石伴幽閒，堪與遺民共號頑。試憶當年承賜事，墨痕如淚盡成斑。其北征古詩云：北帥有嚴程，挽我投燕京。挾此萬卷書，明發萬里行。則硯必並載入燕，以詩書授瀛國公，留此硯矣。改蟲齋筆疏

補李嘉謨以鄉役部發歲運至元都，嘗夜對月獨歌曰：萬里倦行役，秋來瘦幾分？因看河北月，忽憶海東雲。夜静聞隣婦有倚樓泣者，明日訪其家，則宋舊宮人金德淑也。因過叩之，德淑曰：客非昨暮悲歌人乎？李答曰：昨所歌詩實非己作，有同舟人自杭來，每吟此句，故能記之爾。德淑泣曰：此亡宋昭儀黄惠清寄汪水雲詩。我亦宋宮人也。昭儀舊同供奉，極相親愛，今各流落異鄉，彼且爲泉下人矣。夜聞君歌其詩，不勝悽感。因言：當日吾輩皆有詩贈水雲。乃自舉所作望江南詞，歌畢又泣下。金姬別傳

補古妓女多以雙字名，南齊則蘇小小，唐有薛瓊瓊、關盼盼、張好好、李端端、王蓮蓮、鄭舉舉、張住住、王蘇蘇、曹保保、張紅紅，宋有李師師、毛惜惜、楊愛愛、唐安安，至元人尚詞曲，青樓得名者如趙真真、于盼盼、于心心、李心心、魏道道、汪憐憐、顧山山、馮六六、孫秀秀、荆堅堅、李當當，皆大都妓，餘未能悉數也。花南老屋歲鈔

補孫秀秀，都下小旦色也，名公巨卿多愛重之。京師諺曰：人間孫秀秀，天上鬼婆婆。青樓集

補燕人何失，世以織紗縠爲業，與張進忠製筆齊名。失獨工詩，其燕都雜題詩云：一夜

春陰徹曉寒，玉山無奈酒杯乾。青蛾知有愁多少，狼藉殘粧懶對看。揭徯斯贈詩云：心事巢由上，文章陶阮間。其爲士大夫所重如此。宋元詩箋

補 元人善畫者多，其在大都，山水則劉融伯熙、喬達達之、韓紹煜子華、高克恭彦敬、李希閔克孝，竹石則李衎仲賓、于士行遵道、張德琪廷玉、李有仲方、劉德淵仲淵，及張敏夫、高吉甫、劉廣之，花果則謝佑之，人物則李士傳，傳寫則焦善甫、冷起巖，而浮屠羽士之善繪事者不與焉。粉墨春秋

補 喬達，字達之，燕人，官至翰林直學士。善丹青，山水學李成，墨竹學王庭筠，後更學文同。竹派

補 李薊邱畫竹，其初專學黃華老人，見文湖州墨竹數十，李皆以爲不佳，且疑東坡、山谷與湖州文字交，特多曲筆過與也。錢唐王子慶謂曰：子所見皆非真湖州筆耳。持一幅示之，竹凡五竿，濃淡相依，枝葉間錯，轉折向背，攲側低昂，各有態度。於是叫絶，深悔從前議論之非。用油紙臨摹髣髴，攜歸盡力學之。又獲三本，又得南唐李頗叢竹圖，蕭協律筍竹圖，參閲衆妙，而後成家。六研齋筆記

補 至正二十五年夏五月，大都雨毛，長尺許。或曰龍鬚也，拾而祀之。草木子

補 范益精於醫脈，元至正間爲大都醫官，年七十矣。有老媪詣其門曰：家有二女病，欲延公往治之。問其家何在。曰西山。益憚途遠，以老辭，曰：可攜來就診耳。媪去良久，攜二女至，皆少艾，益診之，矍然曰：何以俱非人脈？

謂媼：爾無隱，當實告我。媼曰：妾實非人，乃西山老狐也，知公神術，能生吾女，故來投，今已覺露，幸仁人憐之。益曰：濟物，吾心也，固不爾拒。然此禁城中，帝王所在，百神呵護，爾何得至此？媼曰：真天子自在濠州，城隍社令皆移守於彼，此間空虛，故吾得出入。益異其言，授以藥，媼及二女拜辭去。是時太祖龍潛淮右云。庚巳編

補元人雜劇，喬孟符有黃金臺，沈和甫有燕山逢故人，又無名子有燕山夢，皆演大都舊事也。朔紀

補唐設九科，童子居其一，員半千、楊炯、吳通元、裴耀卿、李泌、劉晏皆由是舉。宋則楊億、宋綬、晏殊、李淑均以童子出身。然漢有童子郎，梁有童子奉車郎，以童子拜官者古矣。元童子科見於選舉志者十六人，仁宗延祐七年舉陳聃，則大興人也。函山旅話

補節婦魏阿張，大都路左警巡院咸寧坊人，適魏明子蔓。其夫不事家業，取回回債銀二定，將魏蔓監收，夤夜掣鎖逃竄，不知所往。阿張父爲代還。蔓有老母，阿張孝養甘旨不闕。十餘年後，其夫還家復合，生一子。至元三年，夫病故，賃房以居。其子七歲，老姑年九十五歲，依舊孝養。本坊巷長朱進、社長何常等具狀轉聞，詔加旌表，以厲風俗。元典章

〔朱昆田原按〕此則元時旌表節婦初不限年歲也。

補燕留守府參謀劉正卿坐事就死，屬其孤於友人姜迪祿。既籍没，姜爲伸理其子。達官

怒其僭，張弓擬之。姜不少懼，即裸胸以逆。遂義而從其請。自是姜以義烈聞燕趙間。後折節從趙雲夢學，非其義，一介不取諸人。丞相史公賢之，以賓客禮焉。姜世燕人，子尚其字。秋澗集

補元王文定惲碑陰先友記内，曹居一通甫、盧武賢叔賢、王信信之、李班晉伯，皆燕人。函山旅話

原宫中制五雲車，車有五箱，以火樹爲檻式，烏稜爲輪轅，頂懸明珠，張翠羽蓋，中箱爲帝座，外四箱爲妃嬪坐。每晦夜遊幸苑中，御此以行，不用燈燭。元掖庭記 此條原在宫室門，今移改。

補元李仲賓衎父，少孤貧，居燕城中。荒地多枸杞。一日踰隣寺頹垣，往采杞子，日正午，方行百餘步，忽迷失故道，但見廣沙莽莽，非平日經行境界，心甚異之。舉頭見日色昏，猶能認大悲閣爲所居之地，遂向日南行，循閣以尋歸路。忽見一壯夫白帶方巾，步武甚健，厲聲問往何方。方錯愕間，遽以手捶其胸。李素多力善搏，急用拳捶之。其人仆，已失其首。心知爲鬼物，然猶踉蹌相向。李復以拳仆之，隨仆隨起者十餘次，其人遂似怒而去。既稍前，則無首者踞坐大石上以俟，意將甘心焉。然路所必經，勢不容避。忽記腰間有采杞之斧，遂持以前。其人果起而迎之，遂斧其頸，鏗然有聲，乃在青石上。其人寂然不見，而異境亦還元觀，乃私識其處而歸。家人見其神采委頓，問之則不能語，越宿方能道所以。遂偕數人往訪其處，果有斧痕在石上，遂啟其石，下乃眢井，井中皆枯骸也。詢之，蓋亡金兵亂中死者。遂函其骨遷窆他所，後亦無他。癸辛雜識

補大都玉馬坊耿氏石獅，猛水出如霧。予時爲御史，目覩其事。耿出微賤而遽當台鉉，此驟得不祥之極也。秋澗集 以上二條原在存疑門，今移改。

〔臣等謹按〕以上各條皆叙元代雜事。

欽定日下舊聞考卷一百六十

雜綴

原太宗在藩邸，有風李秀者，啟上：某地貴不可言，殿下寧有可葬者乎？上怪其不祥，曰：無之。秀曰：固也，第不知殿下乳母誰與？上曰：死矣，藁葬於某原。秀請更葬。上從之。其地去西山四十里平壤間，卽聖夫人墓，人呼妳母墳是已。

九朝野記

原宣德七年，賜御用太監王瑾銀記四：曰忠肝義膽，曰金貂貴客，曰忠誠自勵，曰心跡雙清。又司禮太監金英、范宏各有銀記之賜。景廟於興安王誠、舒良輩亦有賜。憲廟賜司禮太監譚昌牙記二：曰忠誠不怠，曰謙亨忠敬。銀記一，曰才華明敏。石記一，曰補袞宣化。世廟賜司禮太監張佐銀記四：曰集謀補德，曰端忠誠慎，曰輔忠，曰勵忠。賜麥福銀記一，曰公勤端慎。右皆見墓碑中，國史所不載。然則內臣膺賜者不止此矣。 明典彙

原正統末，京師旱，街巷小兒爲土龍禱雨，拜而歌曰：雨帝雨帝，城隍土地。雨若再來，還我土地。成羣譟呼，不知所起。未幾有監國卽位之事，繼又有復辟之舉。說者謂雨帝者與弟，城隍者郕王，再來還土地，復辟也，以謡爲有徵也。

九朝野記

原景泰二年，王威寧越廷試時，疾風吹其卷起失之，因乞他卷成文，奏上登第。後琉球國得其卷，遣使入奏。 耳譚

原中官阿丑善詼諧，每於上前作院本，頗有東方朔譎諫之風。汪直用事，勢傾中外。一日，丑作醉人酗酒，一人佯曰：某官至。酗罵如故。又曰：駕至。酗亦如故。又曰：汪太監來矣。醉者驚迫帖然。旁一人曰：駕至不懼，而懼汪太監，何也？曰：吾知有汪太監，不知有天子。時王越、陳鉞媚直，結爲死黨。丑復作直持雙斧趨蹌而行。或問故，答曰：吾將兵惟仗此兩鉞耳。問：越何名？曰：王越、陳鉞也。上微哂焉。朱永掌十二團營，役兵治私第。丑作儒生高吟曰：六千兵散楚歌聲。一人曰：八千。爭之不已。丑徐曰：汝不知二千在保國公家蓋房子？上密遣尚銘察之，保國卽撤工。成化末年，刑政多頗，丑於上前作六部差遣狀，命精擇之。既得一人，問其姓名，曰公論。主

者曰：公論如今無用。次一人，曰公道。主者曰：公道如今亦難行。最後一人曰胡塗。主者首肯曰：胡塗如今儘去得。上亦微哂而已。貂璫史鑑

原成化間，都下諺云：韋英房，梁芳馬，尚銘銀子似甎瓦。嘉靖間，都下又有諺云：滕太監房，麥太監馬，高太監金銀似甎瓦。滕名祥，御用監；麥名福，掌團營；高名中，內官監，監督諸工者。宙載

原平江伯陳睿好飲涼酒。京師謡曰：平江不飲熱酒，怕火篩。弘治庚申，和碩兵勢頗張，孝廟遣平江禦之，臨軒挂印。平江畏怯失措，跌而失印。孝廟不樂，尋竟以逗留削爵。金臺紀聞

原世廟宮人張氏，無寵早卒。後宮制，凡殮者必索其身畔物，得羅巾有詩，以聞於上。上傷之，以宮監不早聞，杖殺數人。此庚戌年事，都下盛傳之。詩曰：悶倚雕闌强笑歌，嬌姿無力怯宮羅。欲將舊恨題紅葉，只恐新愁上翠蛾。雨過玉階天色淨，風吹金鎖夜涼多。從來不識君王面，棄置其如薄命何！耳譚

原萬曆中，京師風霾二十二見。最甚者四十六年三月庚午，空中有聲如波濤，黃塵蔽天，日色晦冥。將昏，東方電流如火，赤光照地；少頃，西亦如之。又雨濛濛如霧霰，土氣襲人。綏寇紀略

原臻福堂西有一樹，鐵雲板銜樹幹內，僅露十之三，蓋古物也。嬴隱集 原在明宮室門，今移改。

增明玉熙宮承應有御前王留子雜劇。王留見元曲，是善撒科，所云打牙諢匹者。或曰：天啟六年有鐘鼓司僉書王進朝，綽號王瘤子，善抹臉詼諧。瘤子卽留子。西河詩話

原天啟中，都下造有天鑒録、點將録，崔呈秀密以付魏忠賢，遂流入宮禁，按籍以罪録中諸人。至崇禎年枚卜閣臣，一時大僚及臺諫相搆不休，其不得與會推者，因造爲二十四氣之目以摇惑中外。其曰二十四氣者：殺氣吴甡，棍氣孫晉，戾氣金光宸，陰氣章正宸，妖氣吴昌時，淫氣倪元璐，瘴氣王錫袞，時氣黃景昉，羶氣馬嘉植，賊氣楊枝起，

晦氣王士鎔，霸氣倪仁楨，疝氣周仲璉，糞氣房之騏，痰氣沈維炳，毒氣姚思孝，逆氣賀王盛，臭氣房可壯，望氣吳偉業，雜氣馮元飈，濁氣袁愷，油氣徐汧，穢氣瞿式耜，尸氣錢元慤。各有諢號，中間賢不肖參雜。其指爲淫氣、逆氣、油氣、穢氣者，其後皆死國難。天鑒、點將二録，傳抄者衆，故不具録，録此以備野史之闕云。兩朝識小録

原崇禎十六年春，京營巡捕軍夜宿棋盤街之西。更初定，一老人囑曰：夜半子分，有婦人縞素涕泣自西至東，勿令過，過者厄不淺，雞鳴則免矣。吾乃土神，故以告也。夜半果婦至，軍如所戒，不聽前。五鼓，偶睡熟，婦折而東，旋返，蹴邏者醒之曰：我喪門神也。上帝命我行罰此方，若何聽老人言阻我！災首及汝。言畢不見，邏者懼，奔歸告家人，言未終，仆地死，大疫乃作。舉場左右，人鬼錯雜，薄暮人屏不行。一時貿易多得紙錢，乃置水投之，有聲則錢，無聲則紙。大疫定後乃已。青燐屑

原崔子忠青蚓工圖繪，爲絶技，有人欲得其畫者，强之不可得。山齋佛壁則往往有焉。董文敏公謂其人文畫皆非近世所常見。青箱堂集

原京師瞽者李近樓，籍錦衣千户，善琵琶，能左右手彈，新聲古曲無不絶妙。平生羈愁哀怨及人己胸中事皆於鵾絃鐵撥發之。令人髮上指，淚交下。忽作魚山梵唄，泠然孤僧雲水。復作蘇臺圍獵，淒然百獸鳴嘷。有言瞽者習琵琶，穿被作二孔，寒夜舒手出其中，時時弄撥，故幾於神若此。耳譚

原閻子明善圍棋，下子十餘，便知勝負所在。終日對局，令次第再布，不差一子。隆萬間爲京師第一。次者爲方生某。象棋則有張京，局將半，即懸定幾十著後當用某著取

勝。他如王國用之吹簫，劉善初之擊鼓，蘇宣之投壺，皆號一時絶技。燕山叢録

原 京都人以都城内外所有作對偶，其最可破顔者，如臭水塘對香山寺，奶子府對勇士營，王姑庵對韋公寺，珍珠酒對琥珀糖，單牌樓對雙塔寺，象棋餅對骨牌糕，棋盤街對幡竿寺，金山寺對玉河橋，六科廊對四夷館，文官果對孩兒茶，打秋風對撞太歲，白靴校尉對紅盔將軍，誠意高香對細心堅燭，細皮薄脆對多肉餛飩，椿樹餃兒對桃花燒賣，天理肥皂對地道藥材，香水混堂對醽醪酒館，麻姑雙料酒對玫瑰灌香糖，舊柴炭外廠對新蓮子衚衕，奇味薏米酒對絶頂松蘿茶，京城内外巡捕營對禮部南北會同館，秉筆司禮僉書太監對帶刀散騎勳衛舍人。野獲編

補 文皇在燕邸時，嘗微行，遇一相字者，書帛字與之。其人卽跪拜稱死罪。王驚問故，對曰：皇頭帝脚，必非常人也。字觿

補 宣廟御筆山水人物花果翎毛草蟲，上有年月，用廣運之寶，或用武英殿寶、雍熙世人圖書。續圖繪寶鑑

補 韓秀實，涿州人，與商喜惟吉齊名，畫人物亦佳，尤善畫馬。同上

補 陳復啟鴻，號坦坦居士，燕山人。長於畫山水松竹，皆有矩度，亦精寫照。弟後，啟先，詩文書畫與兄齊名。同上

補 成化元年五月，京師大風，皇牆以西有聲如雨雹，視之皆黃泥丸子，堅淨如櫻桃大，破之，中有硫黃氣。可齋筆記

補 成化中，京師黑眚見，有物若狸或如犬，其行如風，倏忽無定，或侵人面，或嚙人足。震澤長語

補成化丙申秋七月初旬，京師黑眚見。時坊巷細民家男女夜多露宿，忽有物負黑氣一片而來，或自户牖入，雖密室亦無不有。至則人昏迷，或手足或頭面或腹背被傷出黄水，醒始覺傷，亦不甚痛。有見其狀者，黑而小，金睛修尾類犬狸。滿城驚擾，暮夜各持刀張燈自防。凡有黑氣來，輒鳴金擊鼓以逐之。兼旬始息。瑣綴録

補成化丁酉六月九日，京師大雨，雨中往往得錢。王文恪鏊有詩紀事云：蒼天似憫斯人困，故向雲中撒與錢。錢若了時民又困，何如只賜與豐年？稗史彙編

補孝宗嘗問一内侍云：在京各衙門官每日早起朝參，日間坐衙，其同年同僚與故鄉親舊亦須讌會，那得工夫？内侍答云：惟是夜間飲酒。孝宗曰：各衙門差使缺人，若是夜間飲酒，騎馬醉歸，何處覓燈燭？今後各官飲酒回家，逐舖皆要籠燈傳送。自是兩京皆然，雖風雪寒凛之夕，夜半呼燈，未嘗缺乏。四友齋叢説

補大興劉公機爲諸生時，畿郡有鷹神，乃一獵鷹也。一日飛止公宅，奴以糍飼之，偶不潔，鷹攫其奴若懲之者。居數日，呼公名語曰：劉機大貴人，他日當坐八人轎至南京。語已飛去。公後舉進士，累官兵部尚書，參贊南京機務，如鷹語云。

涉異志

補陳指揮鐸善詞曲，又善嘲謔，居京師作月令記。二月下曰：是月也，壁蝨出，溝中臭氣上騰，妓韡化爲鞻。最善名狀，韡化爲鞻更可笑也。客坐贅語

補程篁墩没後，京師有雪夜祈仙者，降筆云：江山何日許重來？白骨青燐事可哀。吾黨莫憐清夢遠，海東東去是蓬萊。才鬼記

補徐州鄧玉田扶乩仙於都下，降筆云：勾漏山頭古洞天，金堂玉室地相連。門前千尺長松樹，親手栽來不記年。末書唐貞元道人。道聽録

補嘉靖六年六月十九日，京師雨錢，惟軍職官屋上爲多。稗史彙編

補楊爵用直言繫獄，暴風連作，都城皆恐，呼爲楊御史風。越章

補寶應陶成，字懋學，畫花鳥人物最工。中式，赴南宫試，二月五日語其壻朱升之曰：聞張家灣某氏丁香盛開，子其從我游乎？升之曰：去試僅三日，公無往。成不許，明旦升之他避，成買輿徑去，醉主人家五日。及榜發，升之登第。其鄉人醵錢爲賀，曰：公

女壻捷矣，幸爲我輩作圖。成曰：善。卽舉筆畫丁香一本，尤妙絶。稗史彙編

補宛平劉副使效祖仲修，以才見抑，罷歸，寄情詞曲，小令可入元人之室。如沉醉東風云：東華路塵沙滾滾，玉河橋車馬紛紛。官高休羨榮，命蹇須安分。靠青山緊閉柴門，閒把英雄細討論。能幾箇到頭安穩？又一闋云：門巷外旋栽楊柳，池塘中新浴沙鷗。半灣水繞村，幾朵雲生岫？愛村居景致風流。閒啜盧仝茗一甌。醉翁意，何須在酒？朝天子云：景陽宫曉鐘，鳴珂巷玉驄，總是南柯夢。生來無分紫泥封，機巧成何用？捉霧拿雲，攀龍附鳳，這心腸無半種。拄一條瘦笻，引一箇小僮，沿村疃，瞧耕種。又一闋云：喜碧山日親，把銀魚早焚，銷繳了功名分。軺車鳩杖鹿皮巾，也不讓黄金印。晚景無多，前程休問，趁明時自在隱。尋幾箇故人，團坐在蓽門。常則把，陰晴論。入小山樂府中不能辨也。昭陵嘗遣中使索其題册，呼曰念庵。念庵，副使别字也。因賦詩云：更生雙鬢已蕭騷，敢謂文章擅彩毫！過誤偶承明主問，因緣不是鬱輪袍。蒓鮫詞話

補燕人薛論道，有林石逸興十卷，皆雜曲也。其玉抱肚云：神仙無分且藏身。烟村水村。看白鷗撞破殘霞，靠青山界斷紅塵。清風明月共三人，去住悠悠一片雲。又一闋云：淒涼時候，聽征鴻蕭蕭過樓，映疏簾明月泠泠，走空階落葉颼颼。教人腸斷淚交流，屈指歸期又半秋。律以元音，亦稱合作。問之都中故老，蔑有知其姓氏矣。同上

補上虞倪公元璐爲祭酒時，與温輔體仁忤，將請告。惠安鄭仰田者善拆字，遇於官人席上，初未通名。取骰子中以緋飾四者予卜，鄭曰：京官四品而掌印者惟祭酒爾，公其祭酒倪公耶？公頷之。曰：公必與當事忤，姓名中帶骨字者其人也。蓋骰子骨所成，而四面稜角不能刓圓，以是知不合也。又曰：公意欲圖歸乎？必得請矣。骰體方類口，四亦類口，乃回字也。後果然。字觸

補萬曆丁亥，金臺有婦人以羊毛遍鬻於市，忽不見。繼而都人身生泡瘤，漸大，痛死者甚衆。瘤内惟有羊毛。有道人傳一方，以黑豆蕎麥爲粉塗之，毛落而愈，名羊毛疔。名醫類案

補天順間，錦衣衛都指揮門達，怙寵驕横，凡忤之者，輒嗾覘卒潛致其罪，逮捕拷掠。由是權傾一時，言者結舌。其同僚袁彬質直不屈，乃誣以重情，拷掠成獄，内外寃之莫或敢發。京城有楊塤者，戍伍之餘夫也，素不識彬，而爲之上疏曰：正統十四年，車駕北狩，從臣奔散逃生，惟袁彬一人特校尉之役，乃能保護聖躬，備嘗艱苦。及駕還復辟，授職酬勞，公論稱當。今者無人奏劾，卒然付獄，拷掠備至，罪定而後附律，法司雖知其枉，不敢辨明。陷彬於死，雖止一夫，但傷公論，人不自安。乞以彬等御前審録，庶得明白。擊登聞鼓以進，仍赴衛獄。達因是欲盡去異己者，乃緩塤死，使誣大學士李賢指使，塤佯諾之。達遂以聞。命中貴三法司鞫於午門前。塤乃直述所言皆出于己，於賢無預。達計不行，而彬猶降黜，居第盡毁。未幾，英宗升遐，言者劾達罪，舉

塤事爲證。達謫死南丹，彬得復舊職，代達總衛事。塤字景和，父爲漆工。宣德間嘗遣人至倭國，傳泥金畫漆之法以歸，塤遂習之。而自出己意，以五色金鈿並施，天真爛然，倭人見之亦齚指稱歎，以爲不可及。成化初，修英宗實録，稱爲義士云。東海集

原 內官同法司録囚，始於正統六年。凡大審録，內監奉旨出，則齎勅張黄蓋，騎導。於大理寺內爲三尺壇，中坐，尚書、都察院、大理寺以次左右列坐，御史、郎中下捧牘立，唯諾趨走惟謹。三法司視成案有所出入若輕重，俱目視太監，太監意所不欲，不敢忤也。內監經奉命審録者死，則於墓寢畫壁南面坐，旁列法司及御史、刑部郎引囚鞠躬聽命狀，悉圖之示後世，以爲榮觀焉。明一統志

補 崇禎癸未，京城大疫，死者甚衆，有全家數十口一夕俱斃者。一人出買棺，俾賣棺者同舁歸。入室，而買棺者忽不見，始知亦鬼也。日中市上所收錢，審視則紙爲之，乃各置水一盂於門，市者令投錢於水以驗真僞。民間終夜擊銅鐵器以毆厲祟，聲徹宮中，上亦不禁，命張真人建醮禳之，無驗。識者早有黍離之歎矣。白頭閒話

補 王森原名石自然，薊州皮工也。路遇妖狐，爲鷹所搏，狐求救於森，森收之。至家，狐斷其尾相謝，傳以妖香，凡聞此香者心卽迷惑，妄有所見。森依其術，創爲白蓮教，自稱聞香教主，立大小傳頭會首名色，此牽彼引，雲合響應，頂禮皈依，蔓延徧於京東西、山東、山西、河南、陝西、四川六省，不下二百萬人。撮合俚言謊説，刊作經文，分授徒衆。萬曆四十七年死於獄。説略箋

補 正德間，朝廷開設酒館，酒望云：本店發賣四時荷花高酒。猶南人言蓮花白酒也。又有二扁，一云天下第一酒館，一云四時應饑食店。暖姝由筆

補 正德中，錦衣衛千户順天李雄西征陣殁，遺孤五人。子二：曰承祖，曰亞奴。女三：曰桂英，曰玉英，曰桃英。諸子皆前妻所産，惟亞奴後妻焦氏生。焦欲圖親兒繼襲，雄

死，令承祖往戰場尋父骸骨，覬其陷於非命，而承祖竟抱骨以歸。焦乃鴆死承祖，支解而埋之。又以桂英鬻豪家爲婢。玉英頗知典籍，年十六，伶仃窮迫，作送春詩云：柴門寂寂鎖殘春，滿地榆錢不療貧。雲鬢霞裳伴泥土，野花何似一愁人！又作別燕詩云：新巢泥滿舊巢攲，泥滿疏簾欲掩遲。愁對呢喃終一別，畫堂依舊主人非。焦指詩詞謂有外通等情，俾舅焦榕執送錦衣衛，誣以姦淫不孝，擬凌遲。嘉靖四年夏，差太監審録罪囚，凡有事枉人寃，許行陳奏。於是玉英具本托其妹桃英賫奏訟寃。有旨命三法司會勘，焦氏論斬，玉英著錦衣衛選良才作配焉。玉英疏略云：臣年十二，遇皇上嗣位，徧選才人，府尹以臣應選，禮部憫臣孤弱，未諳侍御，發臣寧家。臣年十六，伶仃無倚，是以濫形吟詠，感諸身心，寄諸筆札，蓋有不得已而爲言者。奈何母恩雖廣，弗察臣衷，但玩詩詞，以爲外通，拿送錦衣衛。本官昧審事理，誣臣姦淫不孝，問擬剮罪。臣在獄日久，有欺臣孤弱而興不良之心者，臣撫膺大慟，獄中莫不驚惶。臣素不才，鄰里何無糾舉？乃以數句之詩，尋風捉影，陷臣死罪。臣之死固無憾，十歲之弟毒藥鴆死，肢解埋棄，果何罪乎？臣母之罪，臣不敢言，凱風有詩，臣當自責。陛下俯察臣情，將臣詩句付有司委勘，有無淫姦實情，推詳臣母之心，盡在不言之表，則臣亡父母之靈亦可慰於地下矣。其辭亦甚委曲周盡，雖載之國史列女傳，無媿也。查浦輯聞補會稽王冕北上燕薊，縱觀居庸、古北之勝，主秘書卿達兼善家，寫梅花張座間，題詩云：疏花箇箇團冰雪，羌笛吹他不下來。見者皆齰舌。稗史集傳

補盛啓東在吳時，有內使督花鳥於東南，常主其家，病脹，啓東療之而差。既至北京，遇內使於途，曰：有太監某患脹，而能治者。急往安樂堂見之，投以藥尋愈。太宗游西苑，太監病新起，步往觀焉。太宗遥望見之，曰：彼人當死久矣，安得復生？曰：得吳醫盛啓東而生。太宗喜曰：明日與來。啓東方散步長安門外，中使傳曰：宣吳醫盛啓東。乃以平巾入見，稱旨，遂留之御藥房。既而曰：汝在朕左右，平巾可乎？乃授御醫。一日與韓叔陽奕於御藥房，上猝至，不及屏，曰：誰與棋者？對曰：臣與韓叔陽。問：二人孰優？曰：臣優於叔陽。遂命奕於前，親觀之，連勝者三，因命賦詩，有曰：不材未解神仙著，有幸親承聖主觀。不數日，上賜象牙棋局，並詞一闋，棋留置院中。震澤紀聞

補京師娼女有高三者，自幼美姿容。昌平侯楊俊見之屬意，因與之狎，猶處子也。昌平去備北邊數載，高閉門謝客。天順復辟，昌平爲石亨所忌，謂正統十六年駕陷土木，昌平坐視不救爲不忠，朝廷命斬於市。親戚故吏無一往者，高獨素服往哭，親吮其血，仍以絲連其首，買棺殮之，遂縊而死。寓圃雜記

補京師北城有王翁者，年七十餘無子，買一妾，年甚艾。翁死，遺言令改適，而妾矢志不移。翁瞑，卽不食，日夕號慟，卒縊死。萬曆間事也。燕邸紀聞

補北京殿門前擎天石柱絕高，成化間曾粘一帖子於上云：秦檜當年陷岳飛，至今留得惡名題。於今邱濬排王恕，聖主應須早見幾。暖姝由筆

補正統中，在朝每宴享，廷中陳五獸。近陛之東西二獸，東麒麟，身似鹿，灰色，微有文，頸特長，殆將二丈，望之如植竿，其首亦大概如羊，頗醜，非所云麕身鳳肩有許文彩也。右騶虞，亦與傳記所稱不同。九朝野記

補明崇禎五年十一月長至，羣臣朝畢，思陵步至殿前，近白石扶闌，閱諸王府所進馬，

拔神駿者四匹，畫其狀，命閣臣撰名以進。其一曰太平騟，緑色有紫點。其三曰玉龍媒，曰吉良乘，曰瑇臺駿，皆白馬也。於是閣試以天閑四駿歌爲題。有老中官云。　雅坪

散録

【原】程篁墩以神童入宫，范妃親爲之總髻。　暖姝由筆

【補】嘉靖二十三年，施藥京師，爲丸凡三十五，以治百病，俱有湯引，以白綾作袋，上刻板作印云凝道雷軒施，袋中貯銀五分作方片，嘉靖錢七枚。雷軒，朝廷道號也。　暖姝由筆　以上五條原在宫室門，今移改。

【補】天順元年五月，京城雷電雨雹，大風拔木壞屋，走正陽門牌於郊外。曹吉祥之門巨樹皆折，石亨宅水深數尺，京師震恐。　古今奇聞類紀

【補】北京正陽門無敢出喪，餘皆不禁。大明門，雖空棺亦不許過，各門空棺亦不許舁入。　稗史彙編

【補】嘉靖六年六月十九日夜，京城雨雹交作，次早東江米巷大街南李學等家房上拾有銅錢八十四文，一一壁立瓦隴中。御史張璠具奏，錢進入庫。　戒庵漫筆

【補】崇禎十七年正月，大學士李建泰請以家財佐軍，自往辦賊。帝甚喜，曰：卿若行，朕當倣古推轂禮。遂以是月二十日，以特牲告廟，廷授尚方劍，諭以二十六日行遣將禮。至期，車駕登正陽門，官軍旗幡自午門外排列至正陽門，旌旗金鼓甚盛。建泰叩頭，帝慰諭再四，即賜坐，列席張宴，共一十九席，東文臣十三人爲三行，西武臣六人爲一行，御席居中。酒七行，帝親賜建泰酒三杯，并以杯賜之。復自撰勅御筆，親灑龍箋，即於門上用寶。内臣爲建泰掛紅簪花，鼓樂導尚方而出。　山書

【補】弘治癸丑五月，明時坊白晝有二人入巡警舖，久不出，管舖者疑之，推户入視，但見衣二領委壁下，衣旁各有積血而不見其人。　菽園雜記

【補】隆慶元年，清明日，京師甚和暖，晚間風雪交作，寒冽異常。次日，九門報城外凍死者一百七十人，崇文門下乘轎婦人母子俱死轎中，轎夫亦死轎下。　戒庵漫筆

【補】北京柏林寺一僧房有祟。山東二舉人會試入京，從寺僧假寓，僧拒不可，强之。至夜，主僕四人同卧一室，二舉人一醉一醒。更深，窗忽遍開，醒者見黑漢七人跳入，將醉者舁至牀下，二僕皆作魘語。天將明，仍一一跳出窗外。醒者呼醉者語之故，答曰：吾亦知之，但口欲叫不能出聲耳。於是起就僧借鋤，從窗外掘之，得鐵鍋大小七隻，急擊碎之，鑄成香鑪，至今存焉。　暖姝由筆

補萬曆甲辰，厚載門外皇城一帶牆下忽影出城郭山川樹木人物諸狀，有鐵騎數百臨城，城上皆竪旗幟，與畫圖無異，移時乃滅。玉芝堂説薈 以上八條原在城市門，今移改。

原崇禎壬申四月二十一日，大通橋下水聲如雷，有白物類犬，擁波而馳，至下流十里小聖窩而伏。帝京景物略

原崇禎十年，京師宣武門外斜街民家白雞，羽毛鮮好，喙距純赤，重四十觔。慈溪應孝廉廷吉見之，愀然曰：此鷙也，所見之處國亡。綏寇紀略 此上二條原在郊坰門，今移改。

〔臣等謹按〕以上各條皆叙明時雜事。

原序

古地志九邱之所述，土訓誦訓之所傳，不可得而聞矣。禹貢於帝都不書疆界，其首列冀州，僅兩言爾，而已見尊京師示王者無外之意。此書之體例也。商頌稱亳都曰景員惟河。景山河，大河員，言大河之旋繞於山，文僅四言，而山之高大，水之縈迴，形勢之雄壯險固，俱粲若指掌。此立言之法也。文王治岐及豐，二南所詠多在江沱汝漢之間，無一言及於岐豐土俗者，舉遠可以見近也。蓋詩書之言約而該，其旨微而顯。而志有地理，爲史家者流，義取詳覈，辭取典贍，有不必然者。余考自古帝王建都之地多且久莫如關中，今則燕京而已。關中自漢黄圖外，若葛洪、薛寘、蕭賁之所紀，無慮數十家，獨唐韋述譔西京記，宋宋敏求演之以爲長安志十卷，最稱淹博。若燕創都於遼，歷金元及明，迄今七百餘年，其名雖燕舊，而西自恒山、滹沱、易水以屬之邯鄲爲趙地，西南漳衞爲魏及邢衞之境，東南自大河附之海爲齊接壤，蓋奄有數國之封略，故其所録不得不廣。而故典缺如，蒐輯者尤難之。友人秀水朱君竹垞檢討居京師久，乃博采經史子集幾千卷，及游覽所至，所訪聞於遺賢故老者，集之爲日下舊聞，分爲一十三門，總其卷至四十有二。則所謂詳覈而典贍者矣。又間以己意，辨論其是非，援據精確，辭雅義暢，前未有此書也。

蓋自郡國寰宇之有記，至元始編爲大一統志，明踵而修之，其所載者，天文、分野、户口、賦額、山川、城郭、宫室、坊市、津梁、廟寺、陵墓之名數，與夫各郡邑之人物土宜，亦云記其大凡而已。若夫歷代遷徙沿革之不同，風俗好尚、圖史金石彝器、淵沈土埋、山銘冢刻之剥蝕殘脱而僅存者，人妖物眚，虞初之所志，靈異之所録，禽獸草木詭形殊品，非此書不備也。誠能仿其例於十三布政司，志各配以一書行之。志爲之經，此爲之緯，識大識小，兼羅並收。學者一開卷而坐見六合之内，窮古今之變，豈不甚快？惜乎竹垞已老而作者之不易得也。是編摭拾止於前代軼事，然觀其所述，非徒以侈浩博已也。其於世運隆替，君臣謀議，政治民風，得失之故，瞭然矣。法戒之實，不在是歟！其以翼經而補史之所不及者，尤作書之深意，不可以無察也。慈谿姜宸英譔。

予兄弟祇命充一統志總裁官，因得徧閲天下郡邑所上志書，其間舛錯漏脱不可勝舉，以是知地理之難言。若崔後渠之彰德府志與康對山之武功縣志，誠未易才也。因歎京師古之建國，金元以來舊都，其沿革徙復，歷年滋久，不僅立乎所見以指所傳聞矣。劉氏帝京景物略一書，漫無考據，徒掠取前譌，足成己謬，流播鄙俗，識者病之。冀博雅君子起而有作，一洗其穢。亡何而予友朱竹垞館丈有日下舊聞之輯，甫期月而書具。竹垞於書無所不讀，其才亦無所不通，而尤閎覽能强識，長於考據。其書名曰舊聞，乃其採摭故書，於前人本文一字無有損益，而注其出處曰某書，所謂信以傳信，疑以傳疑，蓋其慎也。其間間出己意按斷，則有云疑作某者，有云當以某爲是者，有云某書記載與某書不合而不敢定其爲孰是者。夫亦深疾夫劉氏之專且固，而於考據之功猶謙讓未遑居歟！其自序言所鈔羣書凡千六百餘種，余伯兄藏書稍多，悉出相示。其他殘編斷碣，搜考殆盡，從來著述家所鈔未有若此之富者也。而猶歉然不足，以皇元建都記、北平志諸書不得見爲憾甚矣。夫著述之不可輕言，而地理爲尤難也。然而讀書愈多則愈以爲尠聞寡見，而畏後生之嗤點，此其所以爲不妄作也。竹垞之博雅，上掩乎康崔，筆亦過之。京大師衆，取多用宏，以視彰德武功，所謂諸侯之事不足觀也已。崑山徐元文書。

往代都會記載之書莫著於漢之三輔黄圖與西京雜記，葛稚川稱其家有劉子駿漢書百本，班孟堅鋪叙兩京，最爲該練，蓋多資取於子駿也。然孟堅亦有不録者，稚川集而藏之，名曰西京雜記。其中事實與班少有異同，今所傳且失其半。三輔黄圖既不知作者何人，又爲中興書目、崇文總目所不載。程氏以有唐縣名，辨其非漢書，他如關中、洛陽、帝都、東都諸記，與兩京新記、京師録、長安志或存或亡，乃若金陵記、蜀都記、江左編、建康録、臨安、鄴城諸書，皆偏安無足取重。吴自牧之夢粱録、孟元老之東京夢華録，則又從喪亂後追述舊事，尤爲瑣屑。燕京自遼金元明定都於此，宜有紀載，而著述無聞。往者劉同人有帝京景物略，採取多缺，未合大雅。論者有盆花盎草之譏。予自束髮來京師，凡城市巷陌旗亭茶社無不觀，近畿之山川寺觀無不游，人家之園圃亭榭與前代之廢館荒臺無不過而問焉。每一流憩，俯仰低徊，動輒忘返。嘗思我朝當聲名文物之盛，據天下形勢之雄，控制中外，遐邇嚮化，梯航萬邦，時集都下。欲著燕京一書垂示永久，補前人所未逮。顧旅食鮮暇，繼復叨直禁近，早夜惕厲，足不出重闉者十二年。不但不能爲此書，視向時登覽遊歷之地，且可望而不可卽矣。歲癸亥，與同年友竹垞偕侍直廬，每言及此，慨焉興嘆。彈指五年，竹垞日下舊聞之書成，詳載山川、宫室、城市、郊坰、畿輔、邊障、户版、風俗、物産，遐收彙集，可以資掌故，備採覽，使有班孟堅者出，當必取之爲史家之一助也。竹垞博極羣書，晝則歷郊野，摩碑碣，問父老，斷字戹言，悉經掌録。夕則篝燈散帙，馳騁古今，務使聞見兩無所憾而後愉快。故其書大無不該，細無不析，竹垞猶未敢自居於作者，曰吾述舊聞而已。竹垞遭際盛時，優游纂紀，成不朽之業，副在名山。視三輔黄圖、西京雜記諸書，蓋又遠勝之矣。錢塘高士奇序。

秀水朱竹垞以史官入直南書房，既被謫，留居都下。以京師遼金元明歷代建都於是，不有以紀之。慮舊聞之放失也，迺采摭羣書，自六經以至百家二氏，自國史家集以至海外之載紀，自百千卷以至殘碑壞碣斷楮零墨，靡不搜録，成四十有二卷，題曰日下舊聞。三𤅢主人方假歸，竹垞飲餞於郊，啟篋讀之，作而曰：猗與偉與！紀述之備其蔑有遺憾也！夫竹垞曰：否否，燕之有春秋見於墨子，幽都之有記、有圖經，見於隋志，幽州古今人物之有志，見於唐書，遼有燕北會要，金則疆域有圖，元則建都有紀。其外著録有若熊自得之燕京志，劉崧之北平志、北平事迹，戚不磷、郭造卿之燕史，其少者或數卷，多或至數百卷，是皆燕志也，而未之見焉，烏得無憾？譬諸尋河者不得其源，而徒取夫窮瀆細流也。主人曰：不然，水之發源而注乎尾閭也，并千七百一川而爲河，觀河者不期臻乎星宿也。納萬川而爲海，觀海者不期極乎歸墟也。子之閎覽既已靡奇不有，靡怪不儲，豈必盡收坳堂瀃汋之水而注之川乎？在昔燕有騶子，列中國名山大川通谷禽獸，水土所殖，物類所珍，因而推之及海外，其言以爲九州之内名曰赤縣，赤縣之畿從冀州而起。今之京師亦陶唐氏之冀方也。竹垞網羅舊聞，既始於此，試推而及於九州之廣，合成一書，不亦大愉快事也哉！觴酒既行，慺慺而别，因書其言以爲序。丹徒張鵬。

昔漢婁敬言形勢，首關中，次三齊，而他不與焉。金源粱襄則以燕爲京都之選首。其地左滄海，右太行，後倚關塞，南面而臨區夏，壯哉！度越東西秦遠矣。歷年既久，市廛古跡漸多。游京師者，尋覽名勝，發爲歌詩，匪掌故奚由哉！朱子竹垞博極經史，述而不作，輯爲日下舊聞。聞者，聞之於昔也，非一人獨撰之書也。乃廣其義例，首星土、世紀，次形勝，次宫室，次城市，次郊坰，京畿僑治附焉。又次邊障、户版、風俗、物産，而終之以雜綴及石鼓考，共四十二卷。上自軒轅，下迄明季，所采輯經史與稗官家言計千六百有奇。其經緯宏遠備矣。後有作者，蔑以加矣。曩歲在己未，上召海内文學之士試闕下，時予承乏政府，讀竹垞卷，歎爲奇絶。同時五十人，皆拔置禁林，而竹垞獨供奉内廷，未幾罷去。乃僦居古藤書屋，風雨一編，青燈永夕。人見其蕭然闔户，疑有牢愁羈旅之思，不知其搜拾舊聞，訂訛辨誤，與古人角勝於楮墨間也。竹垞在翰苑，著有瀛洲道古録一書，宜并出問世。使官詞林者知職守之所在，累朝禮下之典，亦與有助焉。予退處田間，老而廢學，得此二編以送餘年，庶幾京師舊游歷歷在目，亦可以消玉堂天上之感也已。益都馮溥序。

朱彝尊自序

今之京師，范鎮以爲地博大以爽塏，繩直砥平；梁襄則謂北倚山險，南壓區夏，王業根本，京都之選首。粤自軒轅氏邑於涿鹿之阿，周以薊封，其後北燕都之，慕容燕又都之，迨至遼曰南京，金曰中都，元曰大都，明曰北京，皇朝因之，以統萬國。宮殿井邑之繁麗，倉廩府庫之充實，詩所云四方之極者也。考唐之幽州，其址半在新城之西，金展其南，元拓其東北。洎徐武寧定北平，毁故都城，縮而小之，以昊天、憫忠、延壽、竹林、仙露諸寺皆限於城外，則其所毁不獨光熙、安貞二門而已。及嘉靖築新城，之數寺者復圍於郭内，而梁園以左，南極於魏村，東至於神木之廠，則又曩郊外之地也。若夫元之宮闕，以地度之，當在今安定門北。明初即南城故宮以建燕邸，而非因大都之舊。蓋宮室城市，基凡數易，至琳宮梵舍之建置，沿其舊者十一，更額者十九。故老淪亡，遺書散佚，歷年愈久，陳跡愈不可得而尋矣。彝尊謫居無事，捃拾載籍及金石遺文會粹之，分一十三門，曰星土、曰世紀、曰形勢、曰宮室、曰城市、曰郊坰、曰京畿、曰僑治、曰邊障、曰户版、曰風俗、曰物産、曰雜綴，而以石鼓考終焉。合四十有二卷。刑部尚書崑山徐公見之，謂其可傳，乃捐資俾鋟木。計草創於丙寅之夏，録成於丁卯之秋，開雕於冬，迄戊辰九月而竣。中間滲漏，隨覽隨悔，復命兒子昆田以剩義補其闕遺，附於各卷之末。所抄羣書凡千六百餘種，慮觀者莫究其始，必分注於下，非以侈摭采之博也。昔衛正叔嘗纂禮記集説矣，其言病世儒勦取前人之説以爲己出，而曰他人著書惟恐不出於己，予此編惟恐不出於人。彝尊不敏，竊取正叔之義。至旁及稗官小説百家二氏之書，或有未足盡信者，世之君子毋以擇焉不精罪我，斯幸矣。

原跋

記十三四時，先君對客譚京華舊事，徵據昇平文獻，合之覽覩，亹亹盡纖悉。原常侍左右，蒙稚無識，不及筆注斯語。荏苒歲月，積久遺忘。時歲乙丑，天下貢士入成均，原亦在選中，躡屩都下，約略前聞，都不省記。間能追憶一二，則三十年來，風景視昔又復小異矣。比數從秀水朱先生遊，先生方鍵户著述，薈萃京邑典故，勒成一書，名曰日下舊聞。時從座上抽覽一二幀，則向日緒言，顯顯在目，如覺思夢，忽得故處，灑然心快。先生自罷供奉，僦屋宣武門外，日夕坐卧一室，藤牀竹几，架上藏書萬軸，圍列左右。先生目不停披，手不絶書。又時時延訪遺老，質問逸事，或摹拓殘碑碣，攀崖附澗，側足重繭不憚困，凡閱書一千三百餘種。再歷寒暑而書成，總四十二卷。其采輯考辨，可謂勤且瘁矣。原學文於先生，嘗聞爲學由博而入，歸諸潔淨精微，乃臻極至。基始之難，莫如考據。若夫論世辨物，必要諸瑣屑，不如是不能極其情狀，識其歸趨爾矣。是書之輯，雖止考據之一端，然傳諸學者，殆亦博文之别流，掌故之小乘也。原喜覩其成，承先生命，遂述數語於後。青浦王原謹書。

欽定日下舊聞考

譯語總目 凡原書人地官氏及器物名中有字面無庸改者，不加譯注；有譯改而音義或先分見他處原文又相同者，俱不複注。若音義同而原文間有小異者，則注明義見前，舊作某某；又或一處而所譯音義有已見有初見者，則初見者加譯注，餘亦注明義見前，舊作某某。

卷三

安巴堅滿洲語大理也，舊作阿保機。

詳衮索倫語理事官也，舊作詳穩。

猛伊喇伊喇，滿洲語黍也，舊作拽剌。

錫里滿洲語選拔也，舊作赦例。

裕悦譯音。舊作于越，

休格譯音。舊作休哥，

希達滿洲語門簾也，舊作奚底。

色珍滿洲語車也，舊作斜軫。

特哩衮蒙古語爲首之謂也，舊作惕隱。

伊實唐古特語智慧也，舊作乙室。

薩哈滿洲語小圍也，舊作撒合。

迪里索倫語頭目也，舊作敵烈。

圖魯卜蒙古語形勢也，舊作突呂不。

唐古滿洲語百數也，舊作唐筈。

蕭托果託果，蒙古語釜也，舊作討古。

穆濟滿洲語大麥也，舊作抹只。

舒蘇蒙古語高粱也，舊作矧思。

赫德滿洲語渣滓也，舊作痕德。

罕都滿洲語稻也，舊作懇篤。

卷四

庫哩布滿洲語被唬住也，舊作夔離不。

阿古達舊作阿骨打，譯音。

洛索滿洲語極濕難耕地也，舊作婁宿。

貝勒滿洲語管理衆人之稱也，舊作孛堇。

達什林牙 達什，唐古特語吉祥也，舊作大石。

沃哩布 滿洲語使留也，舊作斡離不。

阿克善 滿洲語發水後樹木上掛的柴草也，舊作阿骨爽。

索多 蒙古語鳥翅大翎也，舊作散覩。

尼楚赫 滿洲語珍珠也，舊作銀朮可。

道喇 蒙古語下也，舊作鐸剌。

布希 滿洲語膝也，又去毛鹿皮也，舊作蒲莧。

尼堪 滿洲語漢人也，舊作粘罕。

卷五

巴圖魯 滿洲語勇也，舊作霸突魯。

穆呼哩 滿洲語禿尖也，舊作木華黎。

托克托 蒙古語定也，舊作脱脱。

卷六

諳達 蒙古語夥伴也，舊作唵答。

卷二十九

拉里滿洲語爽利也，舊作剌履。

果囉洛納延果囉洛舊作葛邏禄，從八旗姓譜改正。納延，蒙古語八十數也，舊作迺賢。

赫舍哩舊作紇石烈，從八旗姓譜改正。

特哩蒙古語齊整也，舊作忒隣。

圖克坦舊作徒單，從八旗姓譜改正。

布達滿洲語飯也，舊作白答。

貝勒義見前，舊作孛詰烈。

舒穆嚕舊作石抹，從八旗姓譜改正。

布薩揆布薩舊作僕散，從八旗姓譜改正。

徹伯爾蒙古語廉潔也，舊作察八。

呼沙呼滿洲語鴟鴞也，舊作胡沙虎。

穆延舊作没撚，從八旗姓譜改正。

保喇巴圖保喇，蒙古語雄駝也；巴圖，堅固也。舊作布吾剌拔都。

卷三十

薩都拉滿洲語結親也，舊作薩都剌。

鄂勒哲蒙古語壽也，舊作完澤。
達爾瑪梵語法也，舊作答里麻。
錫寶齊蒙古語養禽鳥人也，舊作昔寶赤。
集賽蒙古語輪流值班之謂也，舊作怯薛。
和爾果斯蒙古語牧地遺矢也，舊作和禮霍孫。
齊蘇蒙古語血也，舊作曲樞。
濟遜蒙古語濟遜卽濟蘇，顔色也，舊作質孫。
阿南達梵語阿難也，舊作阿難答。
瑪哈噶拉梵語大黑神也，舊作馬哈吃剌。
哈喇哈斯達爾罕哈喇，蒙古語黑色也；哈斯，玉也；達爾罕，凡有勤勞者免其差役之稱也。舊作哈剌哈孫答剌罕。
察納蒙古語那邊也，舊作察那。
鄂爾多滿洲語宫也，舊作斡耳朶。

卷三十一

伊嚕布哈伊嚕，蒙古語淨也；布哈，犍牛也。舊作月魯不花。
哈喇果勒哈喇義見前；果勒，蒙古語河也。舊作憨剌合兒。

伊嚕特穆爾伊嚕義見前；特穆爾，蒙古語鐵也。舊作月魯帖木兒。

雅克特穆爾雅克，蒙古語結實也；特穆爾義見前。舊作燕帖木兒。

鴻吉哩舊作弘吉剌，從八旗姓譜改正。

阿裕爾錫哩達喇阿裕爾，梵語壽也；錫哩，威也；達喇，救度也。舊作愛猷識理達臘。

輝和爾回部名也，舊作畏吾兒譯音。

富珠哩翀富珠哩舊作孛术魯，從八旗姓譜改正。

札實唐古特語吉祥也，舊作瞻思。

喀喇蒙古語黑馬也，舊作康里。

多爾濟唐古特語金剛也，舊作鐸爾直。

庫庫蒙古語清色也，舊作巙巙。

多爾濟巴勒多爾濟義見前；巴勒，威也。舊作朶耳直班。

雅克布哈義俱見前，舊作雅不花。

卷三十二

齊達勒蒙古語能也，舊作赤德爾。

伊克德勒丹伊克，蒙古語大也；德勒，衣也；丹，有也。舊作亦黑迭兒丁。

伊蘇布哈伊蘇，蒙古語九數也；布哈義見前。舊作也速不花。

圖喇滿洲語柱也，舊作秃刺。

安圖滿洲語山陽也，舊作安童。

巴延滿洲語富也，舊作伯顔。

噶布喇盌梵語盛水執舞之螺螄也，舊作加巴剌般。

察罕岱布哈察罕，蒙古語白色也；岱，有也；布哈義見前。舊作長安迭不花。

博囉蒙古語青色也，舊作孛羅。

帕克斯巴唐古特語聖也，舊作八斯巴。

雅滿達噶梵語怖畏金剛也，舊作牙蠻答哥。

僧格唐古特語獅也，舊作桑哥。

額森布哈額森，蒙古語平安也；布哈義見前。舊作野仙普化。

昌通昌，唐古特語酒也；通，飲也。舊作昌童。

阿爾尼格蒙古語阿爾花紋也；尼格，一數也。舊作阿尼哥。

伊克義見前，舊作也可。

諾爾布唐古特語財也，舊作南必。

納奇錫蒙古語絨線也，舊作納失失。

翁吉喇特舊作翁吉剌，從八旗姓譜改正。

卷三十七

赫嚕滿洲語車輻也，舊作喝魯。

斡滿洲語氣味也，舊作哇。

羅卜科蒙古語淖泥也，舊作魯不古。

果實滿洲語疼愛也，舊作高十。

烏珍滿洲語重也，舊作屋質。

固雲唐古特語才能也，舊作轂英。

珠赫呼果勒齊珠赫呼舊作术虎，從八旗姓譜改正。果勒齊，滿洲語中心也，舊作高琪。

卷三十八

舒嚕滿洲語珊瑚也，舊作沙剌。

鄂勒哲胡土克鄂勒哲義見前；胡土克，唐古特語再來人也。舊作完者忽都。

卷四十三

青吉斯舊作成吉斯，照蒙古源流改正。

胡土克義見前，舊作忽都護。

霞哩滿洲語斜眼也，舊作厦哩。

阿裕爾巴里巴特喇阿裕爾義見前；巴里，梵語威也；巴特喇，好也。舊作愛育黎拔力八達。

卷四十四

博爾濟蒙古語二輩奴也，舊作别兒怯。

卷四十五

和必斯蒙古語樂器名也，舊作胡撥四。

都哩默色都哩，蒙古語式樣也；默色，器械也。舊作土兒密失。

察爾奇滿洲語扎板也，舊作叉兒機。

卷四十六

札瑪里迪音舊作札馬魯丁，譯音。

卷四十九

白索珠舊作白瑣住，譯音。

蘇隴裕勒蘇隴，唐古特語守護也；裕勒，地方也。舊作思龍宜。

博果岱蒙古語麥也，舊作伯忽都。

綽爾濟鄂特色爾綽爾濟，唐古特語法師也；鄂特色爾，金光也。舊作綽吉我些兒。

卷五十

趙塔齊兒塔齊兒蒙古語瘠地也，舊作塔察兒。

和坦伊蘇和坦，蒙古語城也；伊蘇義見前。舊作忽都于思。

阿爾哈雅阿爾義見前；哈雅，墻也。舊作阿禮海牙。

永和爾蒙古語絨也，舊作巖穆忽爾。

和遜蒙古語空也，舊作忽先。

敏珠爾哈雅敏珠爾，唐古特語無違之謂也；哈雅義見前。舊作米只兒海牙。

伊爾特穆爾伊爾，蒙古語鋒刃也；特穆爾義見前。舊作野里帖木兒。

孟克特穆爾孟克，蒙古語經常之經也；特穆爾義見前。舊作忙哥帖木兒。

薩里默色蒙古語地弩也，默色義見前，舊作薩哩密實。

玖珠舊作九柱，譯音。

額琳沁佐特額琳沁，唐古特語寶也；佐特，庫也。舊作亦隣真尊。

圖烈圖阿穆爾布哈圖烈圖，蒙古語有柴也；阿穆爾，安也；布哈義見前。舊作朶列圖按木不花。

烏蘭特穆爾烏蘭，蒙古語紅色也；特穆爾義見前。舊作五魯帖木兒。

準台準，蒙古語東也；台，有也。舊作术温台。
阿薩爾蒙古語閣也，舊作阿散。

卷五十一

珠占蒙古語厚也，舊作竹貞。
摩該蒙古語蛇也，舊作貊高。
呼嚕满洲語手背也，舊作斛羅。
博果密蒙古語包裹也，舊作不忽木。
赫嚕義見前，舊作曷魯。

卷五十二

瑪勒圖蒙古語有牲畜之謂也，舊作满圖。
阿爾威阿爾義見前，舊作阿魯。
瑪勒蒙古語牲畜也，舊作馬兒。
鄂齊爾蒙古語金剛也，舊作斡赤。
達納蒙古語管也，舊作答難。

卷五十三

凌戩巴勒丹 凌，唐古特語長也；戩，裝儼也；巴勒丹，全威也。舊作領占班丹。

札什藏布 札什，唐古特語吉祥也；藏布，美好也。舊作著肖藏卜。

桑噶巴拉 桑噶，梵語僧也；巴拉，守護也。舊作桑渴巴剌。

諤格德依 舊作窩闊台，照蒙古源流改正。

色辰 蒙古語聰明也，舊作薛禪。

鄂勒哲圖 鄂勒哲義見前；圖，蒙古語有也。舊作完澤篤。

庫魯克 蒙古語超衆之謂也，舊作曲律。

布延圖 布延，蒙古語福也；圖義見前。舊作普顏篤。

格根 蒙古語明也，舊作格堅。

額琳沁巴勒 義俱見前，舊作亦隣真班。

阿南達錫哩 義俱見前，舊作剌挼室利。

特古斯布哈 特古斯，蒙古語全也；布哈義見前。舊作帖古思不華。

卷五十四

布爾罕 蒙古語佛也，舊作卜魯罕。

卷五十八

噶瑪拉梵語蓬花葉也，舊作甘蔴剌。

卷五十九

察克蒙古語時也，舊作察割。

達喇義見前，舊作喋蠟。

扎克繖古魯扎克繖，滿洲語霞也，舊作只撒。

卷六十

伊勒希按班伊勒希，滿洲語副也；按班，大臣也。舊作夷離畢。

完顏佛寧佛寧，滿洲語羣也，舊作完顔蒲涅。

蒙古台蒙古語有銀也，舊作忙兀台。

雲丹藏布雲丹，唐古特語才也；藏布義見前。舊作允丹藏卜。

卷六十四

烏珠滿洲語頭也，舊作兀术。

卷六十七

實勒們滿洲語鷂子也，舊作實理門。

愛滿滿洲語部落也，舊作愛馬。

瑪蘇庫瑪，滿洲語粗也；蘇庫，皮也。舊作馬斯忽。

烏德美蒙古語送也，舊作兀都瞞。

多羅岱蒙古語七數也，舊作奪羅斛。

筆且齊蒙古語寫字人也，舊作必闍赤。

札爾古齊蒙古語斷事人也，舊作札古魯真。

文宣努舊作文宣奴，譯音。

賽音衮巴克實賽音，蒙古語好也；衮，深也；巴克實，師也。舊作仙孔八合識。

卷六十九

尼瑪哈滿洲語魚也，舊作粘没罕。

卷七十二

濟蘇蒙古語顔色也，舊作只孫。

卷七十七

班迪達梵語才能也，舊作板的達。

卷七十九

都哩沁都哩義見前；沁，唐古特語大也。舊作朶里真。

卷八十七

阿勒錦滿洲語聲譽也，舊作阿里吉。

和勒博林牙和勒博，滿洲語聯絡也，舊作回離保。

特爾格蒙古語車也，舊作銕哥。

卷八十八

香沙唐古特語肉鼻也，舊作薌山。

卷八十九

伊徹察喇伊徹，滿洲語新也；察喇，注酒器也。舊作月赤察兒。

吉勒展滿洲語恕也，舊作皎貞。

沁特穆爾義俱見前，舊作赤因帖木兒。

喀喇鼎珠喀喇義見前，舊作康里；鼎珠舊作定柱，今對音譯改。

伊遜岱爾伊遜，蒙古語九數也；岱爾，牡鹿也。舊作埜素達爾。

段達纖達纖，滿洲語政也，舊作定僧。

泰費音納泰費音，滿洲語太平也；納，地也。舊作太平奴。

色徹圖蒙古語聰明也，舊作薛徹篤。

索諾木巴勒 索諾木，唐古特語福也；巴勒義見前。舊作鎖南滿。

策布哈 策，唐古特語壽也；布哈義見前。舊作慈普化。

實喇卜藏布 唐古特語好智慧也，舊作沙喇贊卜。

穆爾濟延 穆爾，蒙古語踪跡也；濟延，命也。舊作馬兒吉顔。

沙克珊 滿洲語狡猾人也，舊作山山。

札薩克 蒙古語政也，舊作札撒。

卷九十一

善延實庫 善延，滿洲語白色也；實庫撒，袋内襯格也。舊作鄯陽石古。

卷九十二

索琿 滿洲語姜黄色也，舊作素温。

札達 蒙古語石也，舊作斫答。

巴咱爾 梵語金剛也，舊作巴薩兒。

扎拉爾 蒙古語帽纓也，舊作札剌爾。

貝實勒 唐古特語琥珀也，舊作比涉兒。

卷九十三

特穆津蒙古語鍈之最精者，舊作忒没真。

卷九十四

奈曼蒙古語八數也，舊作乃蠻。

哈喇義見前，舊作曷剌。

卷九十五

賽瑪爾堪回地名也，舊作邪迷思干。

徹伯爾義見前，舊作札八兒。

罕嘉努舊作韓家奴，譯音。

張巴舒新舊作張鉢信順，照三史畫一改正。

普元努舊作普元奴，譯音。

卷九十六

雅爾鼐羅密克雅爾鼐，唐古特語夏居也；羅密克，智慧眼也。舊作雅納囉釋彌。

班迪達桑噶實哩班迪達桑噶實哩義俱見前，舊作板的達薩訶咱釋哩。

烏巴迪呢雅實哩烏巴迪呢雅，梵語法術也；實哩，威也。舊作吾巴帖耶室哩。

布達實哩梵語佛威也，舊作勃塔室哩。

卷九十七

足克戩古爾 足克戩，唐古特語首飾也；古爾，帳房也。舊作左吉古魯。

索諾木納木結 蒙古語有福人也，舊作鎖南嚷結。

卓哈 舊作主活，照三史畫一改正。

噶布拉 蒙古語天靈蓋也，舊作葛巴剌。

嘉勒斡凌戩 嘉勒斡，唐古特語勝也；凌戩義俱見前。舊作結斡領占。

扎巴藏布 扎巴，唐古特語徒弟也；藏布義見前。舊作劄巴藏播。

章台揚扎巴 舊作章臺陽吒巴，譯音。

卷九十八

諾摩罕 蒙古語樸實也，舊作那木罕。

阿卜呼穆爾布哈 阿卜呼，蒙古語取也；穆爾布哈義俱見前。舊作安普忽馬兒不花。

卷九十九

默沙實哩 默，唐古特語火也；沙，肉也；實哩義見前。舊作謨沙室利。

沙克節依 沙克節依，番姓也，舊作沙津愛。

卷一百

布達實哩義見前，舊作卜答失里。

蘇蘇勒巴蒙古語敬也，舊作速速班。

丹徹爾特穆爾蒙古語最潔淨鋏也，舊作丹徹理帖木兒。

明埒棟阿明埒，唐古特語好名也；棟，硨磲也；阿，五數也。舊作明理董阿。

錦嘉努舊作金界奴，譯音。

額穆爾蘇滿洲語單層也，舊作阿麻琜。

達嚕噶齊蒙古語頭目也，舊作達魯花赤。

薩勒迪索倫語甲也，舊作撒迪。

鴻和爾布哈鴻和爾，蒙古語黃色也；布哈義見前。舊作炅火兒不花。

卷一百一

拜珠蒙古語存也，舊作拜住。

索約勒哈陶默色索約勒，蒙古語教化之化也；哈陶，剛也；默色義見前。舊作鎖咬兒哈的迷失。

阿實克布哈阿實克，蒙古語利也；布哈義見前。舊作阿沙不花。

卷一百四

必巴實梵語佛名也，舊作八不沙。

沙克嘉實哩沙克嘉，梵語姓也；實哩義見前。舊作相迦失里。

年札克策喇實年，唐古特語妙也；札克，名譽也；策，壽也；喇實，吉祥也。舊作輦真吃剌思。

卷一百七

額森義見前，舊作也先。

庫春蒙古語力也，舊作曲出。

察罕義見前，舊作察漢。

圖沁特穆爾圖沁，唐古特語大力也；特穆爾義見前。舊作禿堅帖木兒。

婁都爾蘇婁，蒙古語龍也；都爾蘇，規模也。舊作老的沙。

綽斯戩綽斯，唐古特語法也；戩義見前。舊作搠思監。

卷一百八

達勒達滿洲語隱避處也，舊作達達。

安布唐古特語不善之謂也，舊作奄卜。

布延特穆爾布延，蒙古語福也；特穆爾義見前。舊作卜顏帖木兒。

蘇拉吉達蘇拉，滿洲語閑散也；吉達，槍也。舊作速朗吉大。

卷一百九

台哈布哈台哈，蒙古語長毛也；布哈義見前。舊作大不花。

圖們岱爾圖們，蒙古語萬數也；岱爾，牡鹿也。舊作禿満迭兒。

庫庫特穆爾義俱見前，舊作擴廓帖木兒。

都哩都爾蘇義俱見前，舊作篤烈圖述。

卷一百十一

珠克索倫語房屋也，舊作祝阿。

卷一百十二

納琳蒙古語細也，舊作納麟。

瑪魯滿洲語瓶也，舊作買閭。

阿巴齊蒙古語行圍人也，舊作阿八赤。

蒙古岱即蒙古也，舊作忙兀䚟。

耀珠舊作畝住，譯音。

卷一百十三

聶赫滿洲語鴨也，舊作粘合。

丹珠爾丹丹珠爾，蒙古語續藏經名也；丹義見前。舊作答术丁。

卷一百十四

富察集賽富察舊作蒲察，從八旗姓譜改正。集賽義見前，舊作糺舍。

温特赫實芳努温特赫舊作温迪罕，從八旗姓譜改正。實芳努舊作十方奴，譯音。

多羅台多羅，蒙古語七數也，舊作朶羅。

尼古勒蒙古語罪孽也，舊作捏古剌。

卷一百十七

薩敦滿洲語親家也，舊作撒敦。

卷一百二十

伊喇仲夾努伊喇舊作移剌，從八旗姓譜改正。仲夾努舊作衆家奴，譯音。

珠格爾蒙古語閒散也，舊作只哥。

額蘇倫蒙古語梵天也，舊作阿术魯。

伊喇鼐爾伊喇義見前；鼐爾，蒙古語和也。舊作移剌湼兒。

舒穆嚕拜達勒舒穆嚕義見前；拜達勒，蒙古語形像也。舊作石抹孛迭兒。

卷一百二十四

布哈義見前，舊作伯華。

耶律伯特伯特，满洲語才力不及也，舊作頗德。

奇塔特伯奇奇塔特，蒙古語漢人也；伯奇，堅固也。舊作乞台普濟。

卷一百二十五

卓哩满洲語指之也，舊作啜里。

薩巴蒙古語器皿也，舊作薩八。

呼喇楚蒙古語積聚也，舊作忽剌出。

納哈塔舊作納合，從八旗姓譜改正。

烏庫哩慶壽烏庫哩舊作烏古論，從八旗姓譜改正。

卷一百二十六

星薩星，唐古特語樹也；薩，地也。舊作神撒。

古拉古，唐古特語身也；拉，神也。舊作古喇。

巴納满洲語地方也，舊作捺鉢。

卷一百二十七

浩爾齊蒙古語吹笳人也，舊作忽林赤。

都爾蘇義見前，舊作禿魯沙。

卷一百二十九

完顏和卓和卓，滿洲語美好也，舊作合住。

愛新蘇赫愛新，滿洲語金也；蘇赫，斧也。舊作阿興鬆哥。

克實克慎思克實克舊作克沙骨，從八旗姓譜改正。

和斯蒙古語雙也，舊作賀斯。

卷一百三十

雅勒呼滿洲語肉槽盆也，舊作牙忽。

茂巴爾斯茂，蒙古語不善之謂也；巴爾斯即巴爾虎也。舊作木八剌。

明安達達，滿洲語爲首之稱也，舊作答。

拜珠舊作伯住，譯音。

卷一百三十一

薩里默色義俱見前，舊作薩里彌實。

克呼蒙古語野外也，舊作怯烈。

党珠舊作黨住，譯音。

卷一百三十二

哈布爾蒙古語春也，舊作胡拔爾。

費摩氏八旗姓譜改正。舊作裴滿氏，從

卷一百三十三

克特蒙古語火鐮也，舊作斫答。

唐古定格唐古義見前，舊作唐筈；定格，舊作定哥，譯音。

烏達滿洲語買也，舊作烏帶。

烏嚕滿洲語是也，舊作烏禄。

烏淩阿八旗姓譜改正。舊作烏林答，從

卷一百三十四

塔斯蒙古語性烈也，舊作田厮。

唐古特部名也，舊作唐兀。

卷一百三十五

巴納義見前，舊作納鉢。

濟延義見前，舊作井原。

卷一百三十八

瓜爾佳舊作夾谷，從八旗姓譜改正。

多羅義見前，舊作托喇。

準台義見前，舊作竹温台。

卷一百四十

邁珠舊作買住，譯音。

卷一百四十一

珠嘉舊作术甲，從八旗姓譜改正。

佛紳滿洲語柄也，舊作法心。

伊扎爾蒙古語根源也，舊作咬查剌。

卷一百四十三

烏梁海舊作兀良哈，譯音。

準布滿洲語提撕也，舊作阻轐。

圖卜蘇舊作陁鎖，從八旗姓譜改正。

卷一百四十四

實納滿洲語新也，舊作習捏。

達春滿洲語敏捷也，舊作脱出。

卷一百五十一

尼嚕罕滿洲語畫也，舊作努爾干。

拜特穆爾拜，蒙古語不動之謂也；特穆爾義見前。舊作伯帖木兒。

安塔哈塔哈，滿洲語客也，舊作答海。

達掄滿洲語飲馬處也，舊作達魯河。

卷一百五十二

諾音蒙古語官長也，舊作朶顔。

納克楚唐古特語黑水也，舊作納哈出。

錫津滿洲語釣魚絲線也，舊作韡錠。

薩巴義見前，舊作撒八。

實古納蒙古語審問也，舊作習古迺。

博勒和滿洲語潔淨也，舊作婆羅火。

達蘭蒙古語七十數也，舊作撻懶。

烏哈達滿洲語塔子頭也，舊作歪骨朶。

卷一百五十三

鈕祜禄罕努鈕祜禄舊作粘割，從八旗姓譜改正。罕努舊作韓奴，譯音。
琿楚滿洲語冰床也，舊作渾黜。
洛索義見前，舊作婁室。
舍音滿洲語色白也，舊作斜也。
巴爾斯義見前，舊作拔离速。
阿嚕岱蒙古語山陰也，舊作阿魯帶。
斡罕滿洲語袖頭也，舊作窩幹。
蘇嚕克蒙古語牧羣也，舊作速魯。
奎騰蒙古語冷也，舊作侃頭。
鼐爾布哈義俱見前，舊作乃兒不花。
都古爾濟蒙古語盈满也，舊作吐護真。
瑠和滿洲語海白魚也，舊作留斡。
克埒木蒙古語牆也，舊作怯烈門。
諾海蒙古語犬也，舊作訥懷。

阿固岱蒙古語寬也，舊作阿忽帶。
薩里義見前，舊作撒里。
巴圖爾蒙古語勇也，舊作八都兒。
阿達奇滿洲語隣也，舊作愛的斤。
和碩滿洲語隅也，舊作火篩。
都塔濟特穆爾都塔濟，蒙古語缺欠也；特穆爾義見前。舊作豆叱仇帖木兒。

卷一百五十四

尼雅滿滿洲語心也，舊作粘罕。
齊喇哈蕃齊喇，滿洲語嚴也；哈蕃，官也。舊作查剌合攀。
哲伯蒙古語梅針箭也，舊作遮別。
奇塔特博哈奇塔特義見前；博哈，身笨也。舊作可忒薄刹。
烏蘭巴爾蒙古語紅虎也，舊作訛魯不兒。
多爾濟義見前，舊作朶兒只。
雅勒呼滿洲語大槽盆也，舊作鴉鶻。
布呼齊蒙古語吹海螺人也，舊作不蘭奚。

桂齊滿洲語善也，舊作貴赤。
阿蘇滿洲語網也，舊作阿速。
哈喇婁蒙古語黑龍也，舊作哈兒魯。
錫里濟蒙古語選拔也，舊作昔里吉。

卷一百五十五

里齋努舊作俚砦奴，譯音。
鄂囉呼蒙古語進也，舊作窩羅虎。
嘉木揚喇勒智嘉木揚，唐古特語文殊菩薩也；喇勒智，智慧劍也。舊作楊連真加。
特們德爾即特穆爾，蒙古語鐵也，舊作鐵木迭兒。
納木喀桑結納木喀，唐古特語天也；桑結，佛也。舊作曩哥星吉。

卷一百五十六

伯嘉努舊作伯嘉奴，譯音。
特穆爾達什義俱見前，舊作鐵木兒塔識。

卷一百五十九

持嘉舊作赤盞，從八旗姓譜改正。

三寶努舊作三寶奴，譯音。